map symbols

Toll motorways

- A55 / E55 — Dual carriageway with road numbers
- Single carriageway
- Interchange
- Restricted interchange
- Service area
- Under construction

Non-toll motorways

- A55 / E55 — Dual carriageway with road numbers
- Single carriageway
- Interchange
- Restricted interchange
- Service area
- Under construction

National roads

- SS45 — Dual carriageway with road number
- Single carriageway

Regional roads

- SS45 — Dual carriageway with road number
- Single carriageway

Local roads

- SS453 — Dual carriageway with road number
- Single carriageway
- D28 — Minor road with road number
- 38 — Page overlap and number

- Road in tunnel
- Road under construction
- Toll point
- 24 — Distances in kilometres
- Gradient 14% and over
- Gradient 6%-13%
- 10-6, Furkapass 2431 — Mountain pass with closure period
- 628, PUERTO DE ANGER — Spot height (metres)
- Ferry route (all year)
- Hovercraft (all year)
- Airport (International)
- Car transporter (rail)
- Mountain railway
- Viewpoint (180° or 360°)
- Urban area
- Town location
- Canal
- Wooded area

Boundaries

- International
- National
- Unrecognised international
- Restricted frontier crossing

scale

1:1 000 000

10 kilometres : 1 centimetre

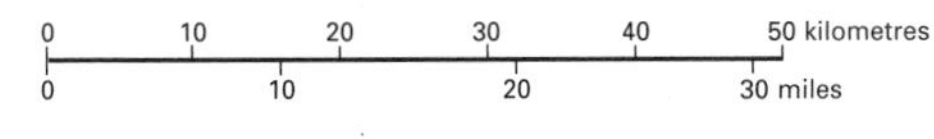

16 miles : 1 inch

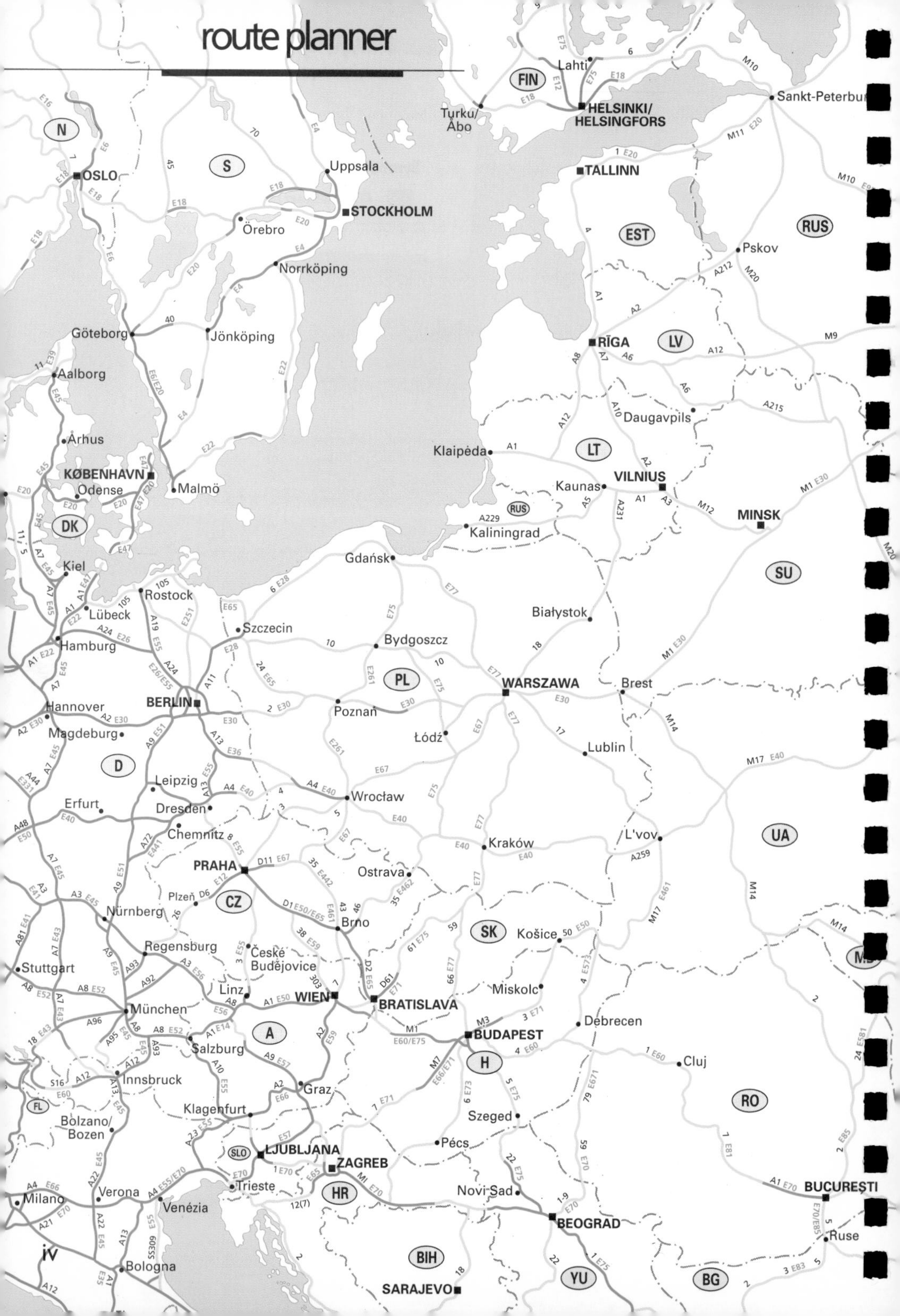
route planner
N
OSLO
S
Uppsala
STOCKHOLM
Örebro
Norrköping
Göteborg
Jönköping
Aalborg
Århus
KØBENHAVN
Odense
Malmö
DK
FIN
Lahti
Turku/
Åbo
HELSINKI/
HELSINGFORS
Sankt-Peterburg
TALLINN
EST
RUS
Pskov
RĪGA
LV
Daugavpils
LT
Klaipėda
Kaunas
VILNIUS
MINSK
Kaliningrad
Gdańsk
SU
Kiel
Rostock
Lübeck
Hamburg
Szczecin
Bydgoszcz
Białystok
PL
WARSZAWA
Brest
Hannover
BERLIN
Poznań
Magdeburg
Łódź
Lublin
D
Leipzig
Wrocław
Erfurt
Dresden
Chemnitz
Kraków
L'vov
UA
PRAHA
Ostrava
Plzeň
CZ
Nürnberg
Brno
SK
Košice
Regensburg
České
Budějovice
Stuttgart
Linz
WIEN
BRATISLAVA
Miskolc
München
Debrecen
A
BUDAPEST
Salzburg
H
Cluj
Innsbruck
Graz
FL
Klagenfurt
Szeged
RO
Bolzano/
Bozen
Pécs
SLO
LJUBLJANA
ZAGREB
Trieste
HR
Novi Sad
BUCUREȘTI
Milano
Verona
Venézia
BEOGRAD
Ruse
Bologna
BIH
SARAJEVO
YU
BG

distance chart

České Budějovice - Szeged = 605km

	Beograd (YU)	Berlin (D)	Białystok (PL)	Bratislava (SK)	Brest (SU)	Brno (CZ)	București (RO)	Budapest (H)	Bydgoszcz (PL)	České Budějovice (CZ)	Cluj (RO)	Debrecen (H)	Gdańsk (PL)	Graz (A)	Kraków (PL)	L'vov (UA)	Ljubljana (SLO)	Łódź (PL)	Lublin (PL)	Minsk (SU)	Miskolc (H)	München (D)	Novi Sad (YU)	Ostrava (CZ)	Pécs (H)	Plzeň (CZ)	Poznań (PL)	Praha (CZ)	Pskov (RUS)	Rīga (LV)	Salzburg (A)	Sankt-Peterburg (RUS)	Szczecin (PL)	Szeged (H)	Tallinn (EST)	Vilnius (LT)	Warszawa (PL)	Wien (A)	Wrocław (PL)
Beograd (YU)																																							
Berlin (D)	1489																																						
Białystok (PL)	1272	787																																					
Bratislava (SK)	589	675	846																																				
Brest (SU)	1354	789	394	848																																			
Brno (CZ)	891	551	752	130	754																																		
București (RO)	608	1710	1641	1035	1423	1165																																	
Budapest (H)	394	870	878	195	880	325	841																																
Bydgoszcz (PL)	1233	395	451	765	453	671	1602	839																															
České Budějovice (CZ)	895	494	974	255	976	225	1273	433	733																														
Cluj (RO)	482	1273	1204	598	1135	728	437	404	1165	836																													
Debrecen (H)	447	1092	977	417	907	547	665	222	938	655	228																												
Gdańsk (PL)	1365	500	434	897	552	803	1734	971	174	907	1297	1070																											
Graz (A)	580	911	1071	256	1073	322	1185	434	990	317	837	656	1122																										
Kraków (PL)	781	616	491	403	493	308	1150	387	452	530	713	486	584	627																									
L'vov (UA)	859	951	648	765	495	643	1077	634	674	865	640	412	806	1068	335																								
Ljubljana (SLO)	532	996	1254	439	1256	504	1137	488	1173	511	892	710	1305	193	810	1122																							
Łódź (PL)	1032	506	329	564	331	470	1401	638	201	692	964	737	333	789	251	473	972																						
Lublin (PL)	1071	767	361	693	363	598	1380	677	420	820	943	715	519	917	290	303	1100	252																					
Minsk (SU)	1700	1135	740	1194	346	1100	1769	1226	799	1322	1481	1253	898	1419	839	841	1602	677	709																				
Miskolc (H)	545	1048	879	373	943	503	763	179	840	611	326	98	972	612	388	448	667	639	678	1289																			
München (D)	946	583	1267	509	1269	561	1527	687	959	367	1090	909	1070	389	866	1321	409	941	1143	1615	865																		
Novi Sad (YU)	83	1474	1196	537	1278	667	688	318	1157	880	521	371	1289	565	705	783	517	956	995	1624	469	931																	
Ostrava (CZ)	789	630	573	305	575	179	1215	395	492	401	778	551	624	498	152	487	681	291	449	921	453	737	841																
Pécs (H)	298	1263	1078	369	1080	499	845	200	1039	551	537	356	1171	326	587	768	361	838	877	1426	379	791	215	673															
Plzeň (CZ)	1030	379	896	421	898	297	1456	616	677	139	1019	838	837	452	603	938	579	588	772	1244	794	290	1015	474	690														
Poznań (PL)	1178	283	504	596	506	466	1547	784	129	604	1110	883	303	788	397	696	970	223	473	852	785	830	1133	411	965	548													
Praha (CZ)	1059	346	804	329	806	205	1364	524	585	148	927	746	759	489	511	846	672	496	680	1152	702	382	866	382	698	92	456												
Pskov (RUS)	2333	1768	1373	1827	979	1733	2402	1859	1432	1955	2114	1886	1531	2052	1472	1474	2235	1310	1342	633	1922	2248	2257	1554	2059	1877	1485	1785											
Rīga (LV)	2182	1617	1222	1676	828	1582	2251	1708	1281	1804	1963	1735	1380	1901	1321	1323	2084	1159	1191	482	1771	2097	2106	1403	1908	1726	1334	1634	971										
Salzburg (A)	815	726	1173	372	1175	423	1390	549	1102	229	953	771	1213	258	729	1183	278	891	1019	1521	727.5	139	800	600	654	301	973	377	2154	2003									
Sankt-Peterburg (RUS)	2616	2051	1656	2110	1262	2016	2695	2142	1715	2238	2397	2169	1814	2335	1755	1757	2518	1593	1625	916	2205	2531	2540	1837	2342	2160	1768	2068	283	688	2437								
Szczecin (PL)	1669	144	710	826	712	702	1861	1021	259	645	1424	1118	359	1091	632	931	1176	458	679	1058	1020	763	1654	646	1195	530	235	497	1691	1540	906	1974							
Szeged (H)	222	1042	1050	367	1132	497	657	172	1011	605	375	225	1143	492	559	637	549	810	849	1478	323	859	146	567	188	788	956	696	2111	1960	721	2394	1193						
Tallinn (EST)	2489	1924	1529	1983	1135	1889	2558	2015	1588	2111	2270	2042	1687	2208	1628	1630	2391	1466	1498	789	2078	2404	2413	1710	2215	2033	1641	1941	664	307	2310	381	1847	2267					
Vilnius (LT)	1885	1320	925	1379	531	1285	1954	1411	984	1507	1666	1438	1083	1604	1024	1026	1787	862	894	185	1474	1800	1809	1106	1611	1429	1073	1337	818	297	1706	985	1243	1663	604				
Warszawa (PL)	1076	591	196	650	198	556	1445	682	255	778	1008	781	354	875	295	452	1058	133	165	544	683	1071	1000	377	882	700	308	608	1177	1026	977	1460	514	854	1333	729			
Wien (A)	765	640	876	63	878	127	1081	240	795	193	644	462	927	195	432	874	378	594	722	1224	419	434	582	303	359	331	593	294	1857	1706	297	2140	791	412	2013	1409	680		
Wrocław (PL)	1182	350	541	421	543	291	1417	616	304	429	980	753	478	613	267	602	795	215	417	889	655	726	958	281	790	373	175	281	1522	1371	658	1805	373	788	1678	1074	345	418	
Zagreb (HR)	393	1092	1244	429	1246	494	998	353	1163	498	757	575	1295	183	800	987	135	962	1090	1592	532	549	378	671	226	633	960	662	2225	2074	418	2508	1272	414	2381	1777	1048	368	785

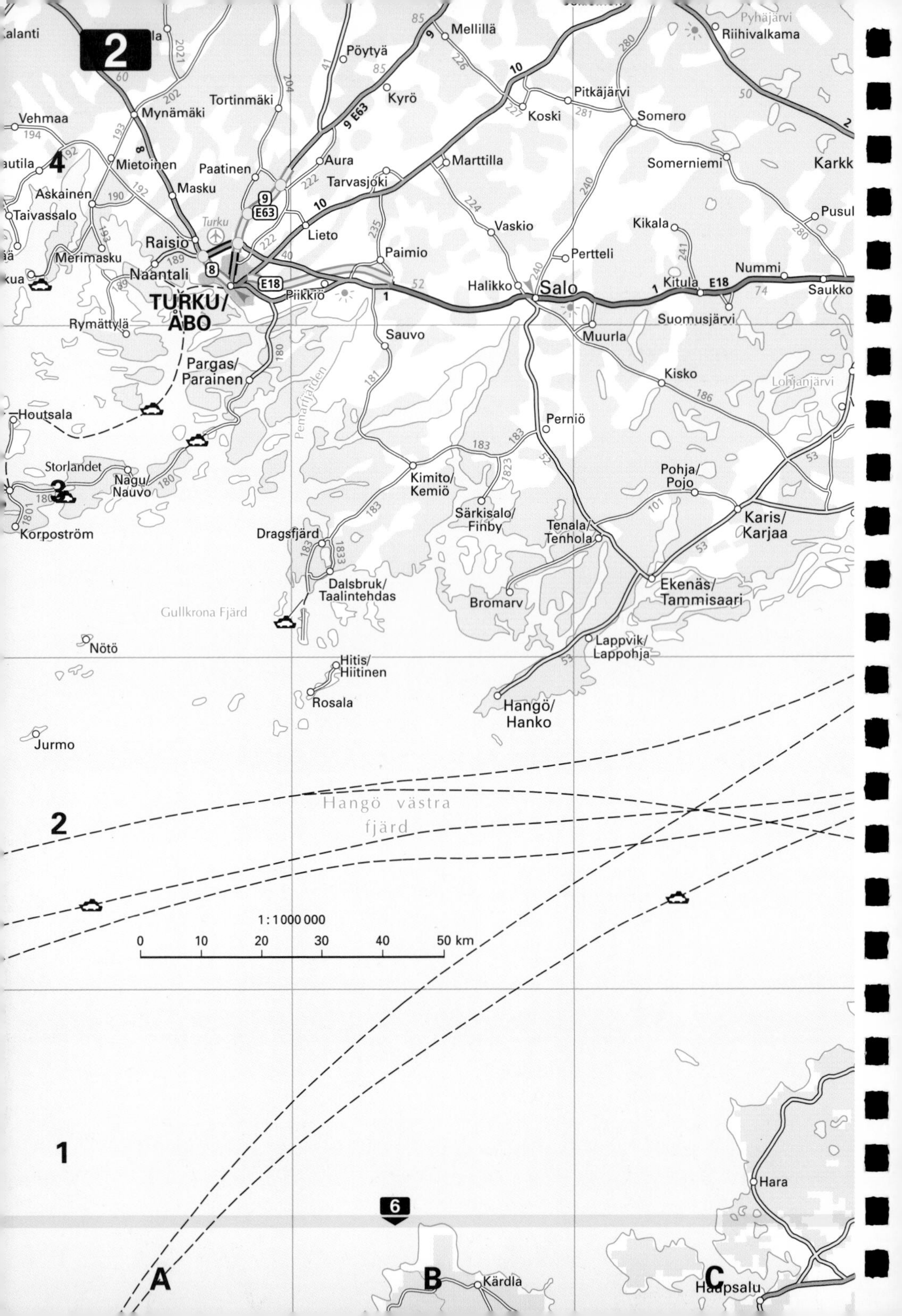
2
Vehmaa
Mynämäki
Tortinmäki
Pöytyä
Mellillä
Riihivalkama
Pyhäjärvi
Kyrö
Koski
Pitkäjärvi
Somero
Mietoinen
Paatinen
Aura
Tarvasjoki
Marttilla
Somerniemi
Askainen
Masku
Taivassalo
Raisio
Turku
Lieto
Vaskio
Kikala
Pusula
Merimasku
Naantali
Paimio
Pertteli
Nummi
TURKU/
ÅBO
Piikkiö
Halikko
Salo
Kitula
Saukko
Suomusjärvi
Rymättylä
Sauvo
Muurla
Pargas/
Parainen
Kisko
Lohjanjärvi
Houtsala
Perniö
Storlandet
Nagu/
Nauvo
Kimito/
Kemiö
Pohja/
Pojo
Särkisalo/
Finby
Korpoström
Dragsfjärd
Tenala/
Tenhola
Karis/
Karjaa
Dalsbruk/
Taalintehdas
Ekenäs/
Tammisaari
Bromarv
Gullkrona Fjärd
Pemarfjärden
Nötö
Lappvik/
Lappohja
Hitis/
Hiitinen
Rosala
Hangö/
Hanko
Jurmo
Hangö västra
fjärd
1:1000 000
0 10 20 30 40 50 km
Hara
Kärdla
Haapsalu
A
B
C
1
2
3
4
6

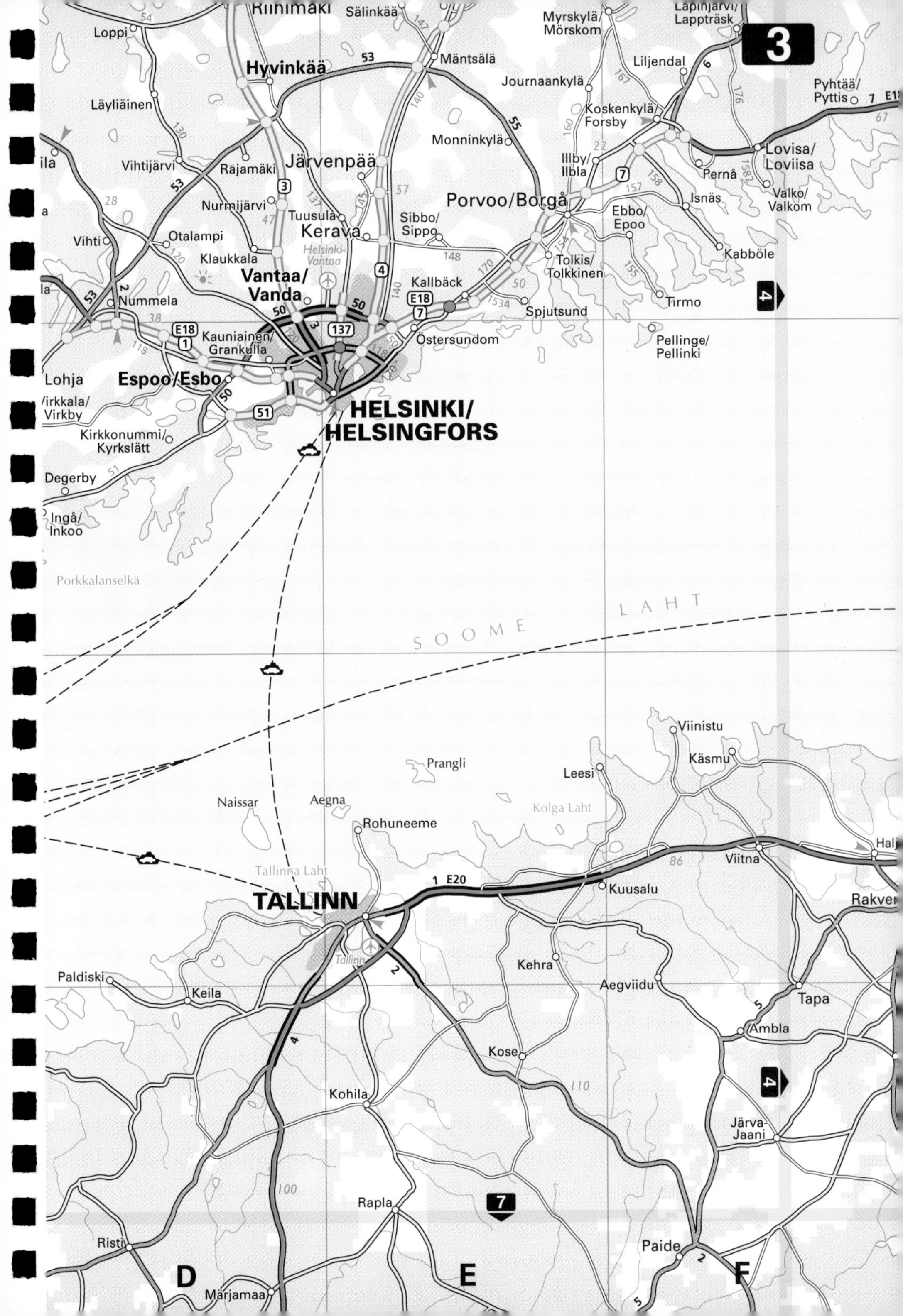
3
Riihimäki
Sälinkää
Myrskylä/
Mörskom
Lapinjärvi/
Lapinträsk
Loppi
Hyvinkää
Mäntsälä
Liljendal
Journaankylä
Pyhtää/
Pyttis
Läyliäinen
Koskenkylä/
Forsby
Monninkylä
Järvenpää
Vihtijärvi
Rajamäki
Illby/
Ilbla
Lovisa/
Loviisa
Pernå
Valko/
Valkom
Porvoo/Borgå
Isnäs
Nurmijärvi
Tuusula
Sibbo/
Sippo
Ebbo/
Epoo
Kerava
Vihti
Otalampi
Kabböle
Klaukkala
Helsinki-
Vantaa
Tolkis/
Tolkkinen
Vantaa/
Vanda
Kallbäck
Nummela
Tirmo
Spjutsund
Kauniainen/
Grankulla
Östersundom
Pellinge/
Pellinki
Lohja
Espoo/Esbo
Virkkala/
Virkby
HELSINKI/
HELSINGFORS
Kirkkonummi/
Kyrkslätt
Degerby
Ingå/
Inkoo
Porkkalanselkä
SOOME LAHT
Viinistu
Käsmu
Prangli
Leesi
Naissar
Aegna
Kolga Laht
Rohuneeme
Tallinna Laht
Viitna
Kuusalu
TALLINN
Rakvere
Tallinn
Kehra
Paldiski
Keila
Aegviidu
Tapa
Ambla
Kose
4
Kohila
Järva-
Jaani
Rapla
7
Risti
Paide
D
E
F
Märjamaa

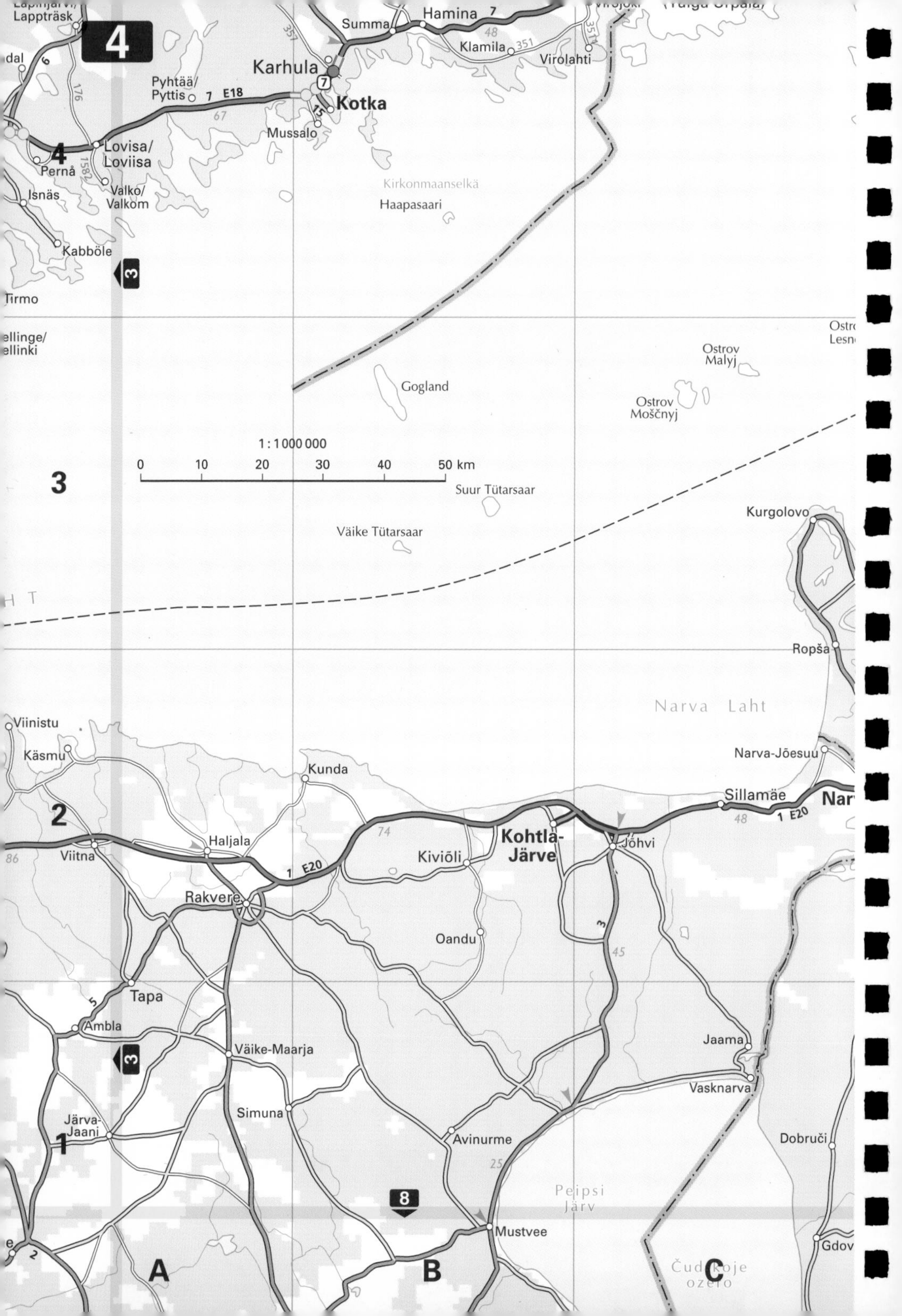

4
Lappträsk
Summa
Hamina
Klamila
Virolahti
Karhula
Pyhtää/
Pyttis
Kotka
Mussalo
Lovisa/
Loviisa
Pernå
Isnäs
Valko/
Valkom
Kabböle
Kirkonmaanselkä
Haapasaari
Tirmo
Ostrov
Malyj
Gogland
Ostrov
Moščnyj
1 : 1 000 000
0 10 20 30 40 50 km
3
Suur Tütarsaar
Väike Tütarsaar
Kurgolovo
Ropša
Narva Laht
Viinistu
Käsmu
Kunda
Narva-Jõesuu
Sillamäe
2
Haljala
Viitna
Kohtla-
Järve
Jõhvi
Kiviõli
Rakvere
Oandu
Tapa
Ambla
Väike-Maarja
Jaama
Vasknarva
Simuna
Järva-
Jaani
1
Avinurme
Dobruči
Peipsi
Järv
8
Mustvee
Gdov
A
B
C

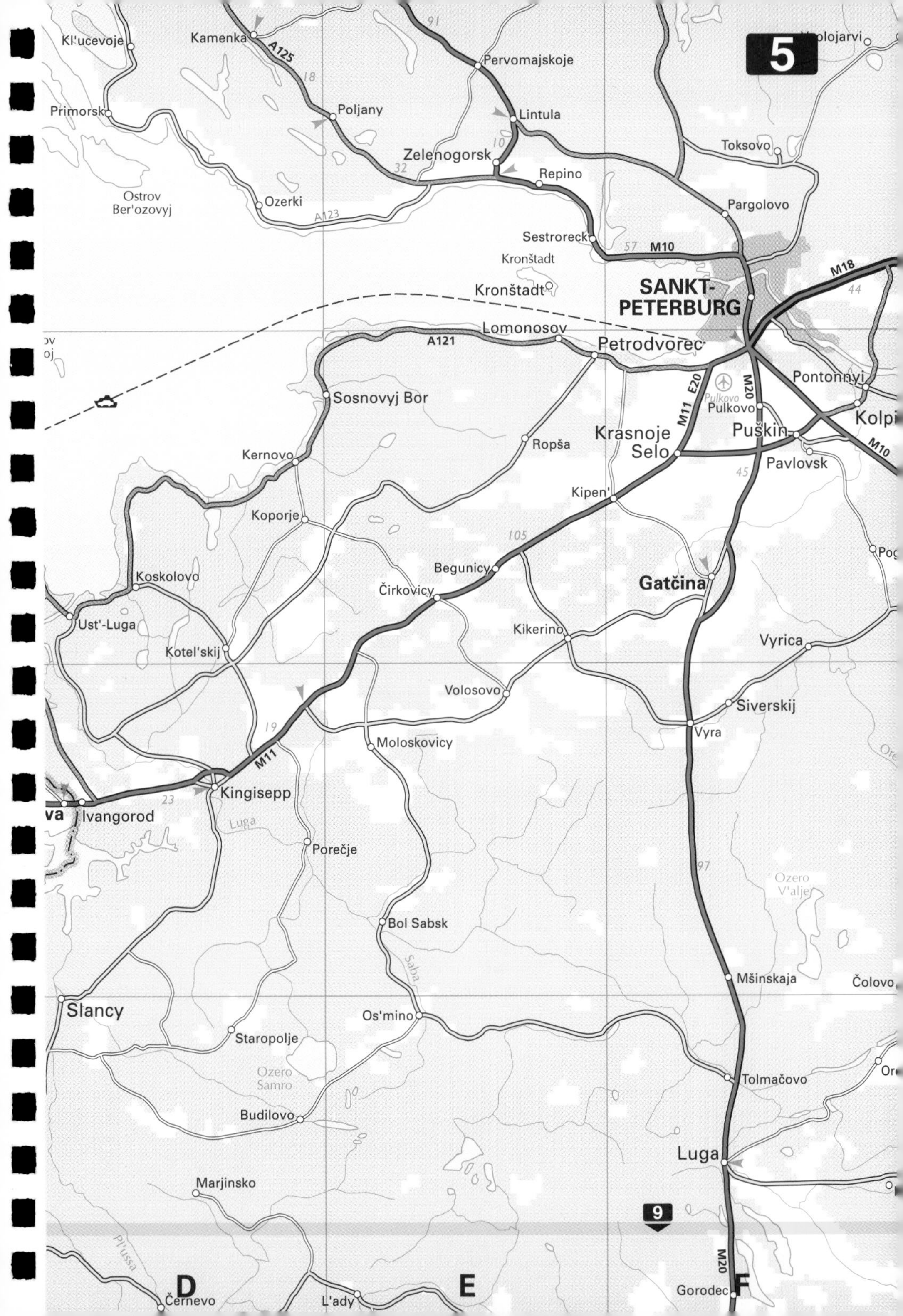

5
Kl'ucevoje
Kamenka
A125
18
91
Pervomajskoje
Primorsk
Poljany
Lintula
Toksovo
Zelenogorsk
10
32
Repino
Ostrov
Ber'ozovyj
Ozerki
A123
Pargolovo
Sestroreck
57
M10
Kronštadt
Kronštadt
SANKT-
PETERBURG
M18
44
Lomonosov
A121
Petrodvorec
Sosnovyj Bor
E20
M11
M20
Pulkovo
Pulkovo
Pontonnyj
Krasnoje
Selo
Puškin
Ropša
Kernovo
Pavlovsk
M10
45
Kipen'
Koporje
105
Begunicy
Gatčina
Koskolovo
Čirkovicy
Ust'-Luga
Kikerino
Kotel'skij
Vyrica
Volosovo
Siverskij
Vyra
19
M11
Moloskovicy
Kingisepp
23
Ivangorod
Luga
Porečje
97
Ozero
V'alje
Bol Sabsk
Saba
Mšinskaja
Čolovo
Slancy
Os'mino
Staropolje
Ozero
Samro
Tolmačovo
Budilovo
Luga
Marjinsko
9
Pl'ussa
M20
D
E
F
Černevo
L'ady
Gorodec

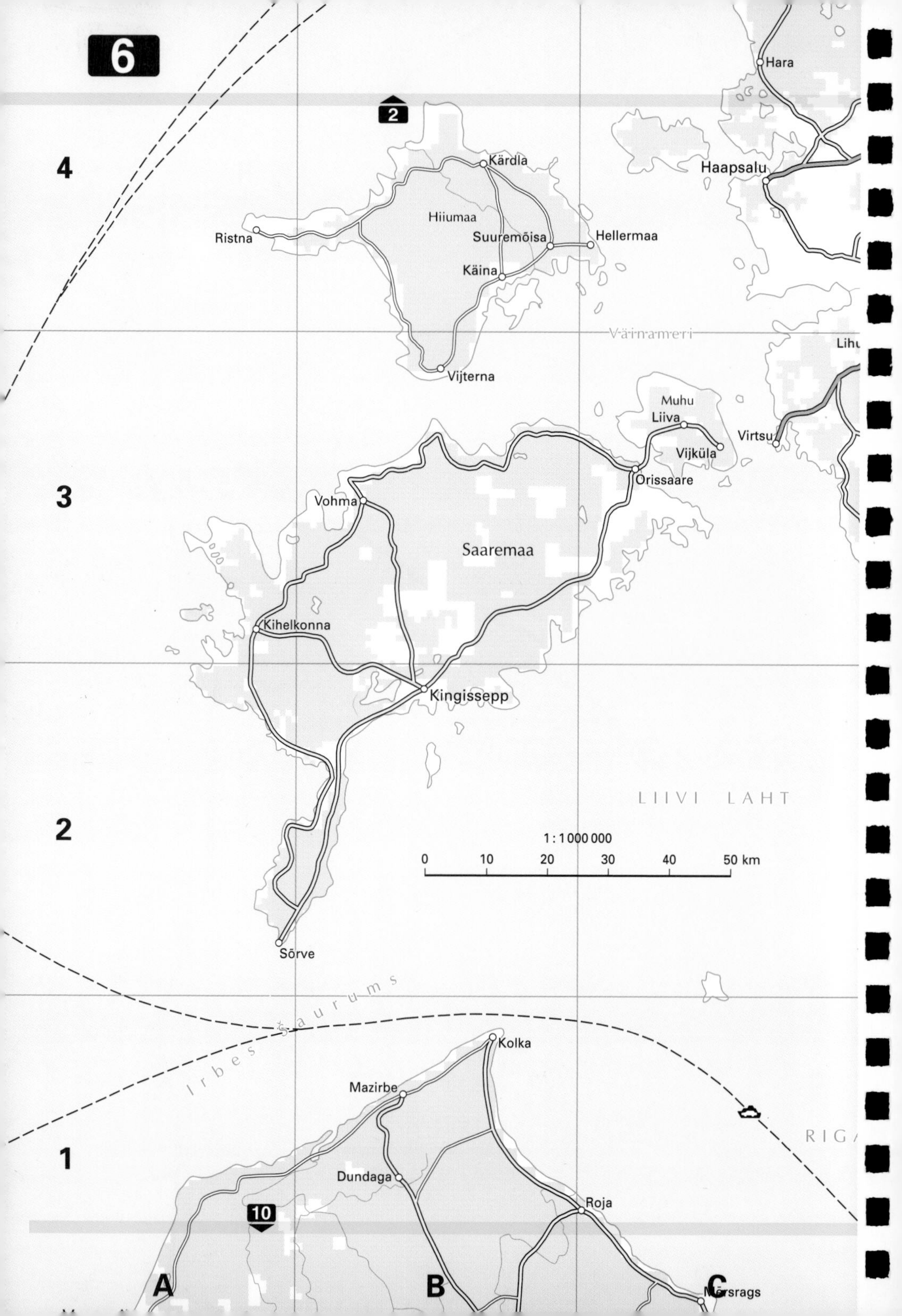
6
2
4
3
2
1
Hara
Haapsalu
Kärdla
Hiiumaa
Ristna
Suuremõisa
Hellermaa
Käina
Väinameri
Lihu
Vijterna
Muhu
Liiva
Virtsu
Vijküla
Orissaare
Vohma
Saaremaa
Kihelkonna
Kingissepp
LIIVI LAHT
1 : 1 000 000
0
10
20
30
40
50 km
Sõrve
Irbes šaurums
Kolka
Mazirbe
RIGA
Dundaga
Roja
10
A
B
C

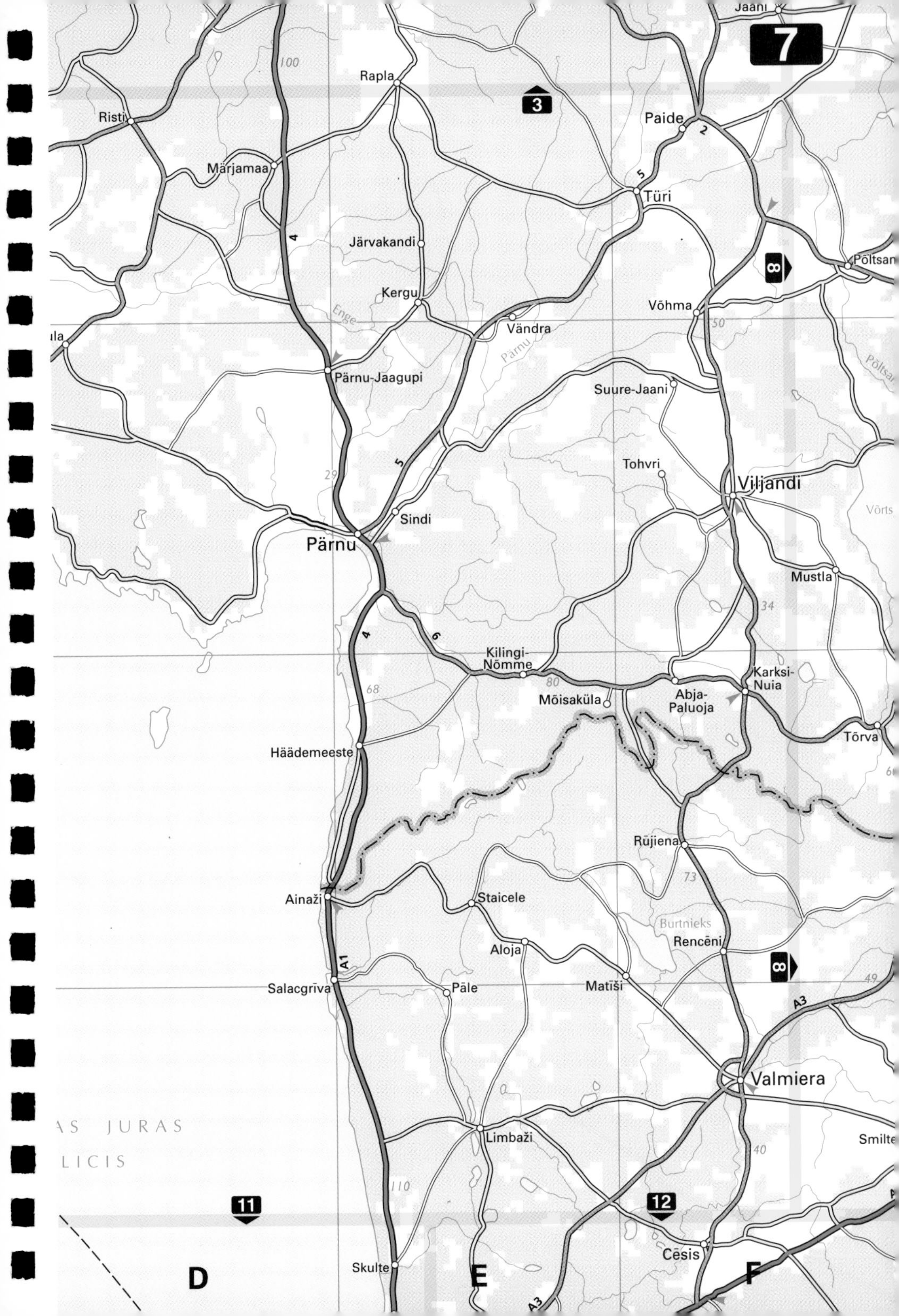

7
Jaani
Rapla
3
Risti
Paide
2
Märjamaa
5
Türi
4
Järvakandi
Põltsamaa
8
Kergu
Võhma
Enge
Vändra
50
Pärnu
Põltsamaa
Pärnu-Jaagupi
Suure-Jaani
5
Tohvri
29
Viljandi
Võrtsjärv
Sindi
Pärnu
Mustla
34
4
6
Kilingi-
Nõmme
80
Karksi-
Nuia
68
Mõisaküla
Abja-
Paluoja
Tõrva
Häädemeeste
Rūjiena
73
Ainaži
Staicele
Burtnieks
Aloja
Rencēni
A1
8
Salacgrīva
Pāle
Matīši
49
A3
Valmiera
AS JURAS
LICIS
Limbaži
Smiltene
40
110
11
12
Cēsis
Skulte
D
E
F
A3
100

8
4
Avinurme
Dobruči
Peipsi
Järv
Mustvee
Gdov
Čudskoje
ozero
Jõgeva
Kallaste
Põltsamaa
Koosa
Varnja
Emajõgi
Pedja
Põltsamaa
7
Tartu
Viljandi
Võrtsjärv
Mehikoorma
Ahja
Elva
Mustla
Räpina
Rõngu
Põlva
Võhandu
Karksi-Nuia
Otepää
Tõrva
Emajõgi
Võru
Antsla
Valga
Valka
317
7
Hargla
Lavry
Ape
A3
A2
Valmiera
Vireši
Alūksne
Pededze
Smiltene
Zeltini
Gauja
12
A2
Velēna
A
B
Gulbene
C
Balvi

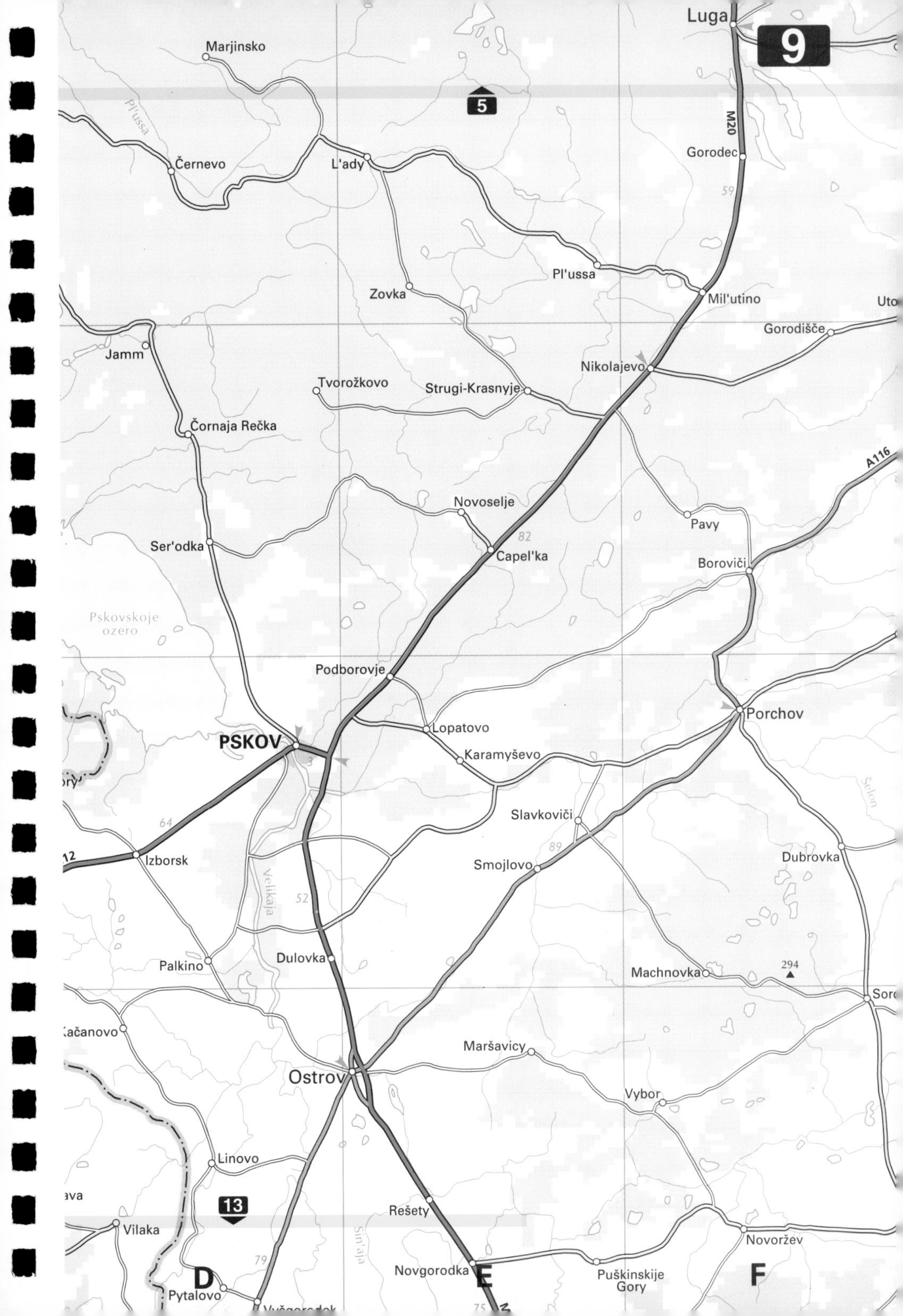

9
5
13
Luga
Marjinsko
Pl'ussa
Černevo
L'ady
M20
Gorodec
59
Pl'ussa
Zovka
Mil'utino
Uto
Gorodišče
Jamm
Nikolajevo
Tvorožkovo
Strugi-Krasnyje
Čornaja Rečka
A116
Novoselje
Pavy
82
Ser'odka
Capel'ka
Boroviči
Pskovskoje ozero
Podborovje
Porchov
Lopatovo
PSKOV
Karamyševo
Šelon
64
Slavkoviči
89
Izborsk
Smojlovo
Dubrovka
Velikaja
52
Dulovka
Palkino
294
Machnovka
Kačanovo
Maršavicy
Ostrov
Vybor
Linovo
Rešety
Vilaka
Novoržev
Sin'aja
79
Novgorodka
Puškinskije Gory
Pytalovo
D
E
F
75

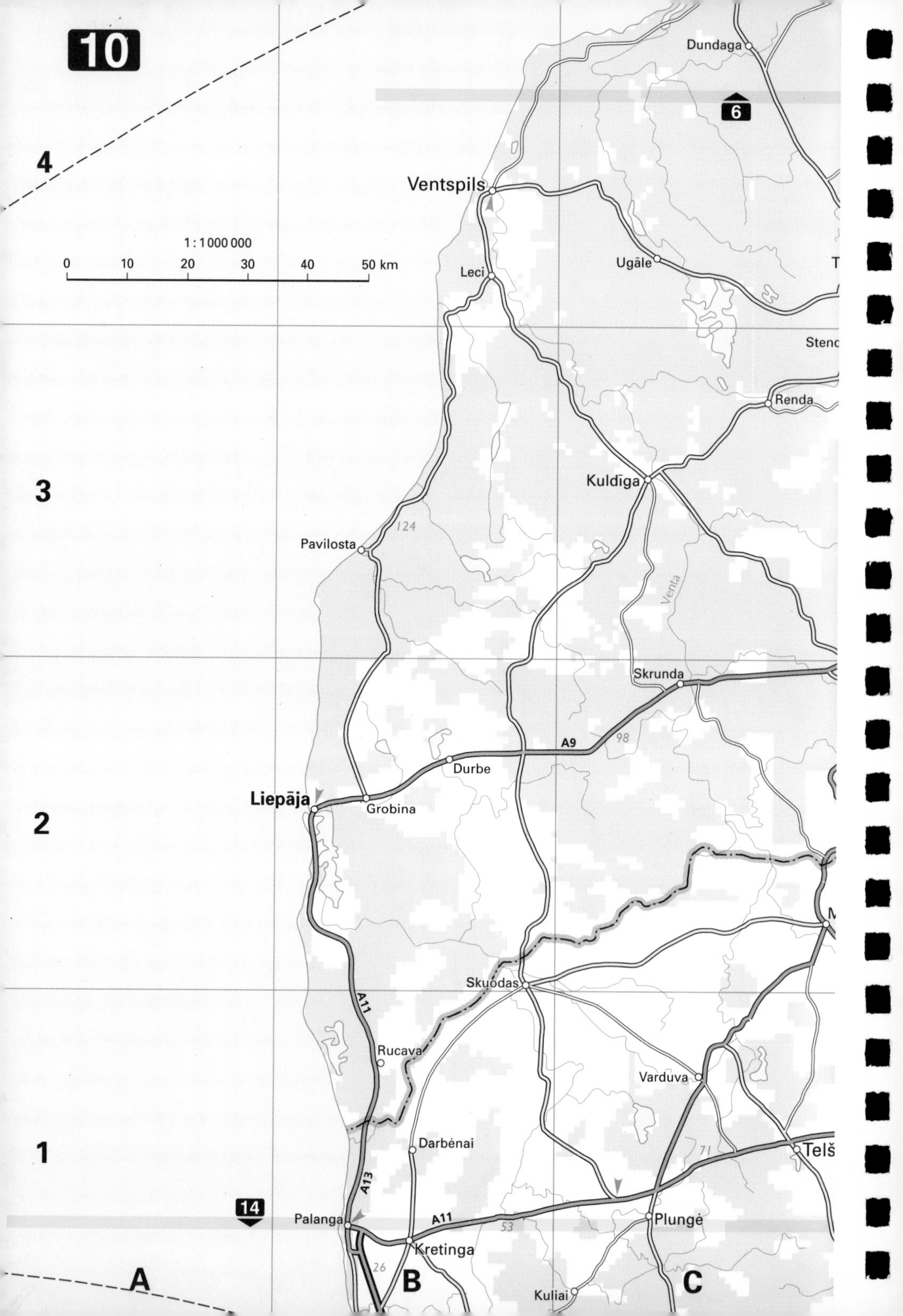
10
6
4
3
2
1
A
B
C
14
1:1000 000
0 10 20 30 40 50 km
Dundaga
Ventspils
Ugāle
Leci
Stend
Renda
Kuldīga
124
Pavilosta
Venta
Skrunda
A9
98
Durbe
Liepāja
Grobina
Skuodas
A11
Rucava
Varduva
Darbėnai
71
Telš
A13
Palanga
A11
53
Plungė
Kretinga
26
Kuliai

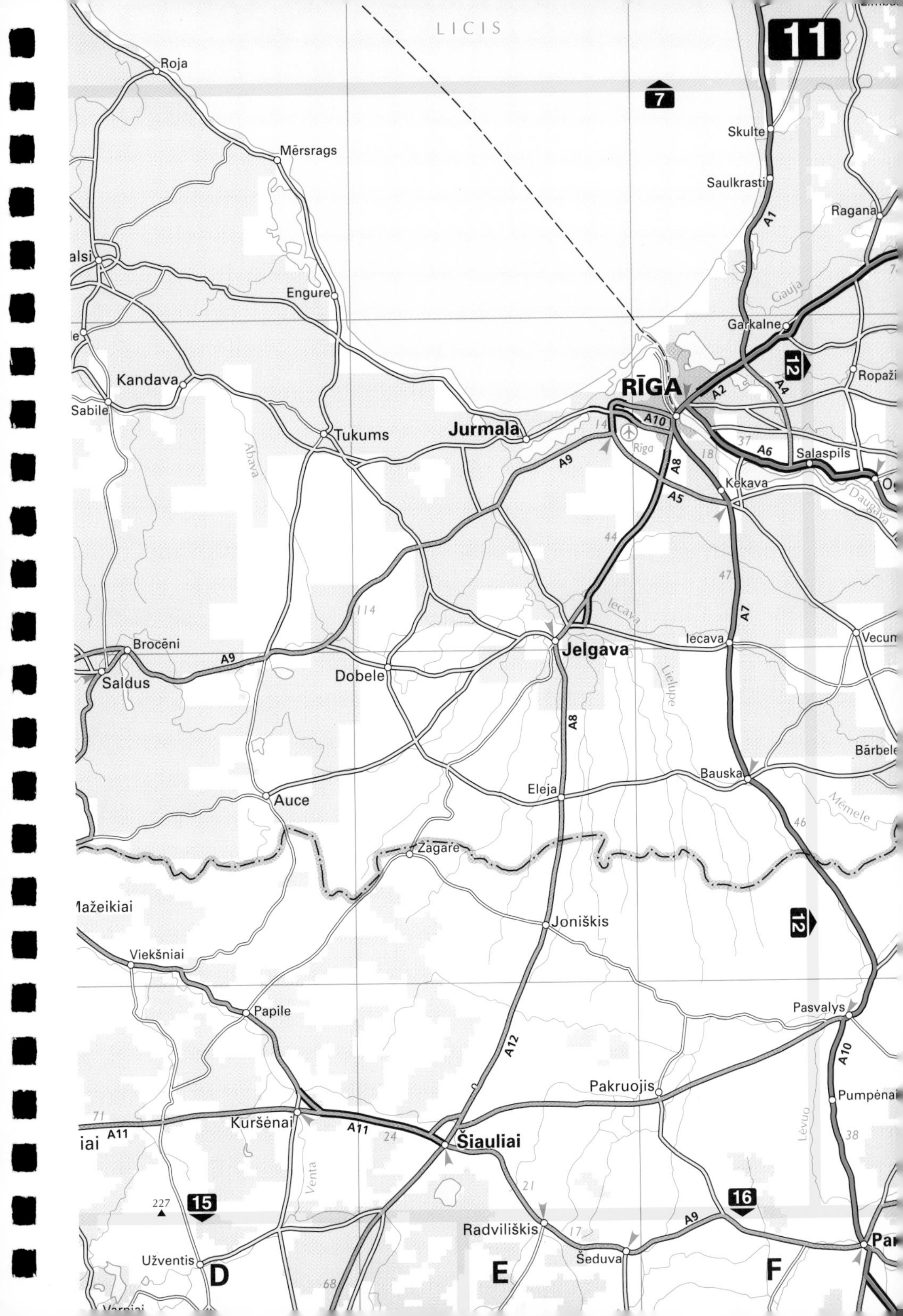
11
LICIS
7
Roja
Mērsrags
Skulte
Saulkrasti
Ragana
A1
Gauja
Garkalne
12
Ropaži
RĪGA
A2
A4
A10
Engure
Kandava
Sabile
Tukums
Jurmala
Riga
A9
A8
A6
Salaspils
A5
Kekava
Daugava
Abava
A7
Iecava
Jelgava
Vecum
Broceni
Saldus
Dobele
Lielupe
A8
Bārbele
Bauska
Eleja
Auce
Mēmele
Žagare
Mažeikiai
Joniškis
12
Viekšniai
Papile
Pasvalys
A12
A10
Pakruojis
Pumpėnai
Kuršėnai
A11
Šiauliai
Lėvuo
Venta
15
16
A9
Radviliškis
Šeduva
Užventis
D
E
F

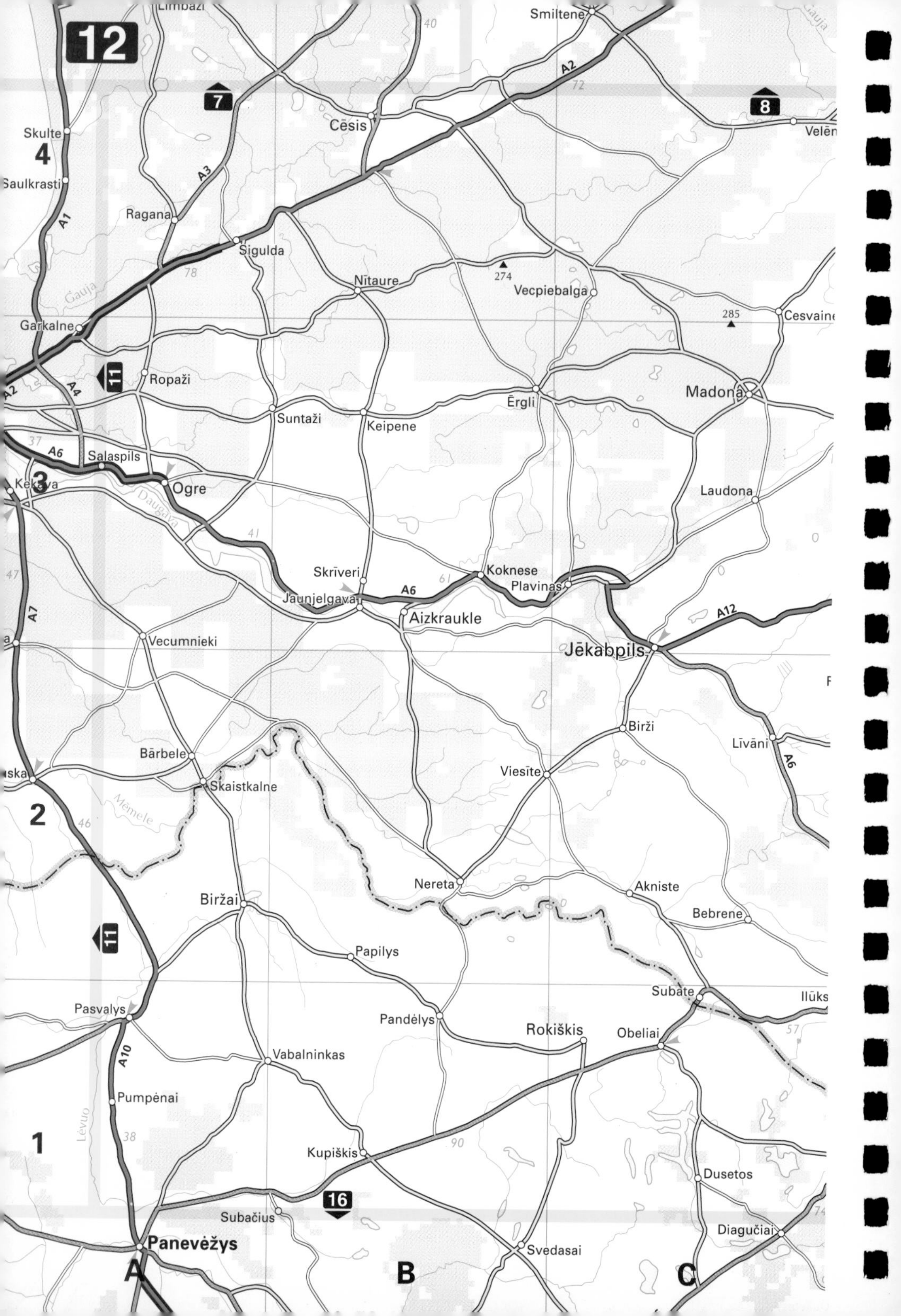
12
Limbaži
Smiltene
Gauja
40
A2
72
7
8
Cēsis
Velēn
Skulte
4
Saulkrasti
A3
A1
Ragana
Sigulda
78
Gauja
Nītaure
274
Vecpiebalga
Garkalne
285
Cesvaine
11
Ropaži
A2
A4
Madona
Ērgli
Suntaži
Keipene
37
A6
Salaspils
3
Kekava
Ogre
Daugava
Laudona
41
47
Skrīveri
Koknese
61
Plavinas
Jaunjelgava
A6
A7
A12
Aizkraukle
Vecumnieki
Jēkabpils
Birži
Līvāni
Bārbele
A6
Viesīte
Skaistkalne
2
Mēmele
46
Nereta
Akniste
Biržai
Bebrene
11
Papilys
Subate
Ilūks
Pasvalys
Pandėlys
Rokiškis
Obeliai
57
A10
Vabalninkas
Pumpėnai
Lėvuo
1
38
Kupiškis
90
Dusetos
16
Subačius
74
Diagučiai
Panevėžys
Svedasai
A
B
C

13
Zeltini
Linovo
Kuprava
Vilaka
Rešety
9
Novgorodka
Gulbene
Balvi
Pytalovo
Vyšgorodok
M20
Issa
A116
Rugāji
Gavry
Krasnogorodskoje
A117
Opočka
Kārsava
Goliševa
Lubāns
Bikava
Barkava
A13
Varakļāni
Ludza
Viļāni
Rēzekne
A12
Zilupe
Sebež
Malta
Pasiene
290
Rāznas Ezers
Preiļi
Ezernieki
Ozero Osvejskoje
Dagda
Osveja
Strelki
Špogi
Daugava
230
Zadežje
A6
Krāslava
Verchnedvinsk
DAUGAVPILS
Druja
Ozero Snudy
Zapadnaya Dvina
Zarasai
Turmantas
Braslav
Miory
Disna
17
Ozero Driv'aty
D
E
F
Novyj Pogost
Opsa
Lody
Dūkštas

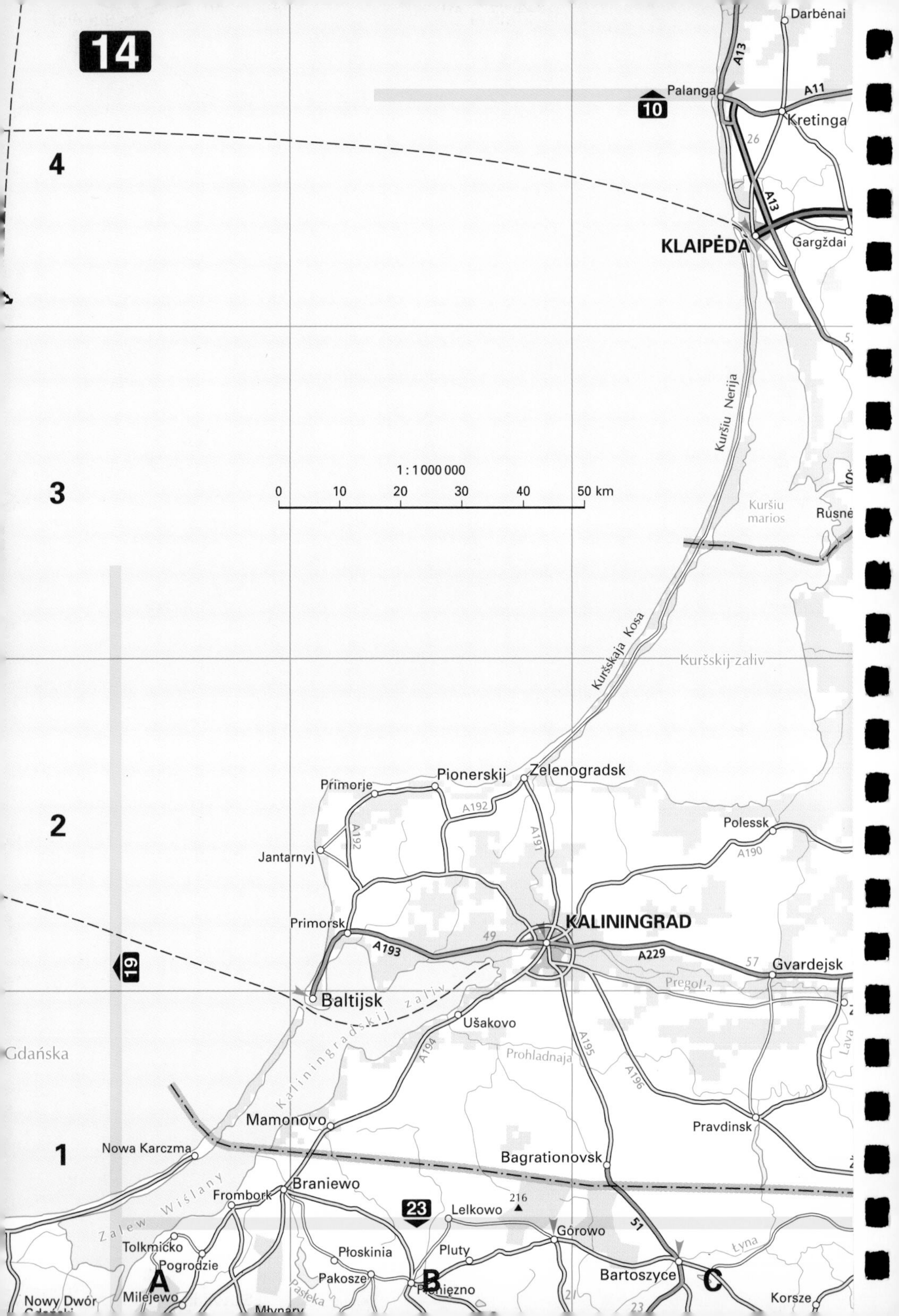
14
4
3
2
1
A
B
C
1 : 1 000 000
0 10 20 30 40 50 km
10
19
23
Darbėnai
Palanga
A13
A11
Kretinga
26
KLAIPĖDA
Gargždai
Kuršiu Nerija
Kuršiu marios
Rusnė
Kuršskaja Kosa
Kuršskij zaliv
Pionerskij
Zelenogradsk
Primorje
A192
A191
Jantarnyj
Polessk
A190
Primorsk
KALININGRAD
A193
49
A229
57
Gvardejsk
Pregol'a
Baltijsk
Kaliningradskij zaliv
Ušakovo
Gdańska
Prohladnaja
A194
A195
A196
Lava
Mamonovo
Pravdinsk
Nowa Karczma
Bagrationovsk
Braniewo
Frombork
Zalew Wiślany
216
Lelkowo
Górowo
51
Tolkmicko
Pogrodzie
Płoskinia
Pluty
Łyna
Pakosze
Pieniężno
Bartoszyce
Pasłęka
Nowy Dwór
Milejewo
Korsze
23

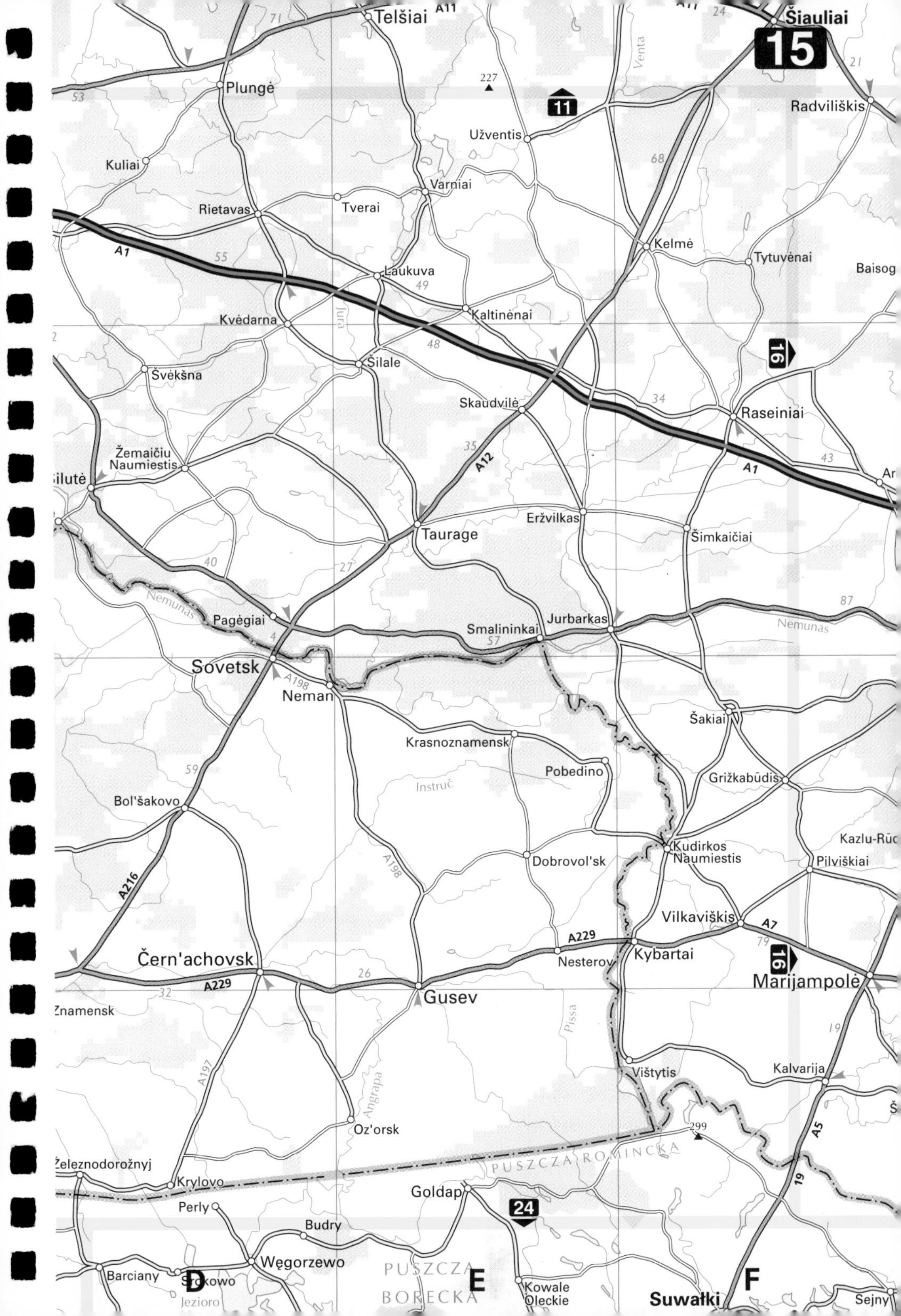
15
Telšiai
Šiauliai
Plungė
Radviliškis
Užventis
Kuliai
Varniai
Rietavas
Tverai
Kelmė
Tytuvėnai
Baisog
Laukuva
Kaltinėnai
Kvėdarna
Šilale
Švėkšna
Skaudvilė
Raseiniai
Žemaičiu Naumiestis
Šilutė
Tauragė
Eržvilkas
Šimkaičiai
Nemunas
Pagėgiai
Smalininkai
Jurbarkas
Sovetsk
Neman
Šakiai
Krasnoznamensk
Pobedino
Instruč
Grižkabūdis
Bol'šakovo
Kudirkos Naumiestis
Kazlu-Rūd
Dobrovol'sk
Pilviškiai
Vilkaviškis
Kybartai
Nesterov
Marijampolė
Čern'achovsk
Gusev
Znamensk
Pissa
Angrapa
Vištytis
Kalvarija
Oz'orsk
PUSZCZA ROMINCKA
Železnodorožnyj
Krylovo
Goldap
Perly
Budry
Węgorzewo
Barciany
Srokowo
Jezioro
PUSZCZA BORECKA
Kowale Oleckie
Suwałki
Sejny
D
E
F
11
16
24
A1
A11
A12
A198
A216
A229
A197
A5
A7
Venta
Jura

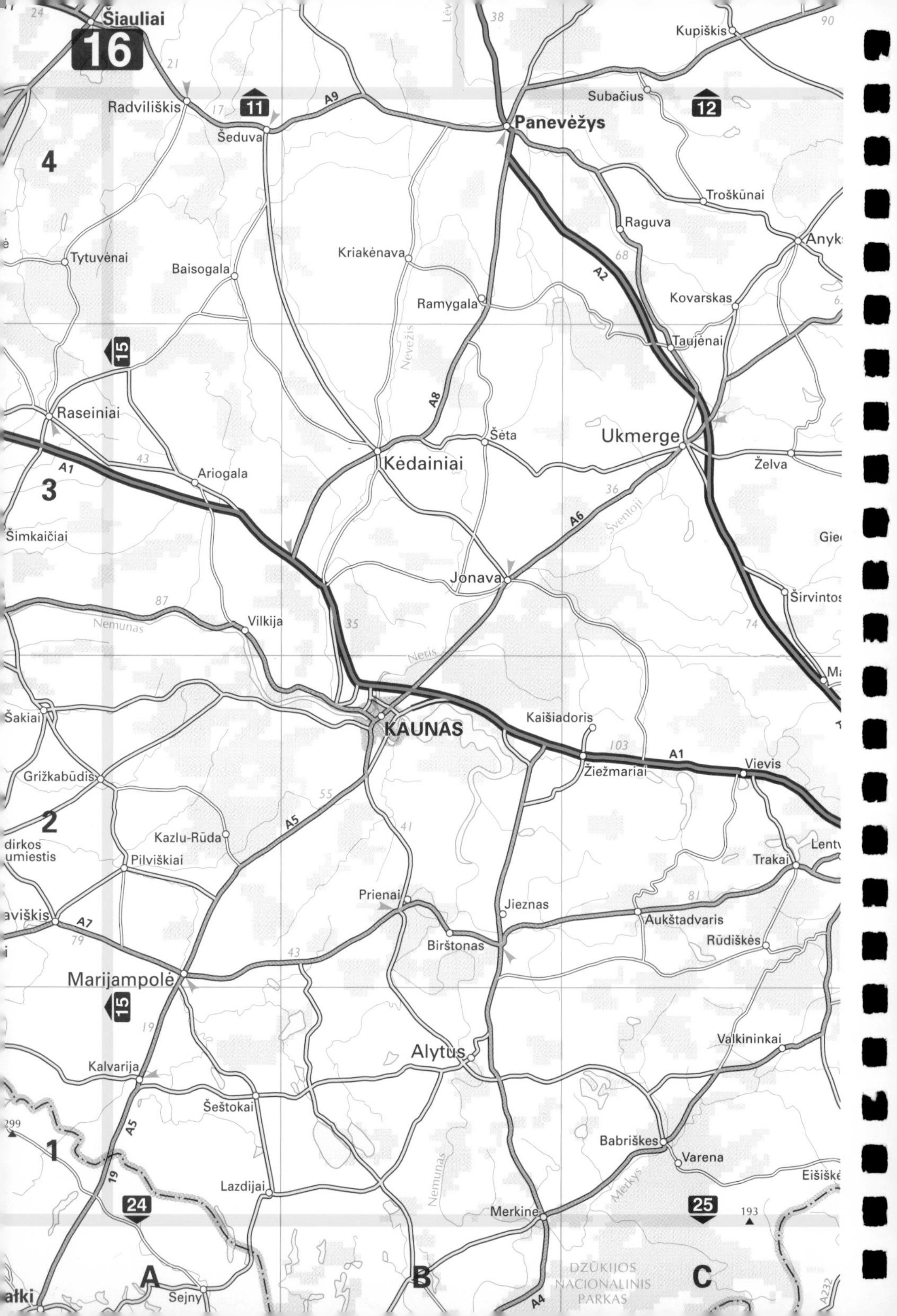

16
Šiauliai
Kupiškis
Radviliškis
11
12
Subačius
Šeduva
Panevėžys
4
Troškūnai
Raguva
Tytuvėnai
Baisogala
Kriakėnava
Anyk
Ramygala
Kovarskas
Taujėnai
15
Nevėžis
Raseiniai
Šėta
Ukmerge
Kėdainiai
Želva
Ariogala
3
Šimkaičiai
Šventoji
Jonava
Širvintos
Nemunas
Vilkija
Neris
Šakiai
KAUNAS
Kaišiadoris
Žiežmariai
Vievis
Grižkabūdis
2
Kazlu-Rūda
Pilviškiai
Trakai
Prienai
Jieznas
Aukštadvaris
Birštonas
Rūdiškės
Marijampolė
15
Alytus
Valkininkai
Kalvarija
Šeštokai
1
Babriškes
Varena
Lazdijai
24
25
Merkine
A
B
C
DZŪKIJOS
NACIONALINIS
PARKAS
Sejny
A1
A2
A5
A6
A7
A8
A9
A4

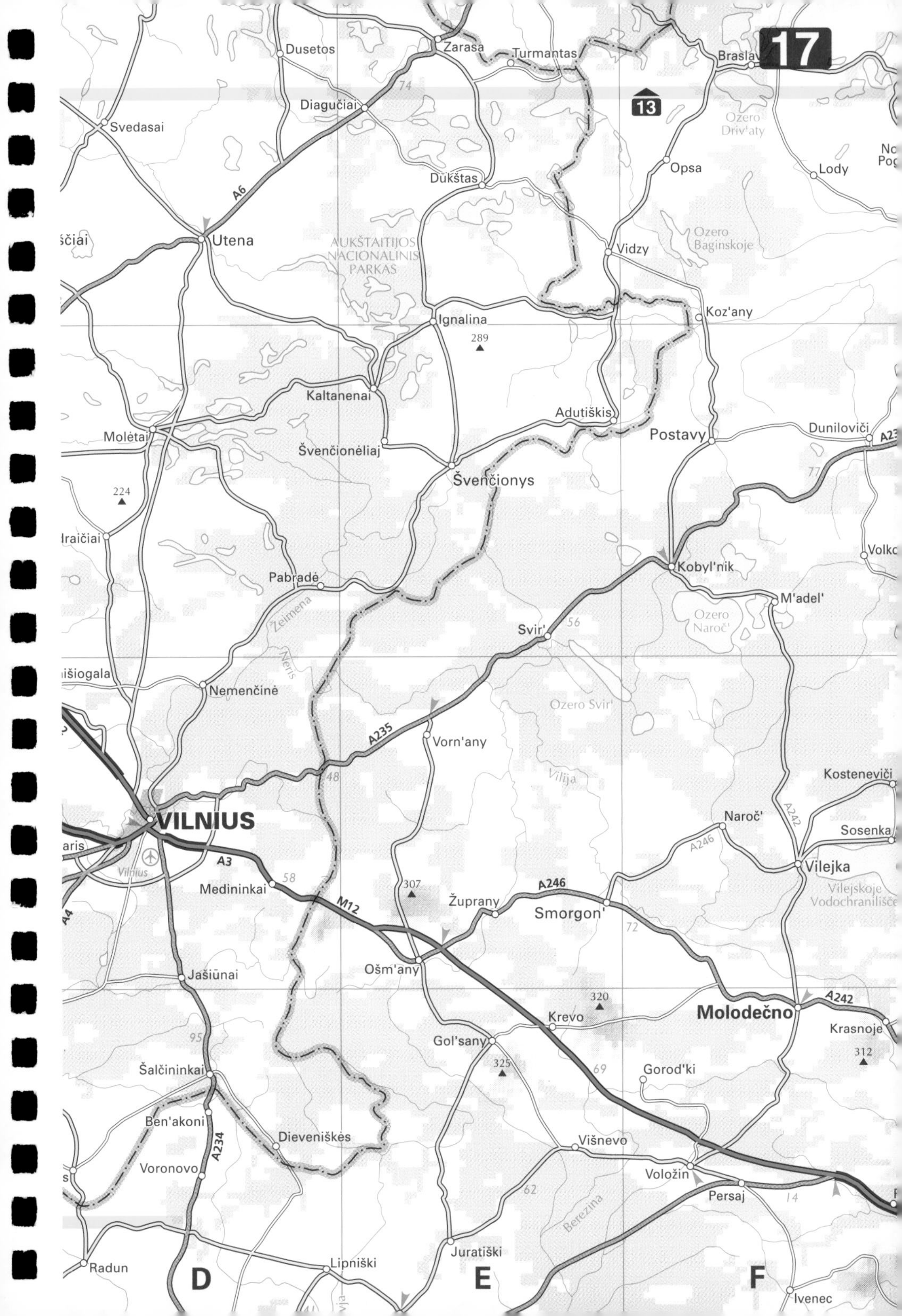

17
13
Dusetos
Zarasa
Turmantas
Braslav
Diagučiai
Svedasai
Ozero Driv'aty
Opsa
Lody
Dukštas
A6
Utena
AUKŠTAITIJOS NACIONALINIS PARKAS
Vidzy
Ozero Baginskoje
Koz'any
Ignalina
289
Kaltanenai
Adutiškis
Postavy
Dunilovići
Molėtai
Švenčionėliaj
Švenčionys
224
Pabradė
Kobyl'nik
M'adel'
Ozero Naroč'
Žeimena
Svir'
56
Neris
Nemenčinė
Ozero Svir'
A235
Vorn'any
48
Vilija
Kostenevići
Naroč'
A242
Sosenka
VILNIUS
A246
Vilejka
A3
Medininkai
58
307
A246
Vilejskoje Vodochraniliščc
Župany
Smorgon'
M12
72
Ošm'any
Jašiūnai
320
A242
Molodečno
Krevo
Gol'sany
Krasnoje
95
325
312
69
Šalčininkai
Gorod'ki
Ben'akoni
Dieveniškės
A234
Višnevo
Voronovo
Voložin
Persaj
62
Berezina
14
Juratiški
Radun
Lipniški
D
E
F
Ivenec

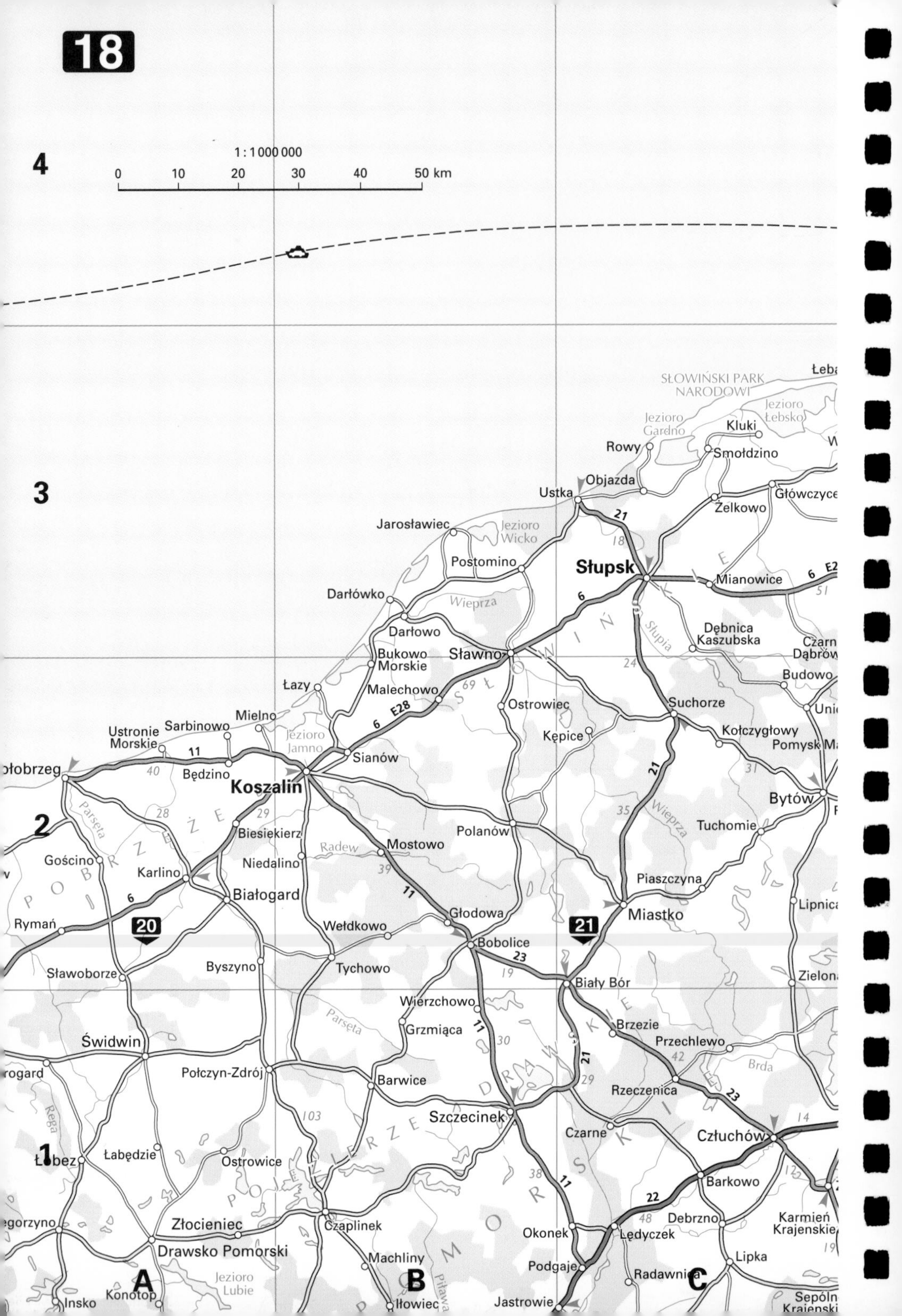
18
1 : 1 000 000
0 10 20 30 40 50 km
4
3
2
1
A
B
C
SŁOWIŃSKI PARK NARODOWY
Jezioro Gardno
Jezioro Łebsko
Łeba
Kluki
Rowy
Smołdzino
Objazda
Ustka
Główczyce
Żelkowo
Jarosławiec
Jezioro Wicko
Postomino
Słupsk
Mianowice
Darłówko
Wieprza
Darłowo
Dębnica Kaszubska
Słupia
Bukowo Morskie
Sławno
Łazy
Malechowo
Budowo
Ostrowiec
Suchorze
Mielno
Sarbinowo
Ustronie Morskie
Jezioro Jamno
Sianów
Kępice
Kołczygłowy
Pomysk
Kołobrzeg
Będzino
Koszalin
Bytów
Parsęta
Biesiekierz
Polanów
Tuchomie
Mostowo
Radew
Gościno
Niedalino
Karlino
Piaszczyna
Białogard
Miastko
Rymań
Głodowa
Lipnica
Wełdkowo
Bobolice
Byszyno
Tychowo
Sławoborze
Biały Bór
Zielona
Wierzchowo
Grzmiąca
Brzezie
Świdwin
Przechlewo
Brda
Połczyn-Zdrój
Barwice
Rzeczenica
Rega
Szczecinek
Czarne
Człuchów
Łobez
Łabędzie
Ostrowice
Barkowo
Złocieniec
Czaplinek
Debrzno
Karmień Krajenskie
Okonek
Lędyczek
Drawsko Pomorski
Machliny
Lipka
Podgaje
Radawnica
Jezioro Lubie
Insko
Konotop
Iłowiec
Piława
Jastrowie
Sępólno Krajenskie
POBRZEŻE SŁOWIŃSKIE
POJEZIERZE DRAWSKIE
POMORSKIE
20
21
6
E28
11
21
22
23
E2

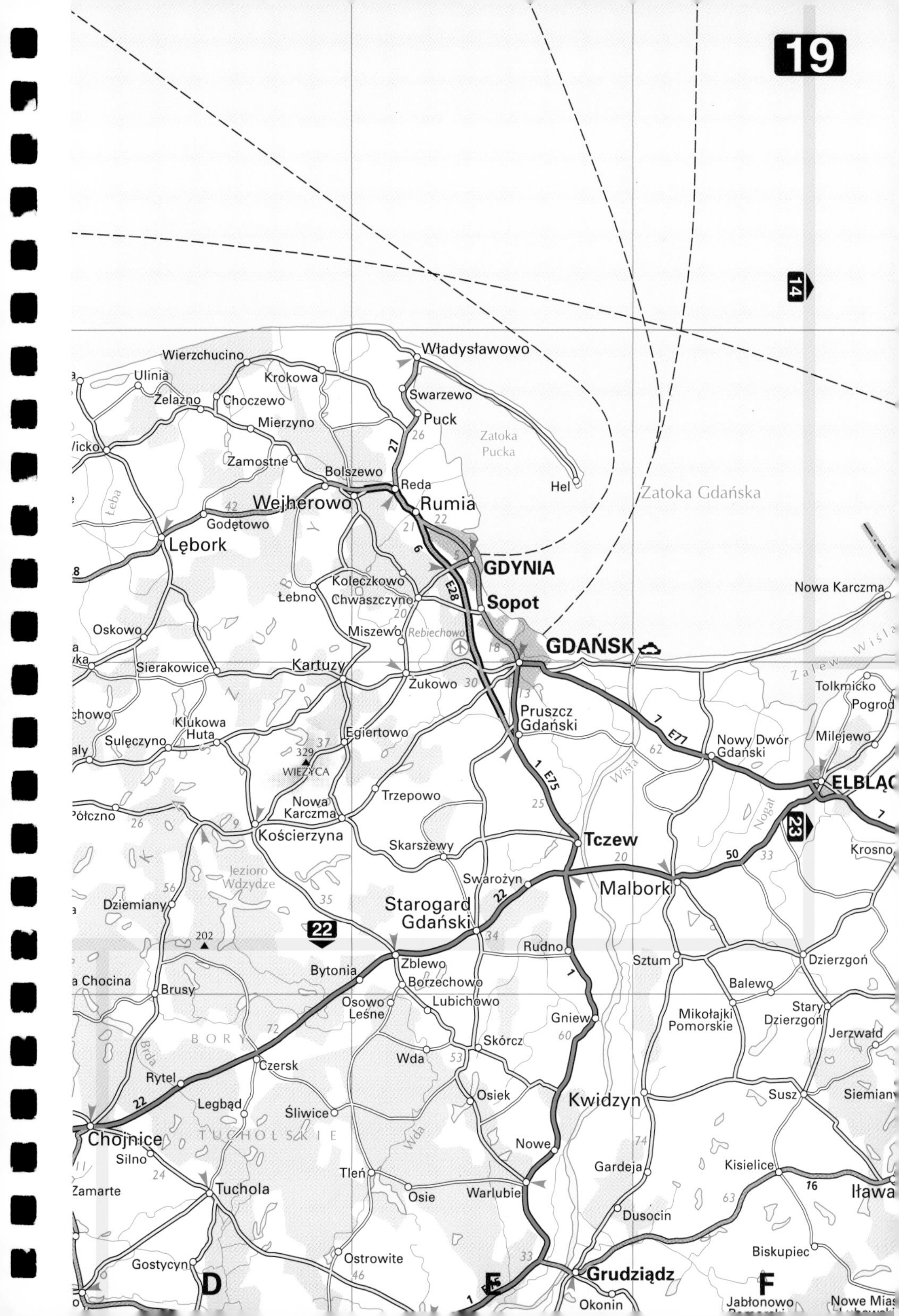
14
Władysławowo
Wierzchucino
Ulinia
Krokowa
Żelazno
Choczewo
Swarzewo
Puck
Mierzyno
Zatoka
Pucka
Zamostne
Bolszewo
Reda
Hel
Zatoka Gdańska
Wejherowo
Rumia
Godętowo
Lębork
GDYNIA
Koleczkowo
Łebno
Chwaszczyno
Sopot
Nowa Karczma
Oskowo
Miszewo
Rębiechowo
GDAŃSK
Sierakowice
Kartuzy
Żukowo
Zalew Wiślany
Tolkmicko
Pogrod
Pruszcz
Gdański
Klukowa
Huta
Sulęczyno
Egiertowo
Nowy Dwór
Gdański
Milejewo
WIEŻYCA
ELBLĄ
Trzepowo
Nowa
Karczma
Półczno
Kościerzyna
Skarszewy
Tczew
23
Krosno
Jezioro
Wdzydze
Swarożyn
Malbork
Dziemiany
Starogard
Gdański
22
Rudno
Sztum
Dzierzgoń
Bytonia
Zblewo
a Chocina
Borzechowo
Balewo
Brusy
Osowo
Leśne
Lubichowo
Gniew
Mikołajki
Pomorskie
Stary
Dzierzgoń
Jerzwałd
BORY
Skórcz
Wda
Czersk
Rytel
Osiek
Kwidzyn
Susz
Siemian
Legbąd
Śliwice
TUCHOLSKIE
Chojnice
Silno
Nowe
Gardeja
Kisielice
Tleń
Zamarte
Tuchola
Osie
Warlubie
Iława
Dusocin
Biskupiec
Gostycyn
Ostrowite
Grudziądz
D
E
F
Okonin
Jabłonowo
Nowe Mias

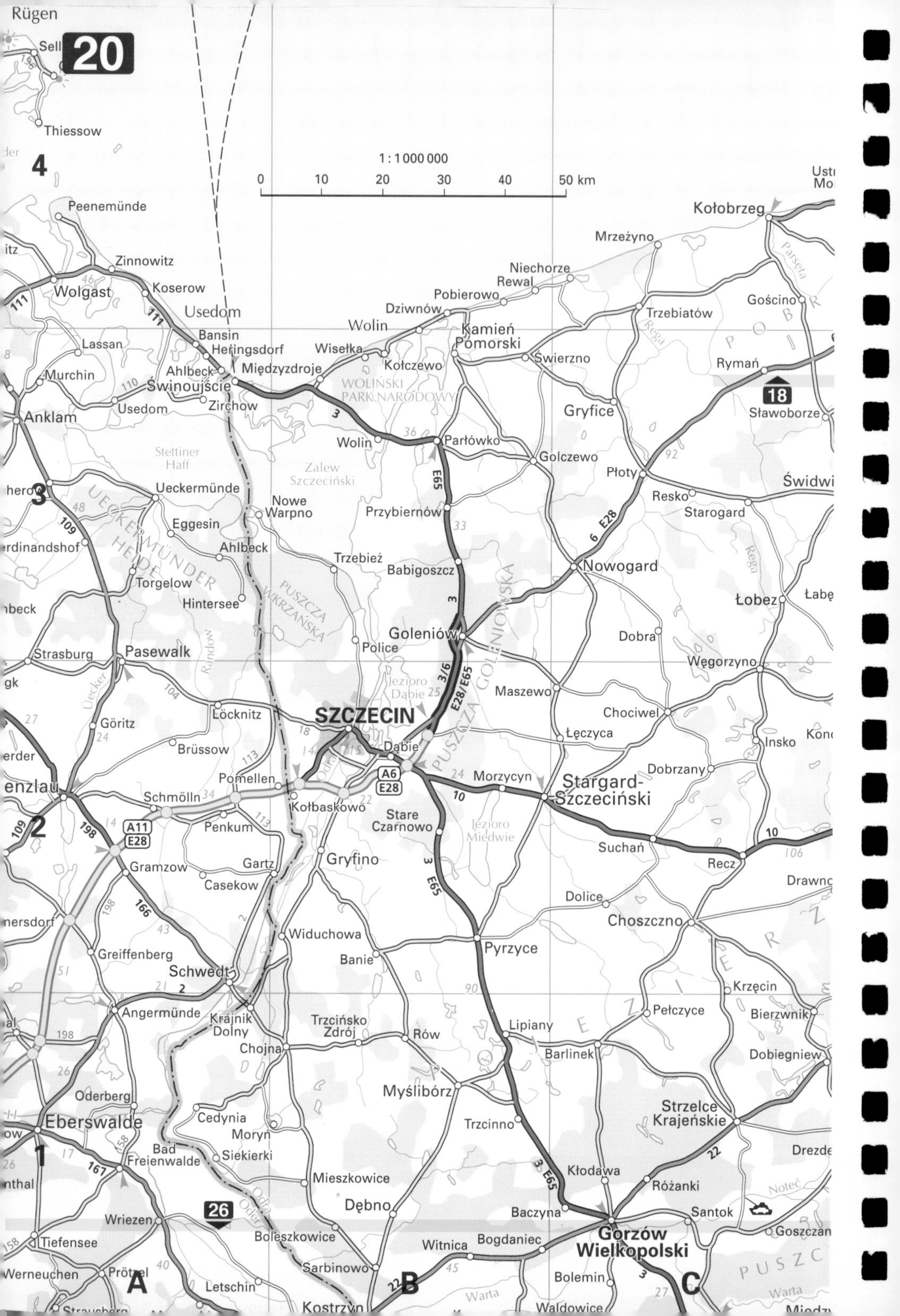

20
Rügen
Thiessow
1 : 1 000 000
0 10 20 30 40 50 km
Peenemünde
Zinnowitz
Wolgast
Koserow
Usedom
Bansin
Heringsdorf
Lassan
Murchin
Ahlbeck
Świnoujście
Międzyzdroje
Zirchow
Usedom
Anklam
Wolin
Wisełka
Kołczewo
Dziwnów
Pobierowo
Rewal
Niechorze
Mrzeżyno
Kołobrzeg
Kamień Pomorski
Świerzno
Trzebiatów
Gościno
Rymań
Sławoborze
WOLIŃSKI PARK NARODOWY
Wolin
Parłówko
Gryfice
Golczewo
Płoty
Świdwin
Resko
Starogard
Stettiner Haff
Zalew Szczeciński
Ueckermünde
Nowe Warpno
Przybiernów
Eggesin
Ahlbeck
UECKERMÜNDER HEIDE
Torgelow
Hintersee
Trzebież
Babigoszcz
Nowogard
PUSZCZA WKRZAŃSKA
PUSZCZA GOLENIOWSKA
Łobez
Dobra
Goleniów
Police
Strasburg
Pasewalk
Węgorzyno
Jezioro Dąbie
Maszewo
SZCZECIN
Löcknitz
Chociwel
Göritz
Brüssow
Dąbie
Łęczyca
Insko
Pomellen
Dobrzany
Morzycyn
Stargard-Szczeciński
Prenzlau
Schmölln
Kołbaskowo
Stare Czarnowo
Jezioro Miedwie
Penkum
Suchań
Recz
Gramzow
Gartz
Gryfino
Casekow
Dolice
Choszczno
Widuchowa
Pyrzyce
Greiffenberg
Banie
Schwedt
Krzęcin
Angermünde
Krajnik Dolny
Trzcińsko Zdrój
Rów
Lipiany
Pełczyce
Bierzwnik
Chojna
Barlinek
Dobiegniew
Oderberg
Myślibórz
Eberswalde
Cedynia
Moryń
Trzcinno
Strzelce Krajeńskie
Bad Freienwalde
Siekierki
Kłodawa
Mieszkowice
Różanki
Dębno
Wriezen
Baczyna
Santok
Tiefensee
Boleszkowice
Gorzów Wielkopolski
Goszczanowo
Witnica
Bogdaniec
Werneuchen
Prötzel
Sarbinowo
Bolemin
Letschin
Kostrzyn
Waldowice
Warta
Noteć
A B C
1 2 3 4
A11 E28
A6 E28
E65
E28
3/6
E28/E65
18
26

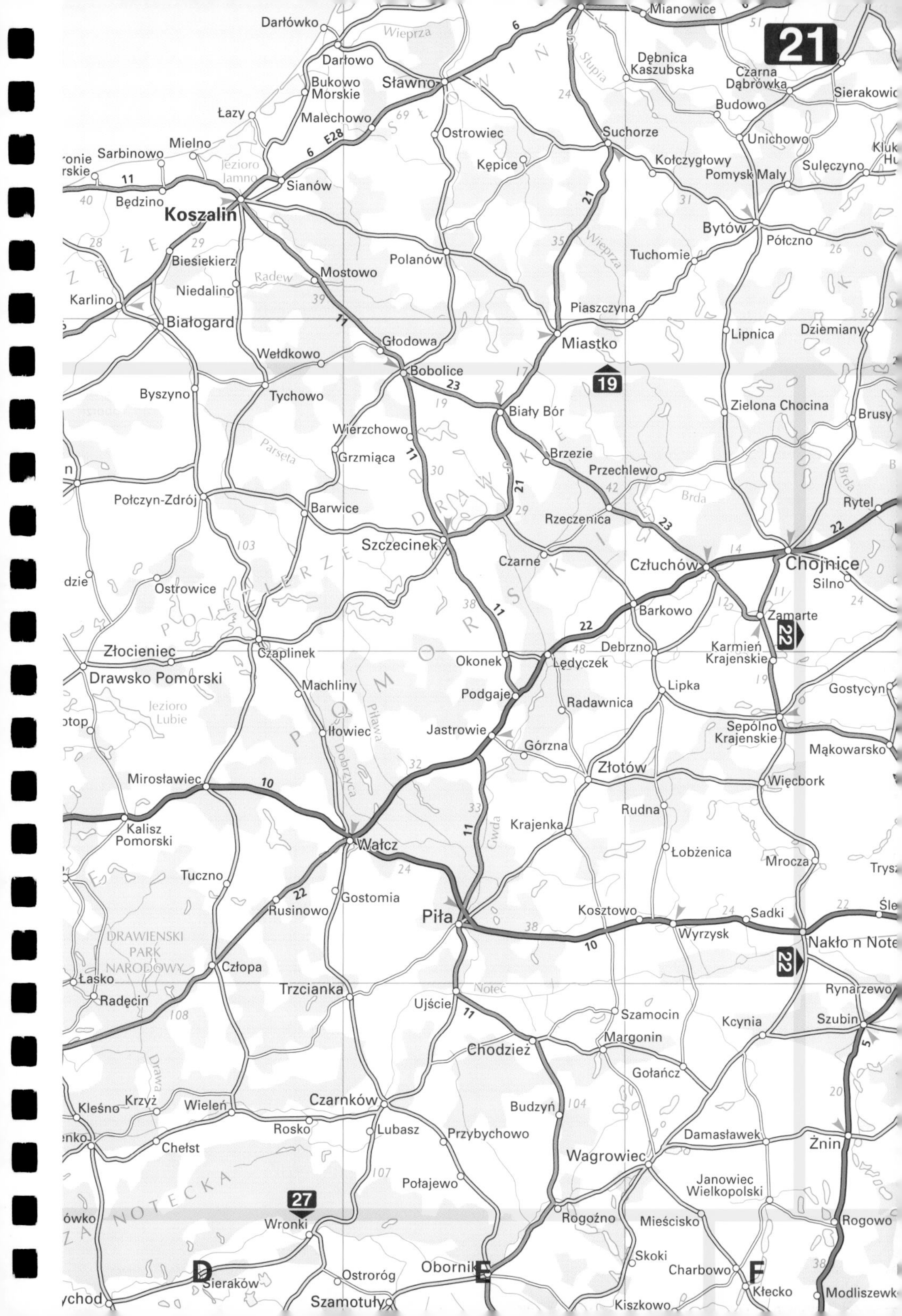
Darłówko
Darłowo
Bukowo Morskie
Sławno
Łazy
Malechowo
Mielno
Sarbinowo
Sianów
Będzino
Koszalin
Biesiekierz
Niedalino
Karlino
Białogard
Mostowo
Polanów
Ostrowiec
Kępice
Mianowice
Dębnica Kaszubska
Czarna Dąbrówka
Sierakowice
Budowo
Suchorze
Unichowo
Kołczygłowy
Pomysk Mały
Sulęczyno
Bytów
Półczno
Tuchomie
Piaszczyna
Miastko
Lipnica
Dziemiany
Zielona Chocina
Brusy
Głodowa
Bobolice
Wełdkowo
Tychowo
Byszyno
Biały Bór
Wierzchowo
Grzmiąca
Brzezie
Przechlewo
Połczyn-Zdrój
Barwice
Szczecinek
Rzeczenica
Czarne
Człuchów
Chojnice
Rytel
Silno
Ostrowice
Barkowo
Zamarte
Złocieniec
Czaplinek
Drawsko Pomorski
Okonek
Lędyczek
Debrzno
Karmień Krajeńskie
Machliny
Podgaje
Lipka
Radawnica
Gostycyn
Jezioro Lubie
Iłowiec
Jastrowie
Górzna
Sępólno Krajeńskie
Mąkowarsko
Mirosławiec
Złotów
Więcbork
Kalisz Pomorski
Rudna
Krajenka
Wałcz
Łobżenica
Mrocza
Tuczno
Gostomia
Rusinowo
Piła
Kosztowo
Sadki
Wyrzysk
Nakło n Noteć
Drawieński Park Narodowy
Człopa
Łasko
Radęcin
Trzcianka
Ujście
Szamocin
Kcynia
Szubin
Rynarzewo
Chodzież
Margonin
Gołańcz
Kleśno
Krzyż
Wieleń
Czarnków
Budzyń
Rosko
Lubasz
Przybychowo
Chełst
Damasławek
Żnin
Wągrowiec
Połajewo
Janowiec Wielkopolski
Wronki
Rogoźno
Mieściscko
Rogowo
Skoki
Charbowo
Obornik
Ostroróg
Sieraków
Szamotuły
Kłecko
Kiszkowo
Modliszewko
POJEZIERZE DRAWSKIE
POMORSKIE
SŁOWIŃSKIE
NOTECKA
Wieprza
Słupia
Radew
Parsęta
Brda
Piława
Dobrzyca
Gwda
Noteć
Drawa
D
E
F
19
22
27

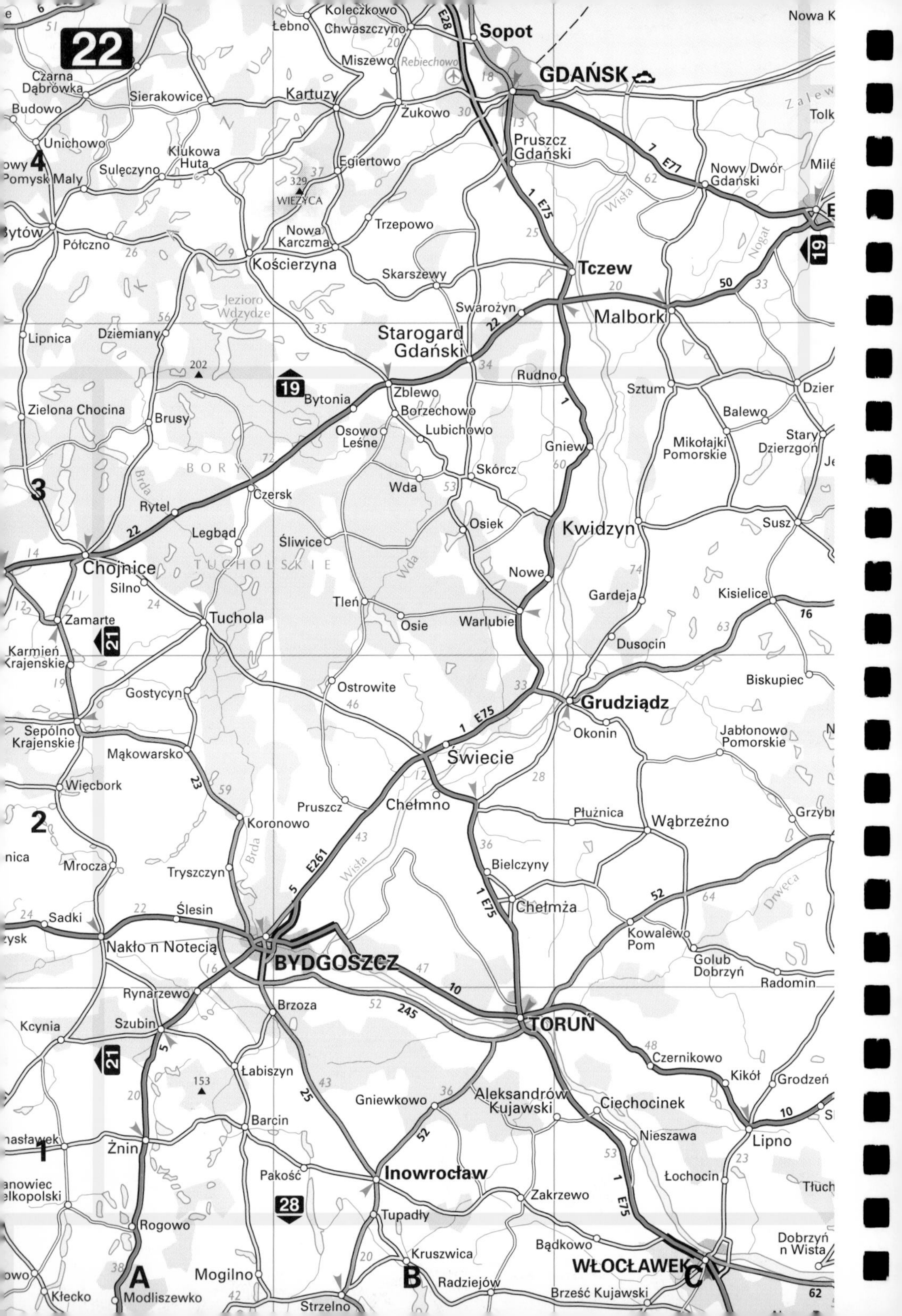

22
GDAŃSK
Sopot
Kartuzy
Sierakowice
Żukowo
Pruszcz Gdański
Kościerzyna
Tczew
Malbork
Starogard Gdański
Chojnice
Tuchola
Czersk
Kwidzyn
Grudziądz
Świecie
Chełmno
BYDGOSZCZ
TORUŃ
Inowrocław
WŁOCŁAWEK
Nakło n Notecią
Szubin
Żnin
Mogilno
Lipno
Chełmża
Wąbrzeźno
Sztum
Susz
Kisielice
Nowy Dwór Gdański
Bytów
Aleksandrów Kujawski
Ciechocinek
Kruszwica
Radziejów
Brześć Kujawski
Gniewkowo
Koronowo
Więcbork
Sępólno Krajeńskie
Brusy
Kowalewo Pom
Golub Dobrzyń
Dobrzyń n Wisłą
Jabłonowo Pomorskie
Nowe
Gniew
Skórcz
Pelplin
A
B
C
1
2
3
4
19
21
28

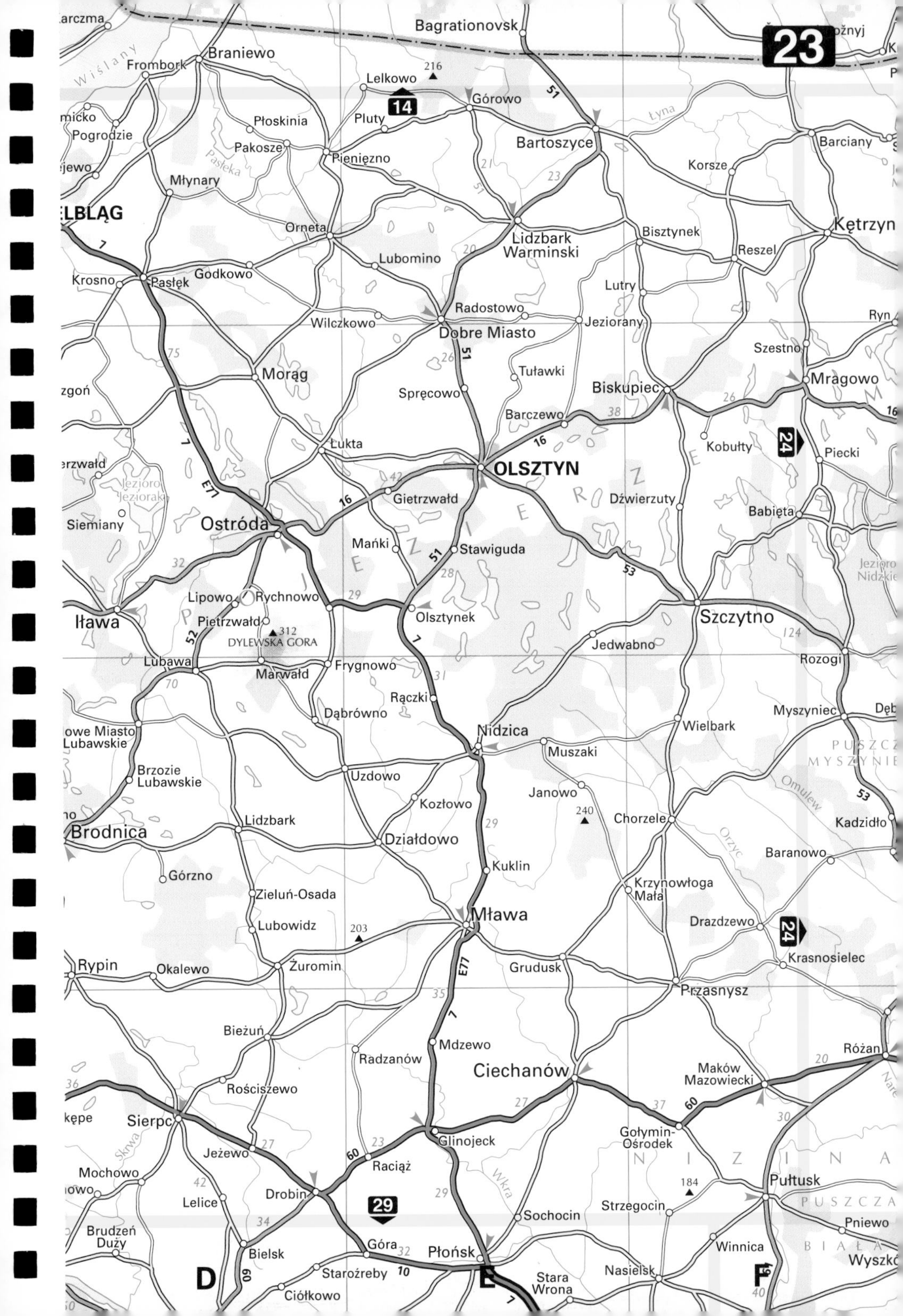

23
Bagrationovsk
Braniewo
Frombork
Lelkowo
216
14
Górowo
Płoskinia
Pluty
Pogrodzie
Pakosze
Pieniężno
Bartoszyce
Łyna
Barciany
Korsze
Młynary
ELBLĄG
Orneta
Lidzbark Warminski
Bisztynek
Kętrzyn
Reszel
Lubomino
Krosno
Pasłęk
Godkowo
Lutry
Radostowo
Wilczkowo
Dobre Miasto
Jeziorany
Ryn
Szestno
Morąg
Tuławki
Biskupiec
Mrągowo
Spręcowo
Barczewo
Kobułty
24
Piecki
Łukta
OLSZTYN
Gietrzwałd
Dźwierzuty
Babięta
Siemiany
Ostróda
Mańki
Stawiguda
Lipowo
Rychnowo
Olsztynek
Szczytno
Iława
Pietrzwałd
312
DYLEWSKA GORA
Jedwabno
Rozogi
Lubawa
Marwałd
Frygnowo
Rączki
Dąbrówno
Myszyniec
Wielbark
Nidzica
Muszaki
Brzozie Lubawskie
Uzdowo
Kozłowo
Janowo
240
Lidzbark
Chorzele
Kadzidło
Brodnica
Działdowo
Baranowo
Górzno
Kuklin
Zieluń-Osada
Krzynowłoga Mała
Mława
Lubowidz
203
Drazdzewo
Rypin
Okalewo
Żuromin
Grudusk
Krasnosielec
Przasnysz
Bieżuń
Mdzewo
Radzanów
Różan
Ciechanów
Maków Mazowiecki
Rościszewo
Sierpc
Glinojeck
Gołymin-Ośrodek
Jeżewo
Raciąż
Mochowo
Lelice
Drobin
29
Pułtusk
Strzegocin
Sochocin
Pniewo
Brudzeń Duży
Góra
Płońsk
Winnica
Bielsk
Staroźreby
Nasielsk
Stara Wrona
Wyszków
Ciółkowo
D
E
F

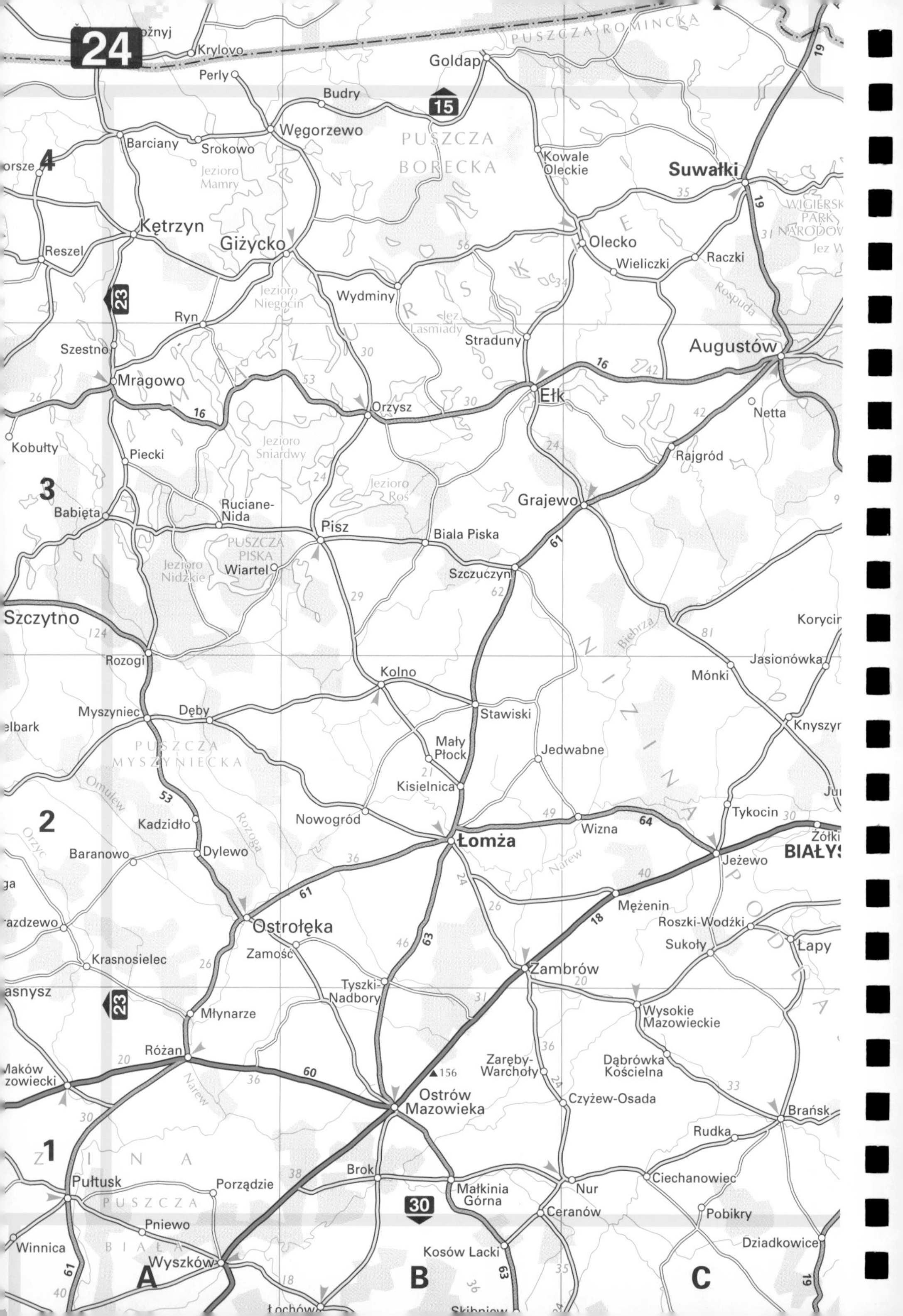
24
Krylovo
Perly
Goldap
PUSZCZA ROMINCKA
Budry
15
Węgorzewo
Barciany
Srokowo
Jezioro Mamry
PUSZCZA BORECKA
Kowale Oleckie
Suwałki
4
Kętrzyn
Giżycko
Reszel
Olecko
Wieliczki
Raczki
WIGIERSKI PARK NARODOWY
Rospuda
23
Wydminy
Jezioro Niegocin
Jez. Łasmiady
Ryn
Straduny
Szestno
Augustów
Mrągowo
Orzysz
Ełk
Netta
Kobułty
Piecki
Jezioro Śniardwy
Rajgród
3
Babięta
Ruciane-Nida
Jezioro Roś
Grajewo
Pisz
Biała Piska
PUSZCZA PISKA
Jezioro Nidzkie
Wiartel
Szczuczyn
Szczytno
Biebrza
Korycin
Rozogi
Kolno
Jasionówka
Mónki
Myszyniec
Dęby
Stawiski
Knyszyn
PUSZCZA MYSZYNIECKA
Mały Płock
Jedwabne
Omulew
Kisielnica
2
Kadzidło
Rozoga
Nowogród
Wizna
Tykocin
Łomża
Żółki
BIAŁYSTOK
Baranowo
Dylewo
Jeżewo
Narew
Mężenin
Ostrołęka
Roszki-Wodźki
Zamość
Sukoły
Łapy
Krasnosielec
Zambrów
Tyszki-Nadbory
Młynarze
Wysokie Mazowieckie
Różan
Zaręby-Warchoły
Dąbrówka Kościelna
Maków Mazowiecki
156
Ostrów Mazowiecka
Czyżew-Osada
Brańsk
Rudka
1
Brok
Nur
Ciechanowiec
Pułtusk
Porządzie
Małkinia Górna
PUSZCZA
30
Ceranów
Pobikry
Pniewo
BIAŁA
Winnica
Kosów Lacki
Dziadkowice
Wyszków
A
B
C
Łochów
Skibniew

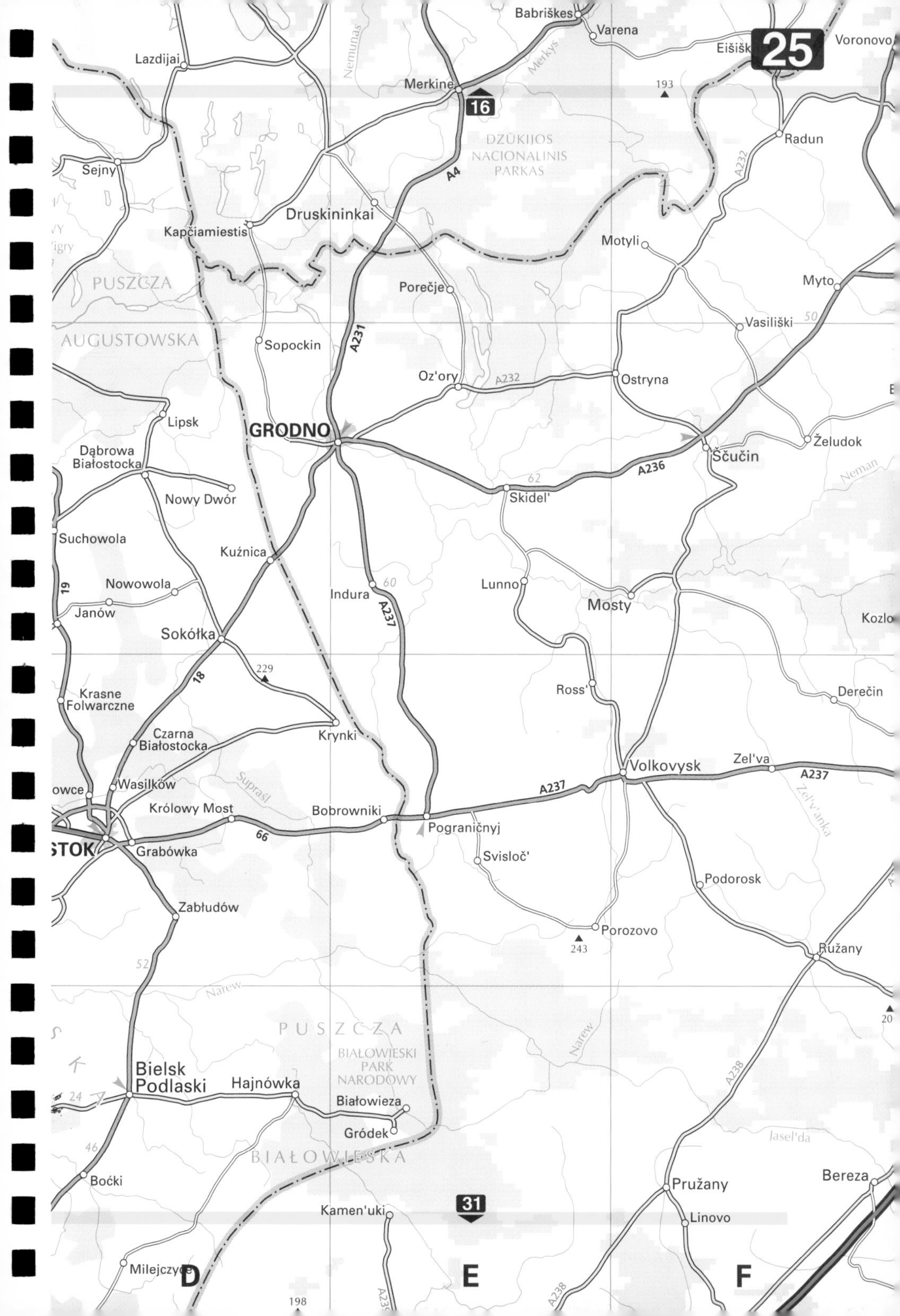
25
Babriškes
Varena
Eišišk
Voronovo
Lazdijai
Nemunas
Merkys
Merkine
16
193
Radun
DZŪKIJOS
NACIONALINIS
PARKAS
A4
A232
Sejny
Druskininkai
Kapčiamiestis
Motyli
PUSZCZA
Porečje
Myto
AUGUSTOWSKA
Vasiliški
50
Sopockin
A231
Oz'ory
A232
Ostryna
Lipsk
GRODNO
Želudok
Dąbrowa
Białostocka
Ščučin
62
A236
Neman
Nowy Dwór
Skidel'
Suchowola
Kuźnica
19
Nowowola
Lunno
Indura
60
A237
Janów
Mosty
Kozlo
Sokółka
229
18
Ross'
Krasne
Folwarczne
Derečin
Czarna
Białostocka
Krynki
Zel'va
Volkovysk
A237
Wasilków
Supraśl
A237
Zel'vanka
Królowy Most
Bobrowniki
Pograničnyj
STOK
66
Grabówka
Svisloč'
Podorosk
Zabłudów
Porozovo
243
Ružany
52
Narew
20
PUSZCZA
Narew
BIAŁOWIESKI
PARK
NARODOWY
A238
Bielsk
Podlaski
Hajnówka
24
Białowieza
Gródek
Jasel'da
46
BIAŁOWIESKA
Bereza
Boćki
Pružany
31
Kamen'uki
Linovo
Milejczyce
D
E
F
198
A238

26
Bad Freienwalde
Siekierki
Mieszkowice
Dębno
Kłodawa
Różanki
Baczyna
Santok
Gorzów Wielkopolski
Bernau
Wriezen
Tiefensee
Boleszkowice
20
Witnica
Bogdaniec
Werneuchen
Prötzel
Sarbinowo
Bolemin
Letschin
Kostrzyn
Warta
Krzeszyce
Waldowice
Strausberg
Marxwalde
Buckow
Manschnow
Seelow
Słońsk
Skwierzyna
BERLIN
Müncheberg
Górzyca
Lubniewice
Herzfelde
Grünheide
Ośno
Sulęcin
Fürstenwalde
Lebus
Pieski
PUSZCZA
Frankfurt (Oder)
Słubice
Rzepin
A10
E55
A113
A12
E30
Königs-Wusterhausen
Friedersdorf
Bad Saarow-Pieskow
Storkow
Świecko
Torzym
Łagów
Pożrzadło
RZEPIŃSKA
Brieskow-Finkenheerd
Müllrose
Świebodzin
A13
E36
E55
Sądów
Cybinka
Teupitz
Beeskow
Eisenhüttenstadt
Skąpe
Märkisch Buchholz
Alt Schadow
Spree
Korczyców
Friedland
Trebatsch
N I Z I N A
Maszecwo
Radnica
H E I D E
Chlebowo
Krosno Odrzanskie
Brody
SPREEWALD
Lieberose
Odra
Zawada
Biebersdorf
Lübben
Lamsfeld
Guben
Gubin
Bobrowice
Lésniów Wielki
Straupitz
Świdnica
Lübbenau
Duben
Luckau
Peitz
Bóbr
Lubsza
Wüstermarke
Burg
Nowogród Bobrzański
Vetschau
Brody
Lubsko
Cottbus
Calau
Zasieki
Jasień
Kożuchów
A15
E36
Forst
Münchhausen
Drebkau
Olszyna
Trzebiel
Lipinki Łużyckie
Finsterwalde
Żary
Żagań
Döbern
Gross Räschen
Spremberg
Tschernitz
Leknica
Senftenberg
Weisswasser
Bad Muskau
Lauchhammer
Iłowa
Rudawica
Neisse
Ruhland
MUSKAUER
Gozdnica
B O R Y
E55
A13
Hoyerswerda
FORST
Kwisa
D O L O Ś L A
Ortrand
Bernsdorf
Wittichenau
Thiendorf
Kliczków
Rothenburg
Kamenz
Niesky
Königsbrück
Radeburg
Węgliniec
Bolesławiec
Pulsnitz
A4
E40
Zebrzydowa
Nowogrodziec
Radeberg
Bautzen
Görlitz
Bischofswerda
Reichenbach
Zgorzelec
Lwowek Slaski
33
Löbau
34
Lubań
Neukirch
DRESDEN
Oppach
Olszyna
Neustadt
Herrnhut
Zawidów
Heidenau
SÄCHSISCHE SCHWEIZ
Leśna
Freital
Pirna
Sebnitz
Ebersbach
Ostritz
Gryfów Śląski
Bad Schandau
Neugersdorf
Habartice
A
B
C
1
2
3
4

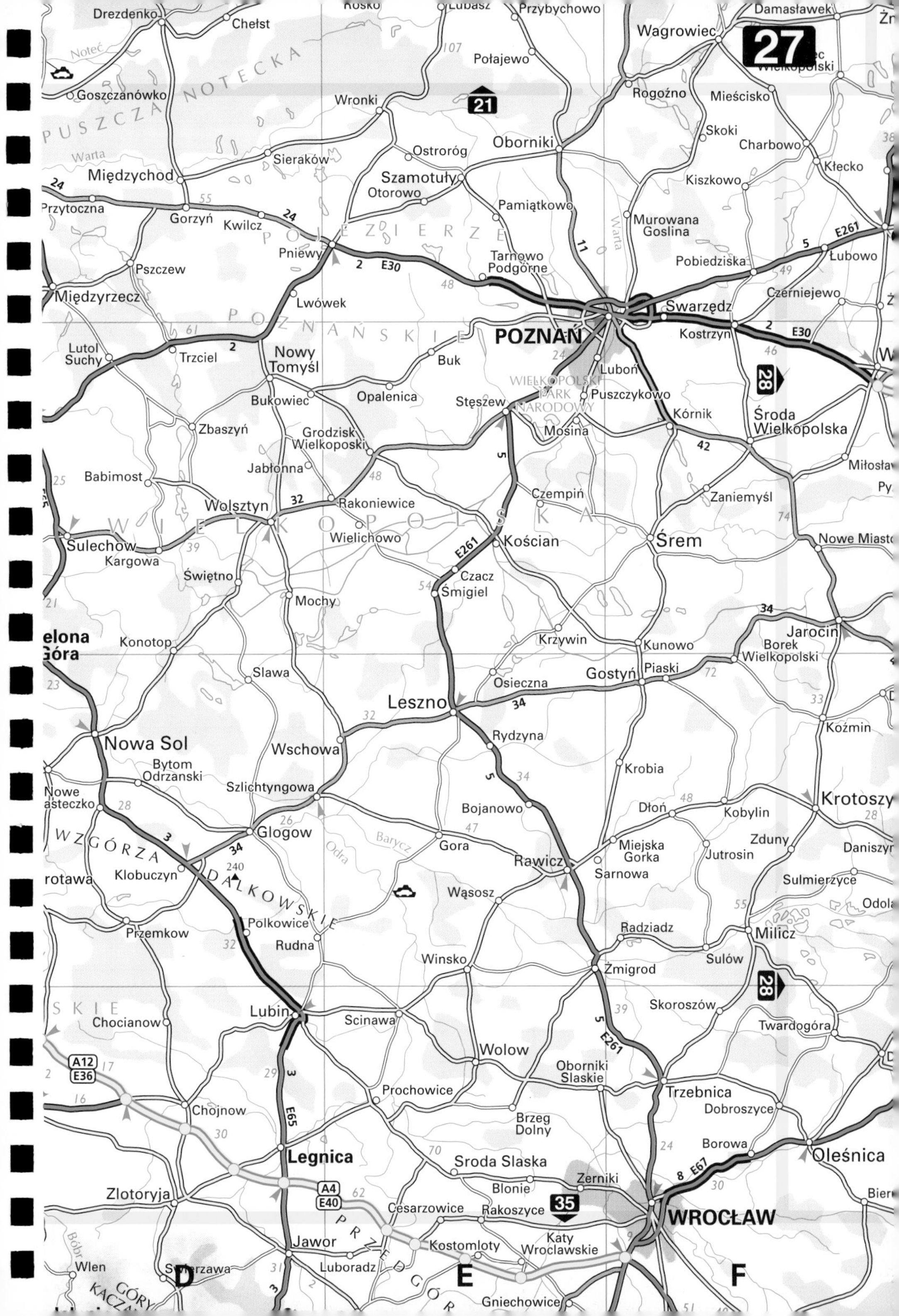
27
21
28
35
Drezdenko
Chełst
Noteć
PUSZCZA NOTECKA
Goszczanówko
Wronki
Połajewo
Przybychowo
Wagrowiec
Damasławek
Rogoźno
Mieścisko
Skoki
Charbowo
Kłecko
Oborniki
Ostroróg
Sieraków
Warta
Międzychod
Szamotuły
Otorowo
Przytoczna
Gorzyń
Kwilcz
Pamiątkowo
Murowana Goslina
Kiszkowo
POJEZIERZE
Pniewy
Tarnowo Podgórne
Pobiedziska
Lubowo
Pszczew
Międzyrzecz
Lwówek
POZNAŃSKIE
Swarzędz
Czerniejewo
Kostrzyn
POZNAŃ
Lutol Suchy
Trzciel
Nowy Tomyśl
Buk
Luboń
Bukowiec
Opalenica
Stęszew
WIELKOPOLSKI PARK NARODOWY
Puszczykowo
Kórnik
Środa Wielkopolska
Zbaszyń
Grodzisk Wielkopolski
Mosina
Jabłonna
Babimost
Miłosław
Wolsztyn
Rakoniewice
Czempiń
Zaniemyśl
WIELKOPOLSKA
Sulechow
Kargowa
Wielichowo
Kościan
Śrem
Nowe Miasto
Świętno
Czacz
Śmigiel
Mochy
Jarocin
Konotop
Krzywin
Kunowo
Borek Wielkopolski
Slawa
Osieczna
Gostyń
Piaski
Leszno
Koźmin
Nowa Sol
Wschowa
Rydzyna
Bytom Odrzanski
Krobia
Nowe Miasteczko
Szlichtyngowa
Bojanowo
Dłoń
Kobylin
Krotoszyn
WZGÓRZA DALKOWSKIE
Glogow
Odra
Barycz
Gora
Zduny
Miejska Gorka
Jutrosin
Daniszyn
Rawicz
Sarnowa
Klobuczyn
Sulmierzyce
Wąsosz
Odolanów
Polkowice
Przemkow
Radziadz
Milicz
Rudna
Winsko
Sulów
Żmigrod
Skoroszów
Lubin
Chocianow
Scinawa
Twardogóra
Wolow
Oborniki Slaskie
A12 E36
Trzebnica
Chojnow
Prochowice
Dobroszyce
Brzeg Dolny
Borowa
Oleśnica
Legnica
Sroda Slaska
Zerniki
Blonie
Zlotoryja
A4 E40
Cesarzowice
Rakoszyce
WROCŁAW
PRZEDGÓRZE
Kostomloty
Katy Wroclawskie
Jawor
Bóbr
Wlen
Swierzawa
Luboradz
GÓRY KACZAWSKIE
Gniechowice
D
E
F

28
Damasławek
Żnin
Inowrocław
Nieszawa
rowiec
Pakość
Łochocin
Wielkopolski
Zakrzewo
Rogowo
Tupadły
E75
Mieścisko
21
22
Bądkowo
Skoki
Kruszwica
Charbowo
Mogilno
WŁOCŁAWEK
4
Radziejów
Kłecko
Modliszewko
Brześć Kujawski
Kiszkowo
Strzelno
Trzemeszno
Lubraniec
Kowal
E261
Gniezno
25
Skulsk
Pobiedziska
Łubowo
Czerniejewo
Witkowo
Noteć
Chodecz
Swarzędz
Żydowo
Izbica Kujawski
Powidz
Sompolno
Kostrzyn
E30
Kleczew
Ślesin
Września
Przedecz
27
Babiak
Luboniek
Słupca
Krośniewic
Kórnik
Środa Wielkopolska
Wrząca Wielka
Kłodawa
A2
E30
Golina
Warta
Ciążeń
Konin
Koło
42
Miłosław
183
3
Pyzdry
Zagórów
Daszy
Zaniemyśl
Grabów
Prosna
Szetlew
Dąbie
Ner
rem
Nowe Miasto
Rychwał
Turek
Uniejów
Gostków
34
Pow
Jarocin
Borek Wielkopolski
Pleszew
Stawiszyn
Dobra
Poddębice
Ceków Kolonia
Brzezie
Porczyny
Dobrzyca
Bratków Din
Koźmin
KALISZ
Lut
43
Opatówek
Warta
Krotoszyn
Nowe Skalmierzyce
Szadek
2
Kobylin
Zduny
Błaszki
Zduńska Wola
Ostrów Wielkopolski
Jutrosin
Daniszyn
Męka
Wróblew
Sieradz
14
Łask
Sulmierzyce
Brzeziny
Odolanów
Antonin
Grabów n Prosną
Milicz
Barycz
Sulów
Widawa
roszów
Międzybórz
Ostrzeszów
Złoczew
Twardogóra
Lututów
Drołtowice
Sokolniki
8
E67
Rusiec
Wieruszów
Syców
Chorzyna
Trzebnica
Kępno
Dobroszyce
Mroczeń
Opatów
Boleswa
1
Wieluń
Krzeczów
Oleśnica
Pajęczno
E67
Bierutów
35
36
WROCŁAW
Byczyna
Namysłów
Praszka
Rudniki
A
B
C
Gorzów Śląski
Wołczyn
Świerczów
Krzepice

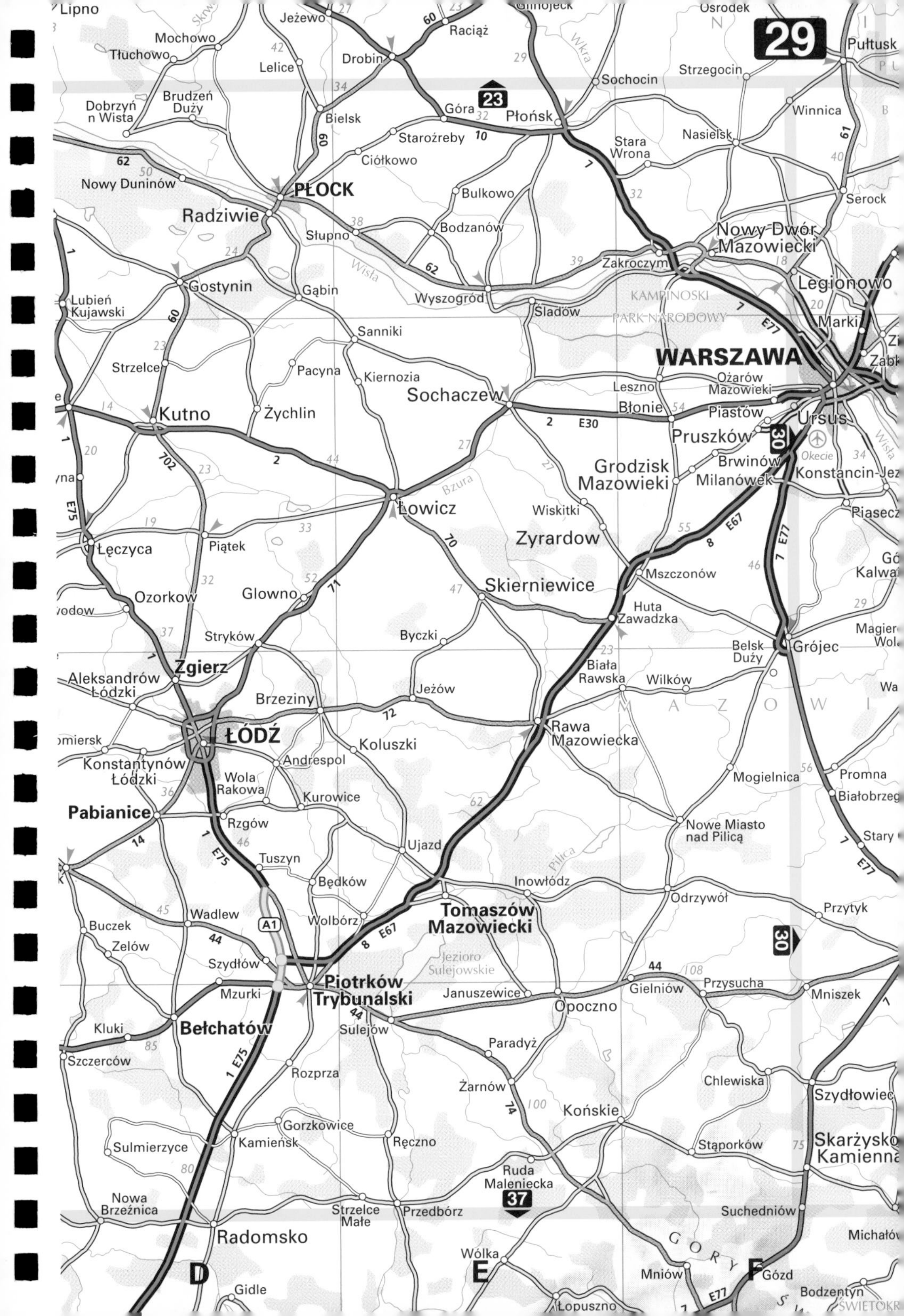
29
Lipno
Mochowo
Tłuchowo
Jeżewo
Raciąż
Drobin
Lelice
Sochocin
Strzegocin
Pułtusk
Brudzeń Duży
Dobrzyń n Wisła
Bielsk
Góra
Płońsk
Winnica
Staroźreby
Nasielsk
Stara Wrona
Ciółkowo
Nowy Duninów
PŁOCK
Bulkowo
Serock
Radziwie
Słupno
Bodzanów
Nowy Dwór Mazowiecki
Zakroczym
Legionowo
Gostynin
Gąbin
Wyszogród
KAMPINOSKI PARK NARODOWY
Lubień Kujawski
Śladów
Marki
Sanniki
WARSZAWA
Strzelce
Pacyna
Kiernozia
Ożarów Mazowiecki
Leszno
Sochaczew
Kutno
Żychlin
Błonie
Piastów
Ursus
Pruszków
Okecie
Brwinów
Grodzisk Mazowiecki
Milanówek
Konstancin-Jez
Łowicz
Wiskitki
Piasecz
Bzura
Łęczyca
Piątek
Zyrardow
Mszczonów
Skierniewice
Ozorkow
Glowno
Huta Zawadzka
Stryków
Byczki
Belsk Duży
Grójec
Zgierz
Aleksandrów Łódzki
Biała Rawska
Wilków
Brzeziny
Jeżów
MAZOWI
ŁÓDŹ
Rawa Mazowiecka
Konstantynów Łódzki
Andrespol
Koluszki
Wola Rakowa
Mogielnica
Promna
Pabianice
Kurowice
Białobrzeg
Rzgów
Nowe Miasto nad Pilicą
Ujazd
Pilica
Tuszyn
Będków
Inowłódz
Odrzywół
Buczek
Wadlew
Wolbórz
Tomaszów Mazowiecki
Przytyk
Zelów
Jezioro Sulejowskie
Szydłów
Piotrków Trybunalski
Przysucha
Gielniów
Mnizek
Mzurki
Januszewice
Opoczno
Kluki
Bełchatów
Sulejów
Paradyż
Szczerców
Rozprza
Chlewiska
Żarnów
Szydłowiec
Końskie
Gorzkowice
Kamieńsk
Ręczno
Stąporków
Skarżysko Kamienna
Sulmierzyce
Ruda Maleniecka
Nowa Brzeźnica
Strzelce Małe
Przedbórz
Suchedniów
Radomsko
Wólka
Michałów
GÓRY Ś
Mniów
Gózd
Gidle
Łopuszno
Bodzentyn
ŚWIĘTOKR
D
E
F

Ośrodek
Pułtusk
Porządzie
Brok
Małkinia Górna
Nur
Ciechanowiec
Pobikry
Ceranów
Pniewo
Winnica
Wyszków
Kosów Lacki
Łochów
Skibniew-Podawce
Serock
Sokołów Podlaski
Drohic
Nowy Dwór Mazowiecki
Tłuszcz
Radzymin
Liw
Węgrów
Legionowo
Wołomin
Dobre
Dąbrowa
Marki
Kobyłka
Zielonka
Stanisławów
Mokobody
Suchożebry
ARSZAWA
Ząbki
Sulejówek
Mordy
Łosice
Ożarów Mazowiecki
Dębe Wielkie
Kałuszyn
Siedlce
Piastów
Ursus
Józefów
Mińsk Mazowiecki
Skórzec
Zauczyn Poduchowny
Brwinów
Okęcie
Otwock
Milanówek
Konstancin-Jeziorna
Kołbiel
Piaseczno
Piotrowice
Stoczek Łukowski
Łuków
Góra Kalwaria
Garwolin
Magierowa Wola
Belsk Duży
Grójec
Wilga
Łaskarzew
Żelechów
Jarczew
Ulan Majorat
Warka
Tarnów
Mazurki
Kolonia Korytnica
Maciejowice
Kock
Przytoczno
Mogielnica
Promna
Ryki
Białobrzegi
Brzoza
Kozienice
Moszczanka
Firlej
Nowe Miasto nad Pilicą
Stary Gózd
Dęblin
Michów
PUSZCZA KOZIENICKA
Pionki
Przytyk
Chrząchówek
Góra Puławska
Puławy
Kurów
Garbów
RADOM
Przysucha
Mniszek
Zwoleń
Kazimierz Dolny
Nałęczów
Miłocin
Skaryszew
LUBLIN
Ciepielów
Chlewiska
Wierzbica
Bełżyce
Szydłowiec
Opole Lubelskie
Lipsko
Iłża
Chodel
Niedrzwica Duża
Stąporków
Skarżysko-Kamienna
Sienno
Starachowice
Suchedniów
Brody
Michałów
Sarnówek
Kraśnik
Ostrowiec Świętokrzyski
Gózd
Obliręcin
Bodzentyn
Ćmielów
Ozarów
Annopol
Bug
Liwiec
Wisła
Pilica
Wieprz
PUSZCZA BIAŁA
MAZOWIECKA

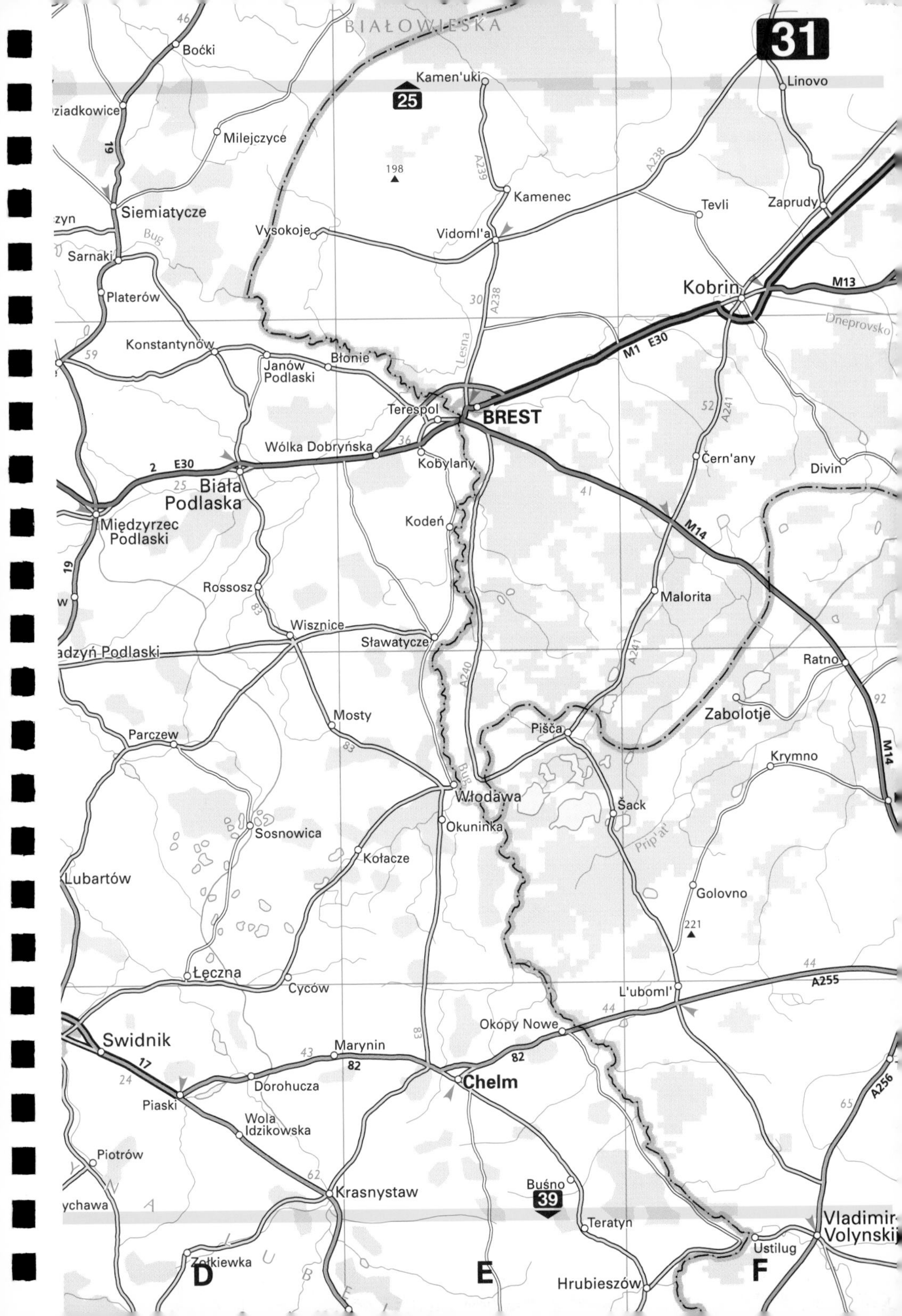
BIAŁOWIESKA
Boćki
Kamen'uki
25
Linovo
Milejczyce
198
Kamenec
Siemiatycze
Tevli
Zaprudy
Vysokoje
Vidoml'a
Sarnaki
Platerów
Kobrin
M13
Dneprovsko
Konstantynów
Janów Podlaski
Błonie
M1 E30
Terespol
BREST
Wólka Dobryńska
Kobylany
Čern'any
Divin
2 E30
Biała Podlaska
Międzyrzec Podlaski
Koden
M14
Rossosz
Malorita
Wisznice
Sławatycze
Radzyń Podlaski
Ratno
Zabolotje
Mosty
Parczew
Pišča
Krymno
Włodawa
Šack
Okuninka
Sosnowica
Prip'at'
Kołacze
Lubartów
Golovno
221
Łęczna
Cyców
L'uboml'
A255
Okopy Nowe
Swidnik
Marynin
82
Chelm
Dorohucza
Piaski
Wola Idzikowska
A256
Piotrów
Krasnystaw
Busno
39
Rychawa
Teratyn
Vladimir-Volynskij
Ustilug
Żółkiewka
Hrubieszów
D
E
F

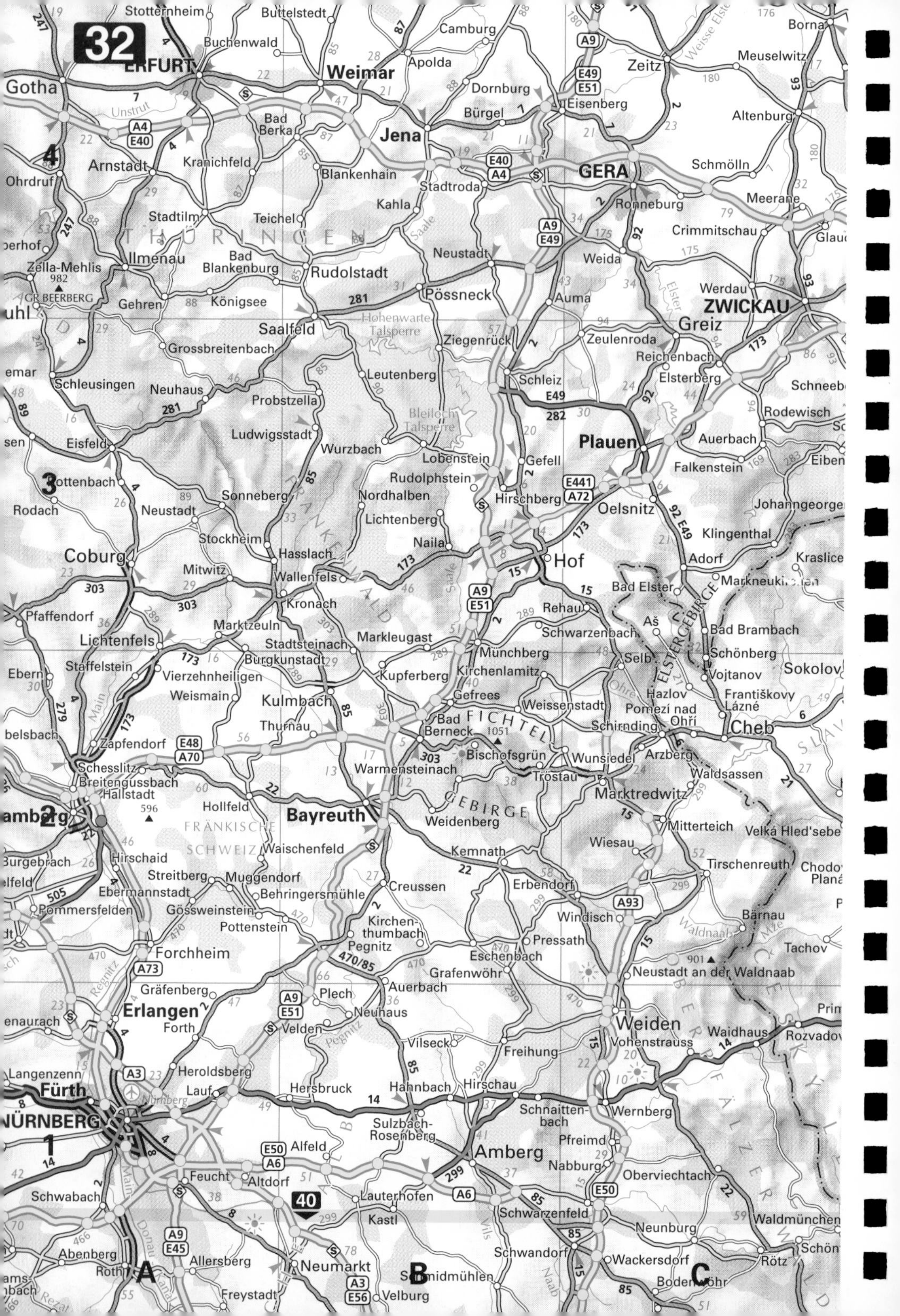
32
ERFURT
Gotha
Weimar
Jena
Apolda
Camburg
Dornburg
Bürgel
Eisenberg
Zeitz
Meuselwitz
Borna
Altenburg
Schmölln
GERA
Ronneburg
Meerane
Crimmitschau
Glauchau
Stotternheim
Buttelstedt
Buchenwald
Bad Berka
Arnstadt
Kranichfeld
Blankenhain
Stadtroda
Kahla
Ohrdruf
Stadtilm
Teichel
THÜRINGEN
Ilmenau
Bad Blankenburg
Rudolstadt
Neustadt
Weida
Zella-Mehlis
982
GR BEERBERG
Gehren
Königsee
Pössneck
Auma
Werdau
ZWICKAU
Saalfeld
Hohenwarte Talsperre
Greiz
Zeulenroda
Reichenbach
Elsterberg
Grossbreitenbach
Ziegenrück
Schleusingen
Neuhaus
Leutenberg
Schleiz
Schneeberg
Probstzella
Bleiloch Talsperre
Rodewisch
Plauen
Auerbach
Ludwigsstadt
Wurzbach
Lobenstein
Gefell
Falkenstein
Eisfeld
Rudolphstein
Hirschberg
Oelsnitz
Rodach
Neustadt
Sonneberg
Nordhalben
Lichtenberg
Johanngeorgenstadt
Stockheim
Klingenthal
Coburg
Hasslach
Naila
Hof
Adorf
Kraslice
Mitwitz
Wallenfels
Bad Elster
Markneukirchen
FRANKENWALD
Kronach
Rehau
Pfaffendorf
Marktzeuln
Markleugast
Schwarzenbach
Aš
Bad Brambach
Lichtenfels
Stadtsteinach
Münchberg
ELSTERGEBIRGE
Selb
Schönberg
Staffelstein
Burgkunstadt
Kupferberg
Kirchenlamitz
Vojtanov
Sokolov
Ebern
Vierzehnheiligen
Weismain
Gefrees
Hazlov
Františkovy Lázně
Kulmbach
Weissenstadt
Pomezí nad Ohří
Thurnau
Bad Berneck
FICHTEL
1051
Schirnding
Cheb
Zapfendorf
Bischofsgrün
Wunsiedel
Arzberg
Schesslitz
Warmensteinach
Tröstau
Waldsassen
Breitengüssbach
Hallstadt
596
Hollfeld
GEBIRGE
Marktredwitz
Bamberg
Bayreuth
Weidenberg
Mitterteich
Velká Hled'sebe
FRÄNKISCHE SCHWEIZ
Hirschaid
Waischenfeld
Wiesau
Kemnath
Tirschenreuth
Burgebrach
Streitberg
Muggendorf
Erbendorf
Ebermannstadt
Behringersmühle
Creussen
Pommersfelden
Gössweinstein
Windisch
Bärnau
Pottenstein
Kirchenthumbach
Pegnitz
Pressath
Tachov
Forchheim
Eschenbach
901
Grafenwöhr
Neustadt an der Waldnaab
Gräfenberg
Plech
Auerbach
Erlangen
Neuhaus
Forth
Velden
Weiden
Waidhaus
Rozvadov
Vilseck
Vohenstrauss
Freihung
Langenzenn
Heroldsberg
Hersbruck
Hahnbach
Hirschau
Fürth
Lauf
Nürnberg
Schnaittenbach
Wernberg
NÜRNBERG
Sulzbach-Rosenberg
Pfreimd
Alfeld
Amberg
Nabburg
Oberviechtach
Feucht
Altdorf
Schwabach
40
Lauterhofen
Schwarzenfeld
Kastl
Neunburg
Waldmünchen
Abenberg
Schwandorf
Allersberg
Neumarkt
Wackersdorf
Rötz
Roth
Schmidmühlen
Bodenwöhr
Freystadt
Velburg
A
B
C
1
2
3
4

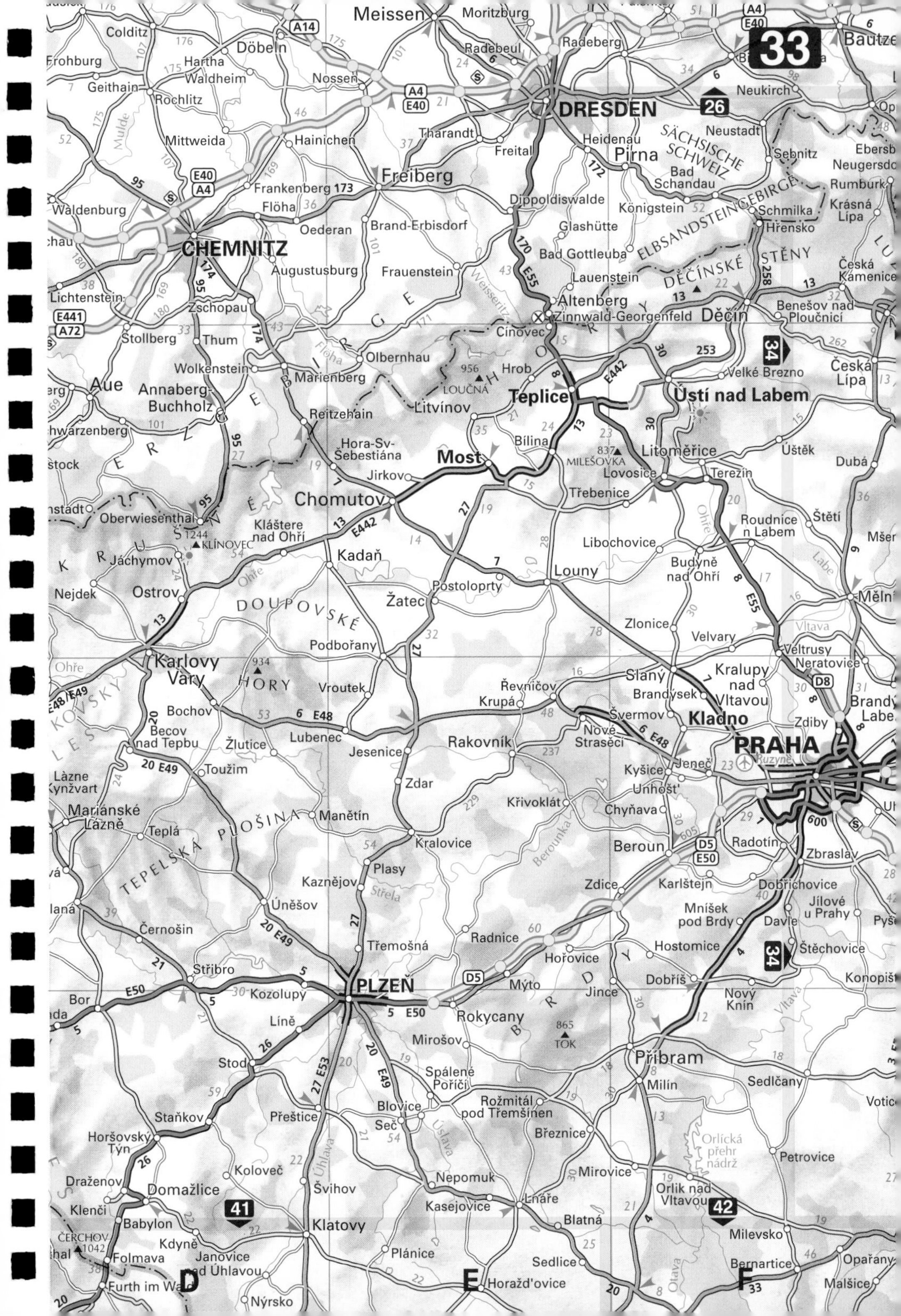

33
Meissen
Moritzburg
Radebeul
Radeberg
Bautze
Colditz
Döbeln
Frohburg
Hartha
Waldheim
Nossen
Geithain
Rochlitz
DRESDEN
Neukirch
Mittweida
Hainichen
Tharandt
Freital
Heidenau
Pirna
Neustadt
Sebnitz
SÄCHSISCHE SCHWEIZ
Bad Schandau
Ebersb
Neugersdo
Rumburk
Freiberg
Frankenberg
Waldenburg
Flöha
Dippoldiswalde
Königstein
Schmilka
Hřensko
Krásná Lípa
Oederan
Brand-Erbisdorf
Glashütte
ELBSANDSTEINGEBIRGE
CHEMNITZ
Augustusburg
Frauenstein
Bad Gottleuba
DĚČÍNSKÉ STĚNY
Česká Kamenice
Lauenstein
Lichtenstein
Altenberg
Zinnwald-Georgenfeld
Děčín
Benešov nad Ploučnicí
Zschopau
Cínovec
Stollberg
Thum
Olbernhau
Wolkenstein
Marienberg
Hrob
Velké Brezno
Česká Lípa
Aue
Annaberg-Buchholz
LOUČNÁ
Teplice
Ústí nad Labem
Reitzenhain
Litvínov
Schwarzenberg
Bílina
Litoměřice
Úštěk
Hora-Sv-Šebestiána
Most
MILEŠOVKA
Lovosice
Dubá
Jirkov
Terezín
Třebenice
Chomutov
Oberwiesenthal
Klášterec nad Ohří
Roudnice n Labem
Štětí
KLÍNOVEC
Libochovice
Jáchymov
Kadaň
Louny
Budyně nad Ohří
Nejdek
Ostrov
Postoloprty
Žatec
Mělní
DOUPOVSKÉ
Zlonice
Velvary
Podbořany
Veltrusy
Neratovice
Karlovy Vary
HORY
Slaný
Kralupy nad Vltavou
Vroutek
Řevničov
Brandýsek
Brandý Labe
Bochov
Krupá
Švermov
Kladno
Becov nad Tepbu
Žlutice
Lubenec
Rakovník
Nové Strašecí
Zdiby
PRAHA
Jesenice
Ruzyně
Jeneč
Lázne Kynžvart
Toužim
Kyšice
Unhošť
Zdar
Mariánské Lázně
Křivoklát
Chyňava
Manětín
TEPELSKÁ PLOŠINA
Teplá
Kralovice
Beroun
Radotín
Zbraslav
Plasy
Kaznějov
Karlštejn
Dobřichovice
Zdice
Úněšov
Mníšek pod Brdy
Jílové u Prahy
Davle
Černošín
Třemošná
Radnice
Hostomice
Štěchovice
Hořovice
Stříbro
PLZEŇ
Mýto
Dobříš
Konopiš
Bor
Kozolupy
Jince
Nový Knín
Rokycany
BRDY
Líně
Mirošov
TOK
Stod
Příbram
Spálené Poříčí
Milín
Sedlčany
Rožmitál pod Třemšínem
Votic
Blovice
Přeštice
Staňkov
Seč
Březnice
Horšovský Týn
Orlická přehr nádrž
Petrovice
Koloveč
Mirovice
Draženov
Švihov
Nepomuk
Orlik nad Vltavou
Domažlice
Kasejovice
Lnáře
Klenči
Babylon
Klatovy
Blatná
Milevsko
ČERCHOV
Kdyně
Janovice nad Úhlavou
Plánice
Sedlice
Bernartice
Opařany
Folmava
Furth im Wald
Horažďovice
Malšice
Nýrsko
D
E
F
26
34
41
42

34
26
33
42
Bautzen
Görlitz
Zgorzelec
Zebrzydowa
Nowogrodziec
Löbau
Reichenbach
Lwowek Slaski
Zlotoryja
Neukirch
Oppach
Lubań
Olszyna
Neustadt
Herrnhut
Ostritz
Zawidów
Lésna
Wlen
Swierzawa
Sebnitz
Ebersbach
Neugersdorf
Habartice
Gryfów Śląski
Rumburk
Seifhennersdorf
Mirsk
Pasiecznik
Jelenia Gora
Wojeie
Schmilka
Hřensko
Krásná Lípa
Varnsdorf
Zittau
Sieniawka
Bogatynia
Frýdlant
Świeradów-Zdrój
Kaczorow
Hrádek nad Nisou
Piechowice
Cieplice Śląskie-Zdrój
Česká Kamenice
Chrastava
Jakuszyce
Szklarska Poreba
Kowary
Děčín
Benešov nad Ploučnicí
Nový Bor
Cvikov
Jablonné v Podještědí
Liberic
Harrachov
Karpacz
Tanvald
Boguszo
Česká Lípa
Zákupy
Ještěd
Jablonec nad Nisou
Špindlerův Mlýn
Lubawka
Velké Brezno
Mimoň
Hodkovice nad Mohelkou
Pec pod Snezkou
Kralovec
Ústí nad Labem
Železný Brod
Vrchlabí
Mlade Buky
Semily
Jilemnice
Doksy
Úštěk
Dubá
Mnichovo Hradiště
Turnov
Hostinne
Trutnov
Terezín
Bělá pod Bezdězem
Nova Paka
Upice
Roudnice n Labem
Štětí
Sobotka
Mšeno
Jičín
Dvur Kralove nad Labem
Mladá Boleslav
Libáň
Ceska Skalice
Mělník
Horice
Jaromer
Velvary
Kopidlno
Veltrusy
Neratovice
Benátky nad Jizerou
Smidary
Kralupy nad Vltavou
Kostelec nad Labem
Lysá nad Labem
Novy Bydzov
HRADEC KRÁLOVÉ
Kladno
Zdiby
Brandýs n Labem
Nymburk
PRAHA
Ruzyně
Čelákovice
St-Vestec
Poděbrady
Chlumec nad Cidlinou
Sadská
Úvaly
Česý Brod
Holice
Uhříněves
Kostelec nad Černými
Pardubice
Radotín
Kolín
Prelouc
Dasice
Zbraslav
Říčany
Dobřichovice
Hermanuv Mestec
Mníšek pod Brdy
Jílové u Prahy
Davle
Pyšely
Kutná Hora
Čáslav
Zleby
Chrudim
Hrochuv Tynec
Štěchovice
Uhlířské Janovice
Slatinany
Chrast
Sec
Konopište
Benešov
Zbraslavice
Golcuv Jenikov
Vilemov
Skutec
Nový Knín
Kácov
Hlinsko
Bystřice
Vlašim
Ledeč nad Sázavou
Chotebor
Zdirec nad Doubrava
Sedlčany
Svetla nad Sazavou
Votice
Čechtice
Havlíčkův Brod
Přibyslav
Orlícká přehr nádrž
Petrovice
Mladá Vožice
Košetice
Humpolec
Želiv
Stoky
Žďár n Sázavo
Červená-Řečice
Pacov
Milevsko
Tábor
Bohdalov
Bernartice
Opařany
Chýnov
Kámen
Pelhřimov
Sezimovo Ústí
Planá nad
Černovice
Horni Cerekev
Jihlava
Měřín
LUŽICKÉ HORY
JIZERSKÉ HORY
KRKONOSE
GÓRY KACZAWSKI
DĚČÍNSKÉ STĚNY
ŽELEZNÉ HORY
Vltava
Labe
Jizera
Ploučnice
Ohře
Sázava
Doubrava
Bóbr
D1
D5
D8
D11
E50
E55
E59
E65
E67
E442
E551

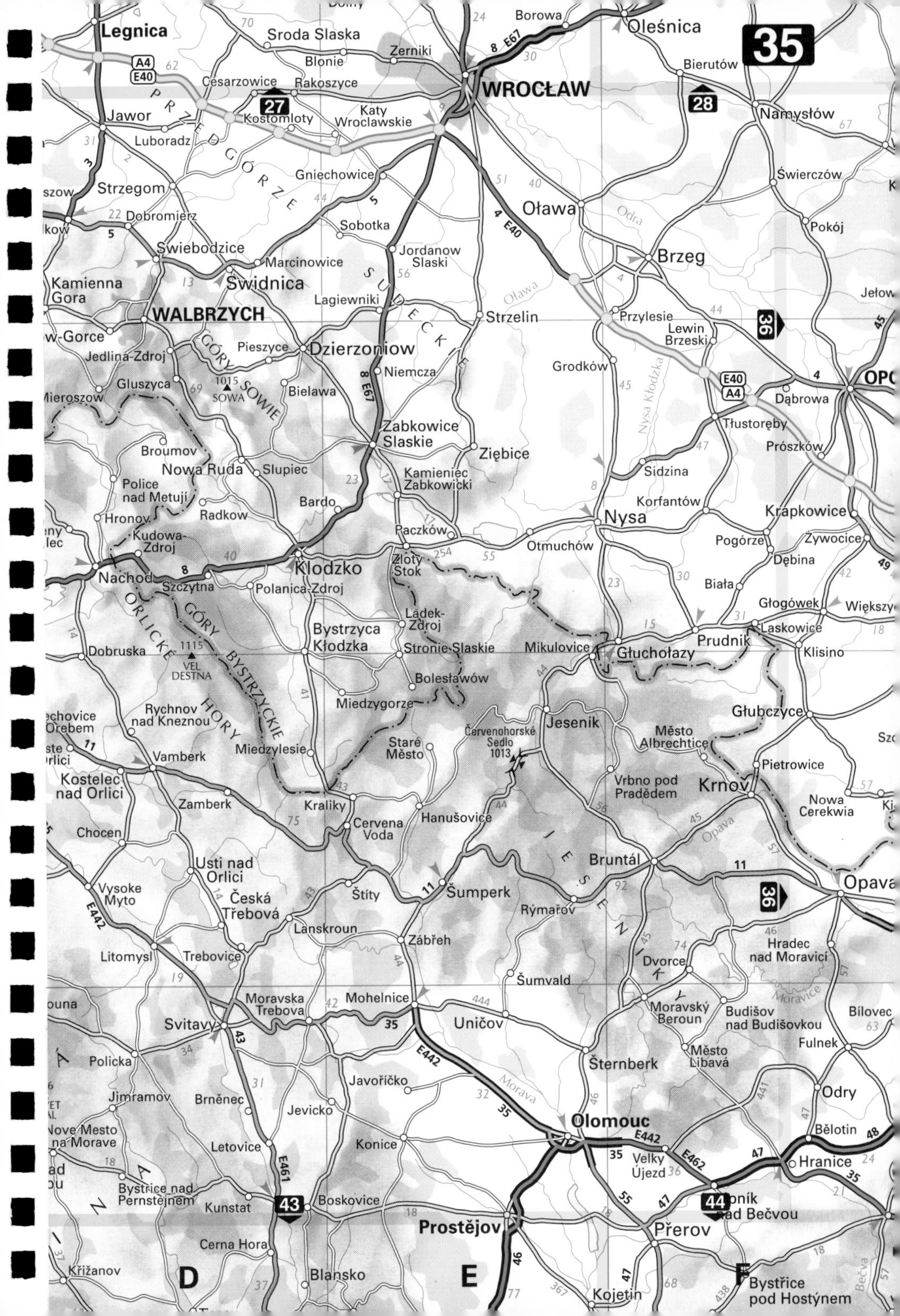
35
Legnica
Sroda Slaska
Borowa
Oleśnica
Zerniki
Blonie
Cesarzowice
Rakoszyce
WROCŁAW
Bierutów
27
28
Jawor
Kostomloty
Katy Wroclawskie
Namysłów
Luboradz
PRZEDGÓRZE
Gniechowice
Strzegom
Świerczów
Dobromierz
Oława
Sobotka
Pokój
Swiebodzice
Jordanow Slaski
Brzeg
Marcinowice
Kamienna Gora
Swidnica
SUDECKIE
WALBRZYCH
Lagiewniki
Strzelin
Przylesie
Lewin Brzeski
Jełow
36
Pieszyce
Dzierzoniow
Jedlina-Zdroj
GÓRY SOWIE
Niemcza
Grodków
Gluszyca
SOWA
Bielawa
Dąbrowa
Mieroszow
Zabkowice Slaskie
Tłustoręby
Broumov
Ziębice
Prószków
Nowa Ruda
Slupiec
Kamieniec Zabkowicki
Sidzina
Police nad Metují
Bardo
Korfantów
Radkow
Nysa
Krapkowice
Hronov
Paczków
Kudowa-Zdroj
Otmuchów
Pogórze
Zywocice
Nachod
Klodzko
Zloty Stok
Dębina
Szczytna
Polanica-Zdroj
Biała
ORLICKÉ
GÓRY
Lądek-Zdroj
Głogówek
Większyce
Bystrzyca Kłodzka
Laskowice
Dobruska
VEL DESTNA
Stronie Slaskie
Mikulovice
Głuchołazy
Prudnik
Klisino
BYSTRZYCKIE
Bolesławów
HORY
Miedzygorze
Głubczyce
Rychnov nad Kneznou
Jeseník
Město Albrechtice
Červenohorské Sedlo
Staré Město
Miedzylesie
Pietrowice
Vamberk
Kostelec nad Orlici
Vrbno pod Pradědem
Krnov
Zamberk
Kraliky
Hanušovice
Nowa Cerekwia
Chocen
Cervena Voda
JESENÍKY
Bruntál
Opava
Usti nad Orlici
Vysoke Myto
Štíty
Šumperk
Česká Třebová
Rýmařov
Lanskroun
Zábřeh
Hradec nad Moravicí
Litomysl
Trebovice
Dvorce
Šumvald
Moravska Trebova
Mohelnice
Moravský Beroun
Budišov nad Budišovkou
Bílovec
Svitavy
Uničov
Fulnek
Policka
Šternberk
Město Libavá
Javořičko
Odry
Jimramov
Brněnec
Jevicko
Olomouc
Nove Mesto na Morave
Bělotin
Letovice
Konice
Velky Újezd
Hranice
Bystrice nad Pernstejnem
Kunstat
Boskovice
Lipník nad Bečvou
43
44
Prostějov
Přerov
Cerna Hora
Křižanov
Blansko
Kojetin
Bystřice pod Hostýnem
D
E
F
Odra
Nysa Kłodzka
Morava
Opava
Moravice
Bečva
A4
E40
E67
E442
E461
E462

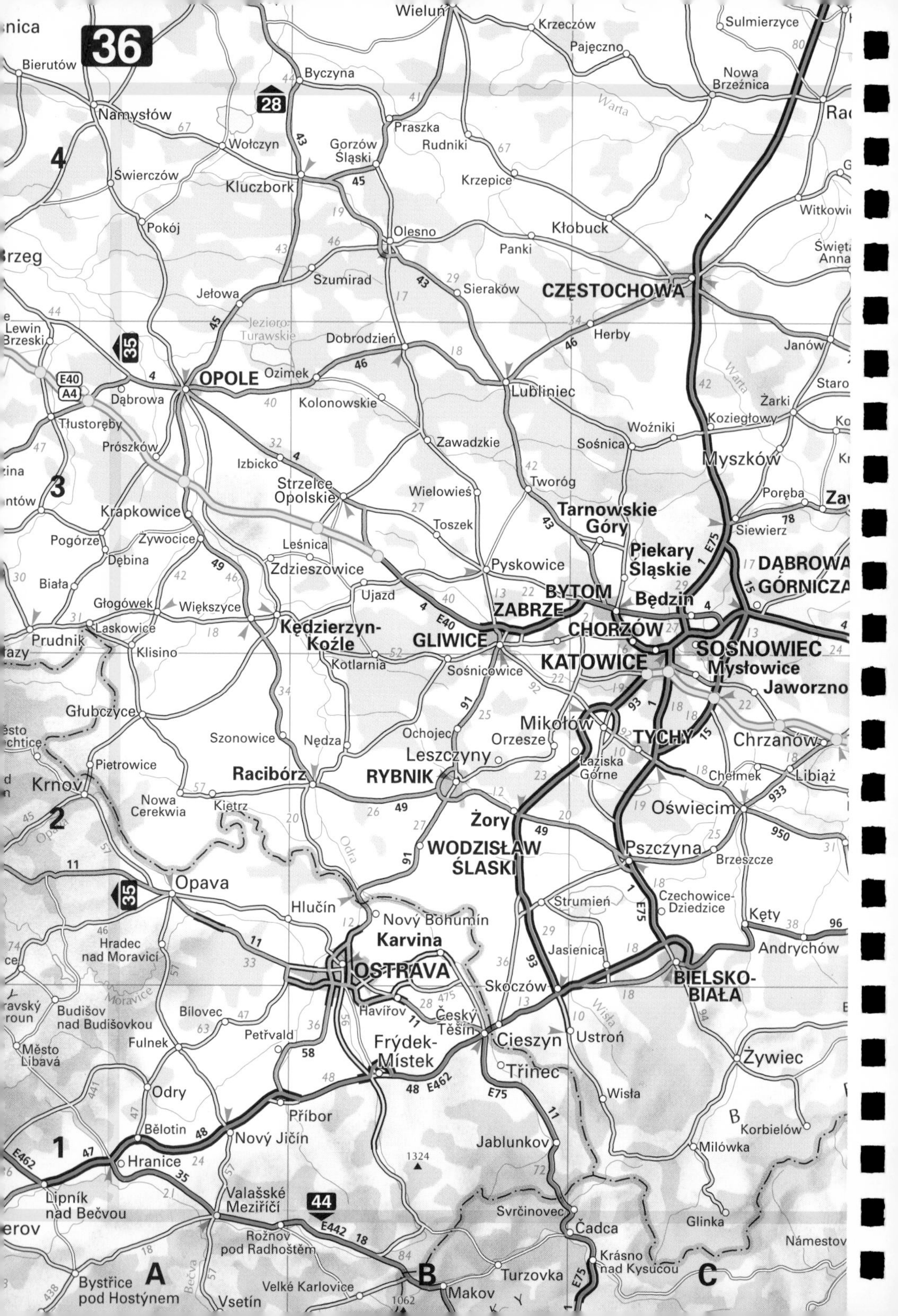

36
Wieluń
Krzeczów
Sulmierzyce
Bierutów
Byczyna
Pajęczno
Nowa Brzeźnica
28
Namysłów
Praszka
Warta
Wołczyn
Gorzów Śląski
Rudniki
Świerczów
Kluczbork
Krzepice
Witkowice
Pokój
Olesno
Kłobuck
Panki
Święta Anna
Brzeg
Szumirad
Sieraków
CZĘSTOCHOWA
Jełowa
Jezioro Turawskie
Lewin Brzeski
35
Dobrodzień
Herby
Janów
E40
A4
OPOLE
Ozimek
Lubliniec
Dąbrowa
Kolonowskie
Żarki
Tłustoręby
Koziegłowy
Prószków
Zawadzkie
Woźniki
Sośnica
Izbicko
Myszków
Strzelce Opolskie
Tworóg
Wielowieś
Poręba
Krapkowice
Toszek
Tarnowskie Góry
Siewierz
Pogórze
Żywocice
Leśnica
Piekary Śląskie
Dębina
Zdzieszowice
Pyskowice
DĄBROWA GÓRNICZA
Biała
Ujazd
BYTOM
Będzin
Głogówek
Większyce
ZABRZE
Laskowice
Kędzierzyn-Koźle
GLIWICE
CHORZÓW
Prudnik
Klisino
SOSNOWIEC
Kotlarnia
Sośnicowice
KATOWICE
Mysłowice
Jaworzno
Głubczyce
Mikołów
Szonowice
Nędza
Ochojec
Orzesze
TYCHY
Chrzanów
Pietrowice
Leszczyny
Łaziska Górne
Krnov
Racibórz
RYBNIK
Chełmek
Libiąż
Nowa Cerekwia
Kietrz
Żory
Oświecim
WODZISŁAW ŚLASKI
Pszczyna
Brzeszcze
Odra
Opava
Hlučín
Strumień
Czechowice-Dziedzice
Nový Bohumín
Kęty
Hradec nad Moravicí
Karvina
Jasienica
Andrychów
OSTRAVA
BIELSKO-BIAŁA
Skoczów
Moravice
Budišov nad Budišovkou
Havířov
Český Těšín
Bílovec
Petřvald
Frýdek-Místek
Cieszyn
Ustroń
Fulnek
Město Libavá
Třinec
Żywiec
Odry
Wisła
Příbor
Bělotín
Nový Jičín
Jablunkov
Korbielów
Milówka
Hranice
1324
Lipník nad Bečvou
Valašské Meziříčí
44
Svrčinovec
Čadca
Glinka
Rožnov pod Radhoštěm
Krásno nad Kysucou
Námestovo
Bystřice pod Hostýnem
Velké Karlovice
Turzovka
Makov
Vsetín
1062
A
B
C
1
2
3
4
E462
E442
E75

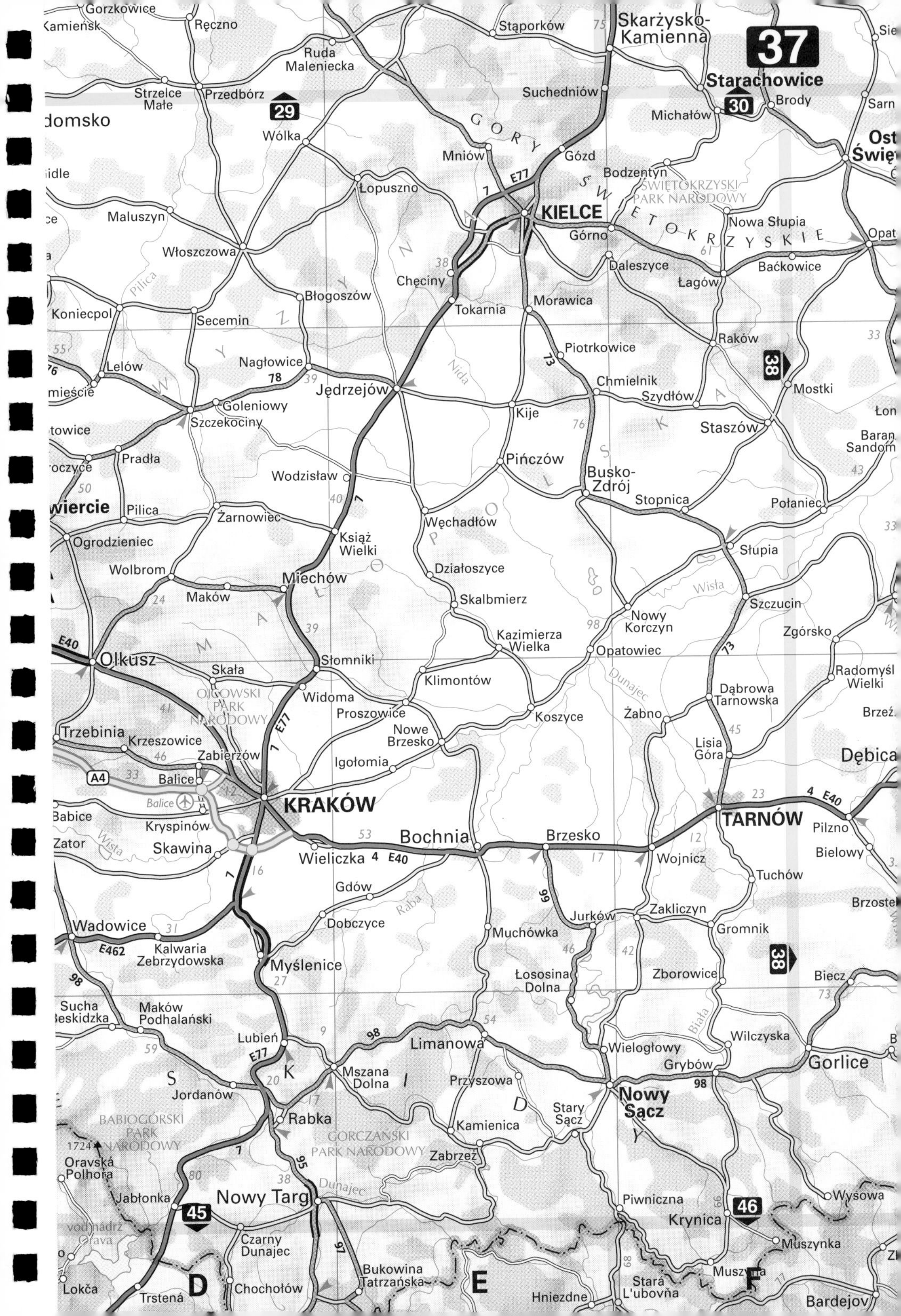

37
Gorzkowice
Kamieńsk
Ręczno
Stąporków
Skarżysko-Kamienna
Ruda Maleniecka
Strzelce Małe
Przedbórz
29
Suchedniów
Starachowice
30
Michałów
Brody
Radomsko
Wólka
GÓRY ŚWIĘTOKRZYSKIE
Mniów
Gózd
Bodzentyn
E77
7
ŚWIĘTOKRZYSKI PARK NARODOWY
Łopuszno
KIELCE
Nowa Słupia
Maluszyn
Górno
Opatów
Włoszczowa
Daleszyce
Łagów
Baćkowice
Pilica
Chęciny
Błogoszów
Tokarnia
Morawica
Koniecpol
Secemin
WYŻYNA
Raków
55
Piotrkowice
33
38
Lelów
Nagłowice
Nida
73
Chmielnik
78
Jędrzejów
Szydłów
Mostki
Goleniowy
Kije
Szczekociny
Staszów
76
Pradła
Pińczów
Baranów Sandomierski
Wodzisław
Busko-Zdrój
43
50
Stopnica
Połaniec
Zawiercie
Pilica
Żarnowiec
Wędchadłów
Książ Wielki
Ogrodzieniec
Słupia
Działoszyce
Wolbrom
Wisła
MAŁOPOLSKA
Miechów
Szczucin
24
Maków
Skalbmierz
Nowy Korczyn
39
Kazimierza Wielka
98
Zgórsko
E40
Olkusz
Słomniki
Opatowiec
Skała
Klimontów
Dunajec
Radomyśl Wielki
OJCOWSKI PARK NARODOWY
Widoma
Dąbrowa Tarnowska
41
Proszowice
Koszyce
Żabno
Trzebinia
Nowe Brzesko
45
Krzeszowice
Lisia Góra
Zabierzów
46
Igołomia
Dębica
A4
33
Balice
12
Balice
KRAKÓW
23
4
Babice
TARNÓW
Kryspinów
53
Bochnia
Brzesko
Pilzno
Zator
Wisła
Skawina
12
Wieliczka
Wojnicz
Bielowy
17
16
Tuchów
Gdów
Raba
99
Brzostek
Jurków
Zakliczyn
Wadowice
Dobczyce
31
Gromnik
Muchówka
E462
Kalwaria Zebrzydowska
Myślenice
42
27
Łososina Dolna
Zborowice
Biecz
98
Sucha Beskidzka
Maków Podhalański
54
Biała
Lubień
Limanowa
Wilczyska
Wielogłowy
59
Gorlice
Grybów
Mszana Dolna
Przyszowa
BESKIDY
Jordanów
Nowy Sącz
Stary Sącz
Rabka
BABIOGÓRSKI PARK NARODOWY
Kamienica
1724
GORCZAŃSKI PARK NARODOWY
Oravská Polhora
Zabrzeż
95
80
38
Dunajec
Wysowa
Jabłonka
Nowy Targ
Piwniczna
45
Krynica
46
vodná nádrž Orava
Czarny Dunajec
97
Muszynka
Lokča
D
Trstená
Chochołów
Bukowina Tatrzańska
E
Hniezdne
Stará Ľubovňa
Muszyna
F
Bardejov

38
Starachowice
Sienno
Brody
Sarnówek
Ostrowiec Świętokrzyski
Ćmielów
Ozarów
Annopol
Obliecin
Kraśnik
Bychawa
Piotrów
Zołkiewka
Turobin
Nowa Słupia
Bidziny
Opatów
Zawichost
Zdziechowice
Zaklików
Modliborzyce
Janów Lubelski
Frampol
Bodzentyn
Baćkowice
Łagów
Lipnik
Sandomierz
Raków
Mostki
Staszów
Łoniów
Tarnobrzeg
Baranów Sandomierski
Stalowa Wola
Nisko
Biłgoraj
Nowy Majdan
Rudnik
Nowosielec
Bojanów
Stany
Krzeszów
Tarnogród
Połaniec
Nowa Dęba
PUSZCZA SANDOMIERSKA
PUSZCZA SOLSKA
Słupia
Kamień
Nowa Sarzyna
Mielec
Cmolas
Leżajsk
Szczucin
Kolbuszowa
Sokołów Malopolski
Zgórsko
Głogów Malopolski
Sieniawa
Radomyśl Wielki
Tryńcza
Dąbrowa Tarnowska
Pustków
Zapałów
Brzeźnica
Łańcut
Lisia Góra
Sędziszów
Przeworsk
Jarosław
Dębica
Ropczyce
RZESZÓW
Kidałowice
TARNÓW
Pilzno
Tyczyn
Radymno
Rokietnica
Bielowy
Babica
Tuchów
Strzyżów
Szklary
Wiśniowa
Brzostek
Frysztak
Godowa
Lutcza
Dynów
Gromnik
Krasiczyn
Jasienica Rosielna
Blizne
Biecz
Jasło
Potok
Korczyna
Brzozów
Bircza
Krosno
Wygoda
Wilczyska
Bednarka
Grabownica Starzeńska
Kuzmina
Gorlice
Miejsce Piastowe
Nowy Zmigród
Zarszyn
Sanok
Rymanów
Załuż
Chyrów
Dukla
Zagórz
Lesko
Uherse Mineralne
Bukowsko
Tylawa
Ustrzyki Dolne
Daliowa
Wysowa
500 Przełęcz Dukielska
46
J. Solińskie
Muszynka
Czarna
Zborov
Komańcza
Muszyna
Bardejov
Medzilaborce
Svidnik
Palota
Wisła
Wisłoka
Wisłok
San
4
3
2
1
A
B
C
30
37

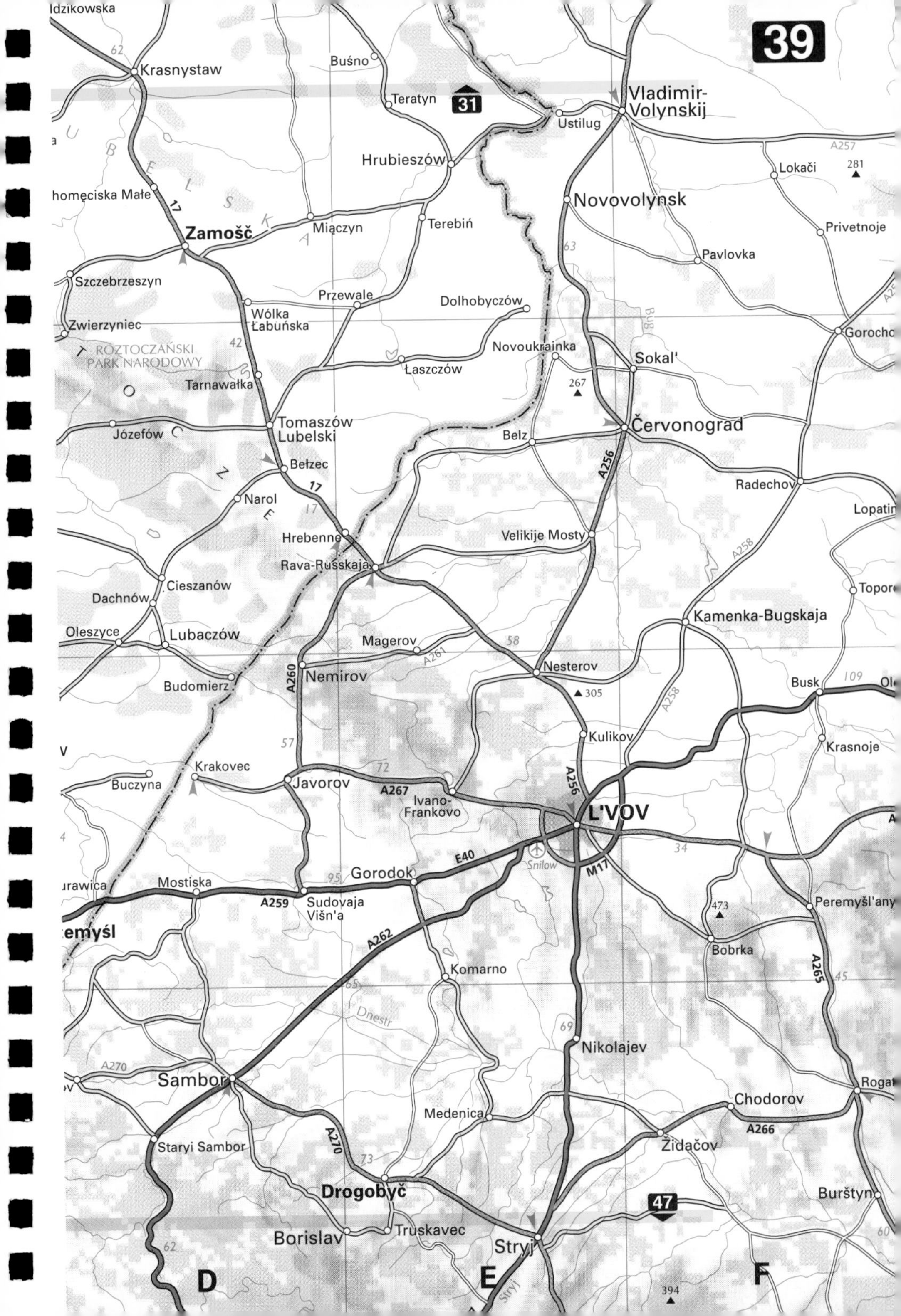
Krasnystaw
Bušno
Teratyn
31
Vladimir-Volynskij
Ustilug
Hrubieszów
A257
Lokači
281
homęciska Małe
Novovolynsk
Zamošč
Miączyn
Terebiń
Privetnoje
Pavlovka
Szczebrzeszyn
Przewale
Dolhobyczów
Wólka Łabuńska
Zwierzyniec
ROZTOCZAŃSKI PARK NARODOWY
Novoukrainka
Gorocho
Łaszczów
Sokal'
Tarnawałka
267
Tomaszów Lubelski
Červonograd
Józefów
Belz
A256
Bełzec
Radechov
Narol
17
Lopatin
Hrebenne
Velikije Mosty
Rava-Russkaja
A258
Topor
Cieszanów
Dachnów
Kamenka-Bugskaja
Oleszyce
Lubaczów
Magerov
58
A261
Nesterov
Nemirov
A260
Budomierz
305
Busk
109
Kulikov
Krasnoje
Krakovec
Javorov
72
Buczyna
A267
Ivano-Frankovo
L'VOV
Snilow
34
E40
M17
Mostiska
Gorodok
95
Peremyšl'any
A259
Sudovaja Višn'a
473
emyšl
A262
Bobrka
Komarno
A265
45
Dnestr
Nikolajev
69
A270
Sambor
Rogat
Chodorov
Medenica
A266
Staryi Sambor
Židačov
73
Drogobyč
Burštyn
47
Truskavec
Borislav
Stryj
62
D
E
F
394

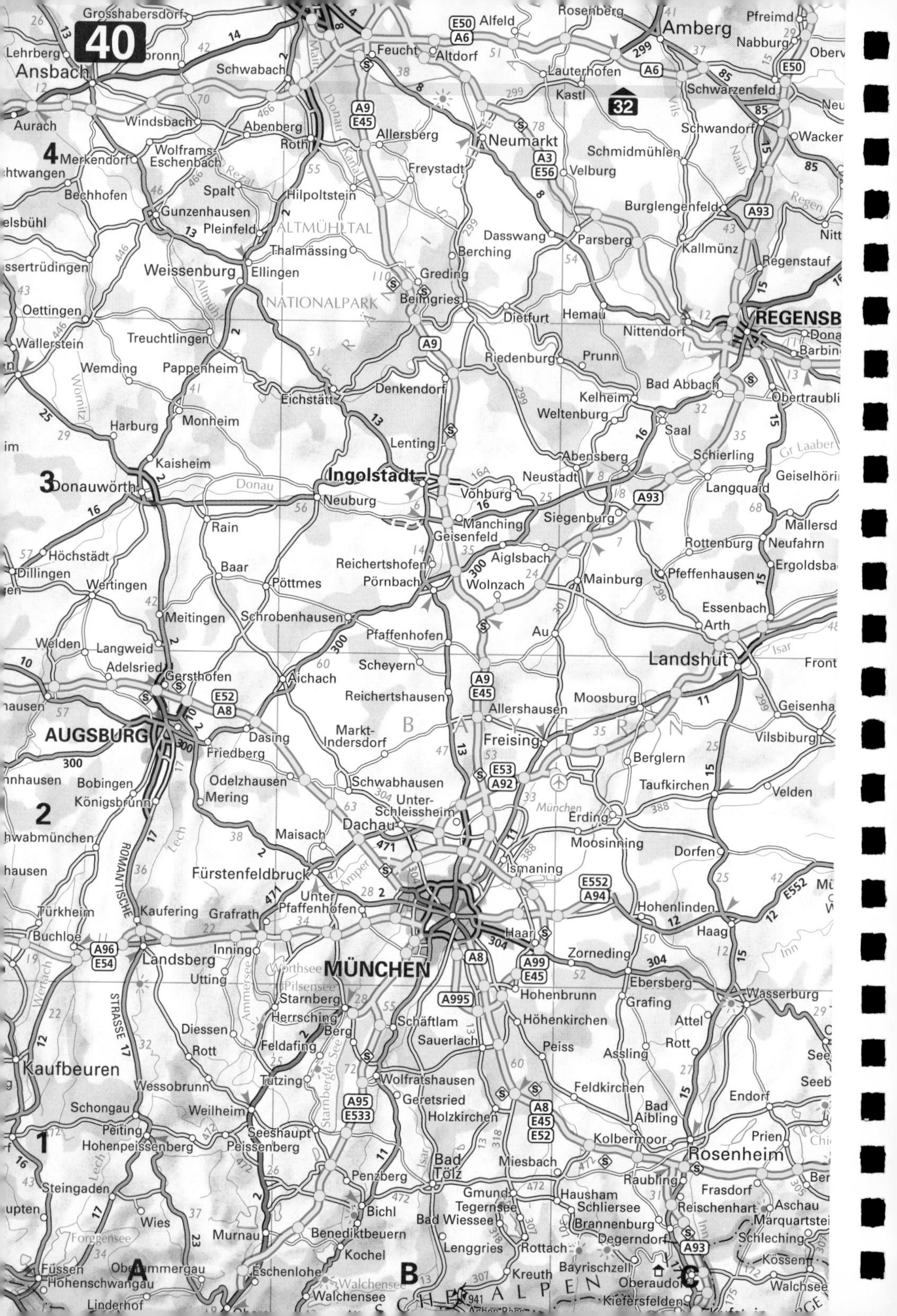

40
32
Grosshabersdorf
Lehrberg
Ansbach
Aurach
Schwabach
Feucht
Altdorf
Alfeld
Rosenberg
Amberg
Pfreimd
Nabburg
Lauterhofen
Kastl
Schwarzenfeld
Windsbach
Abenberg
Roth
Allersberg
Neumarkt
Schwandorf
Wacker
Merkendorf
Wolframs-Eschenbach
Freystadt
Velburg
Schmidmühlen
Bechhofen
Spalt
Hilpoltstein
Burglengenfeld
Gunzenhausen
Pleinfeld
ALTMÜHLTAL
Dasswang
Parsberg
Kallmünz
Thalmässing
Berching
Regenstauf
Weissenburg
Ellingen
Greding
Beilngries
NATIONALPARK
Dietfurt
Hemau
Nittendorf
REGENSB
Oettingen
Treuchtlingen
Wallerstein
Riedenburg
Prunn
Wemding
Pappenheim
Eichstätt
Denkendorf
Bad Abbach
Kelheim
Obertraubli
Harburg
Monheim
Weltenburg
Saal
Lenting
Kaisheim
Abensberg
Schierling
Donauwörth
Ingolstadt
Neustadt
Geiselhörin
Donau
Neuburg
Vohburg
Langquaid
Manching
Siegenburg
Rain
Geisenfeld
Mallersd
Höchstädt
Aiglsbach
Rottenburg
Neufahrn
Dillingen
Baar
Reichertshofen
Mainburg
Pfeffenhausen
Ergoldsba
Wertingen
Pöttmes
Pörnbach
Wolnzach
Essenbach
Meitingen
Schrobenhausen
Arth
Welden
Langweid
Pfaffenhofen
Au
Landshut
Adelsried
Scheyern
Gersthofen
Aichach
Reichertshausen
Moosburg
Allershausen
Geisenha
AUGSBURG
Dasing
Markt-Indersdorf
Freising
Vilsbiburg
Friedberg
Berglern
Bobingen
Odelzhausen
Schwabhausen
Taufkirchen
Velden
Königsbrunn
Mering
Unter-Schleissheim
Erding
Maisach
Dachau
Moosinning
Dorfen
Fürstenfeldbruck
Ismaning
Unter Pfaffenhofen
Türkheim
Kaufering
Grafrath
Hohenlinden
Haag
Buchloe
Inning
Haar
Zorneding
Landsberg
Wörthsee
MÜNCHEN
Utting
Pilsensee
Ebersberg
Starnberg
Hohenbrunn
Grafing
Wasserburg
Herrsching
Schäftlam
Höhenkirchen
Attel
Diessen
Berg
Sauerlach
Feldafing
Rott
Peiss
Assling
Kaufbeuren
Tutzing
Wolfratshausen
Wessobrunn
Geretsried
Feldkirchen
Endorf
Schongau
Weilheim
Holzkirchen
Bad Aibling
Peiting
Seeshaupt
Kolbermoor
Prien
Hohenpeissenberg
Peissenberg
Rosenheim
Bad Tölz
Miesbach
Steingaden
Penzberg
Raubling
Frasdorf
Gmund
Hausham
Tegernsee
Schliersee
Aschau
Bichl
Bad Wiessee
Reischenhart
Wies
Brannenburg
Marquartstei
Murnau
Benediktbeuern
Degerndorf
Schleching
Forggensee
Kochel
Lenggries
Rottach
Füssen
Oberammergau
Eschenlohe
Bayrischzell
Kössen
Hohenschwangau
Walchensee
Kreuth
Oberaudorf
Walchsee
Linderhof
Kiefersfelden
ROMANTISCHE STRASSE
ALPEN
BAYERN
A
B
C
1
2
3
4
A9 E45
A3 E56
A6
E50
A93
E52 A8
E53 A92
E552 A94
A99 E45
A995
A95 E533
A8 E45 E52
A96 E54

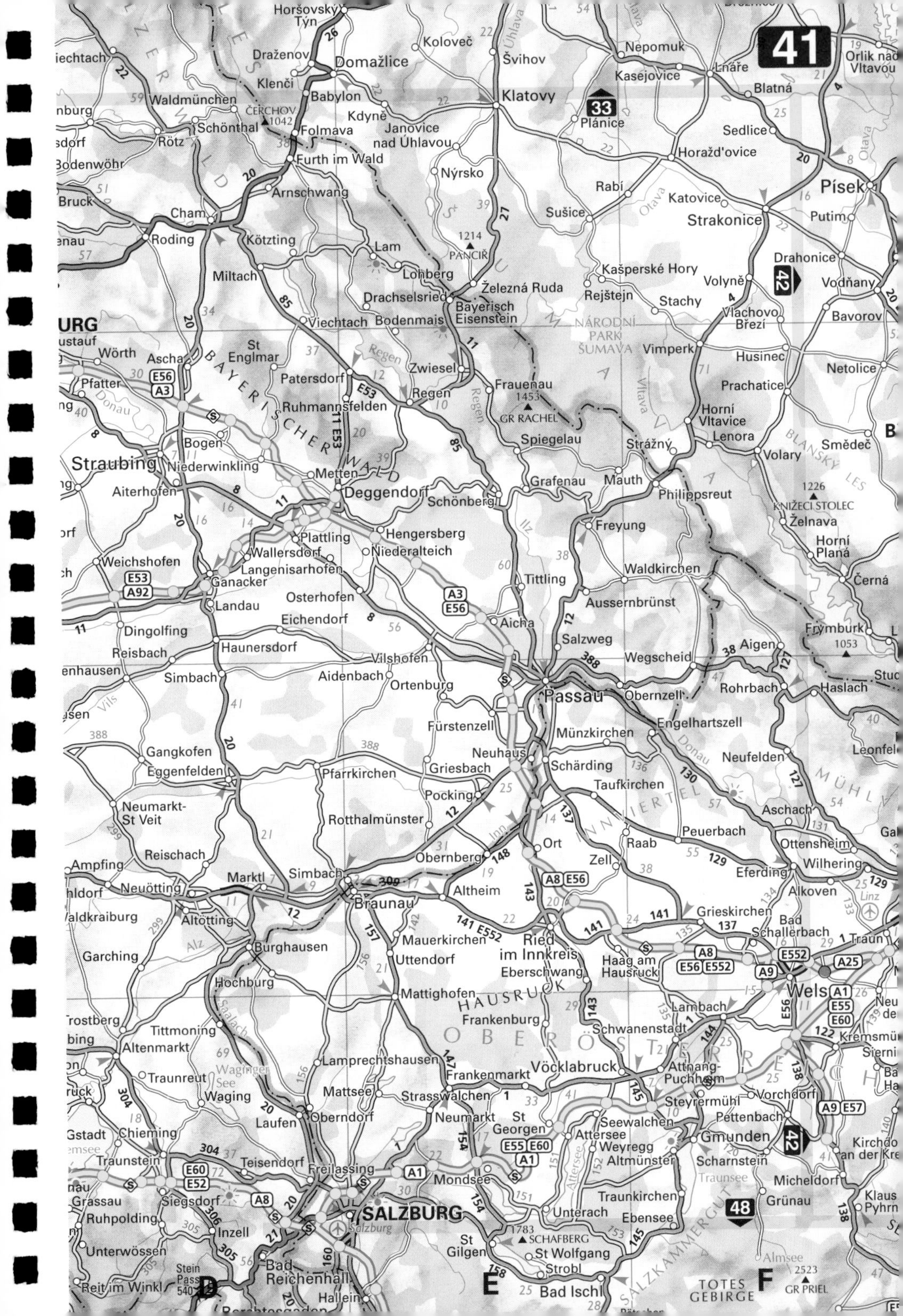

41
42
33
48
Domažlice
Klatovy
Písek
Strakonice
Straubing
Deggendorf
Passau
Braunau
SALZBURG
Wels
Gmunden
Vöcklabruck
Ried im Innkreis
Bad Ischl
Furth im Wald
Cham
Plattling
Landau
Zwiesel
Regen
Burghausen
Altötting
Freilassing
Bad Reichenhall
Traunstein
Mondsee
St Gilgen
St Wolfgang
Grafenau
Freyung
Waldkirchen
Schärding
Eferding
Grieskirchen
Lambach
Attnang-Puchheim
Vimperk
Prachatice
Sušice
Horažd'ovice
Nepomuk
Blatná
Volary
Mattighofen
BAYERISCHER WALD
NÁRODNÍ PARK ŠUMAVA
HAUSRUCK
OBERÖSTERREICH
SALZKAMMERGUT
TOTES GEBIRGE
D
E
F

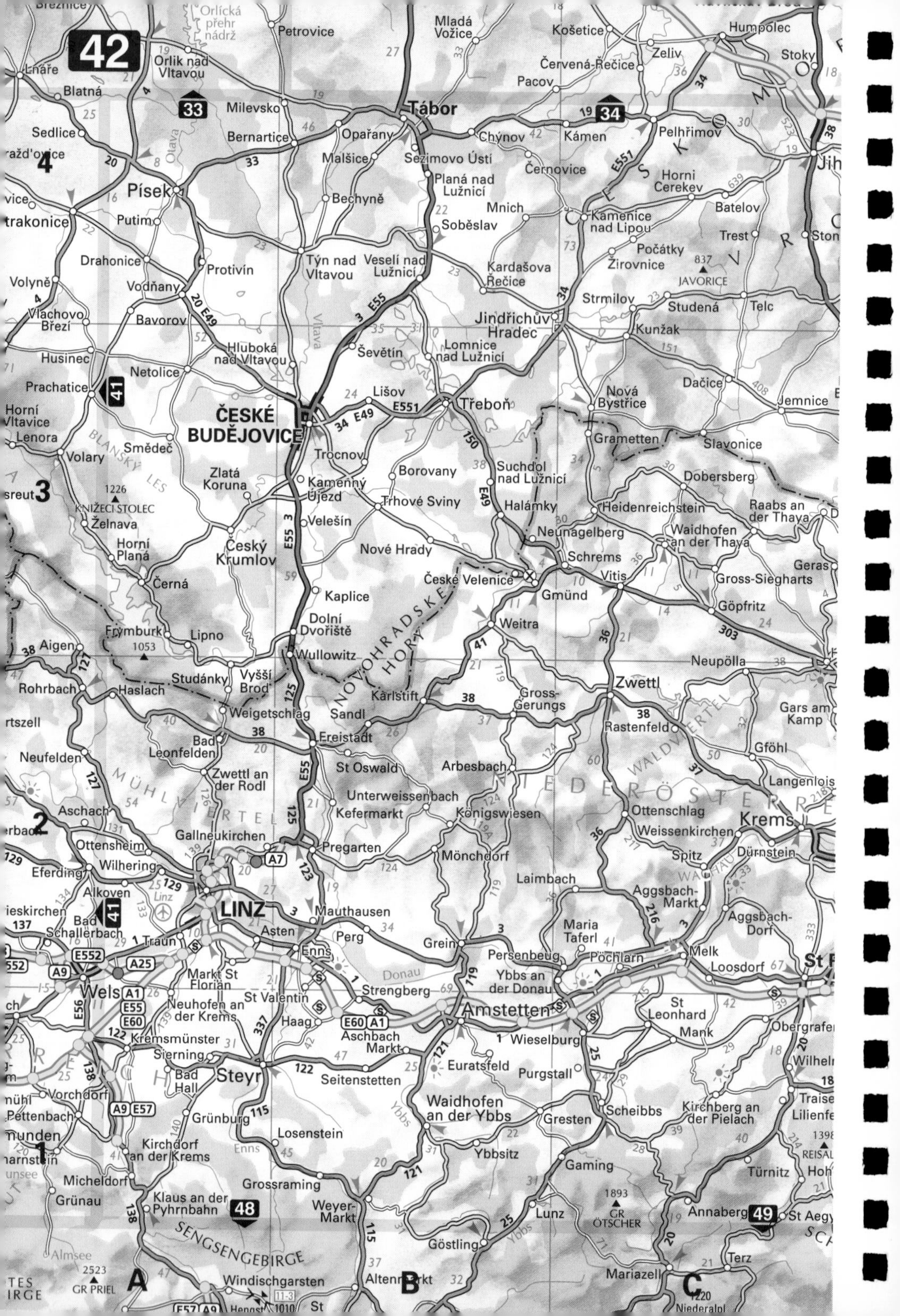
42
Orlícká přehr nádrž
Petrovice
Mladá Vožice
Košetice
Humpolec
Orlik nad Vltavou
Želiv
Stoky
Lnáře
Červená-Řečice
Pacov
Blatná
33
Milevsko
Tábor
34
Pelhřimov
Sedlice
Bernartice
Opařany
Chýnov
Kámen
Malšice
Sezimovo Ústí
Černovice
Horní Cerekev
4
Písek
Planá nad Lužnicí
Bechyně
Batelov
Mnich
Kamenice nad Lipou
Strakonice
Putim
Soběslav
Trest
Počátky
Drahonice
Protivín
Týn nad Vltavou
Veselí nad Lužnicí
Kardašova Řečice
Žirovnice
837
JAVORICE
Volyně
Vodňany
Strmilov
Studená
Telc
Vlachovo Březí
Bavorov
Jindřichův Hradec
Kunžak
Husinec
Hluboká nad Vltavou
Ševětín
Lomnice nad Lužnicí
Netolice
Prachatice
41
Dačice
Lišov
Nová Bystřice
Horní Vltavice
ČESKÉ BUDĚJOVICE
Třeboň
Jemnice
Lenora
Smědeč
Grametten
Slavonice
Volary
Trocnov
BLANSKÝ LES
Borovany
Suchdol nad Lužnicí
Dobersberg
Zlatá Koruna
Kamenný Újezd
3
1226
KNÍŽECÍ STOLEC
Trhové Sviny
Halámky
Heidenreichstein
Raabs an der Thaya
Želnava
Velešín
Neunagelberg
Waidhofen an der Thaya
Horní Planá
Český Krumlov
Nové Hrady
Schrems
Geras
České Velenice
Vitis
Gross-Siegharts
Černá
Kaplice
Gmünd
Göpfritz
Dolní Dvořiště
Weitra
Frymburk
Lipno
1053
NOVOHRADSKÉ HORY
Aigen
Wullowitz
Neupölla
Studánky
Vyšší Brod
Zwettl
Rohrbach
Haslach
Karlstift
Gross-Gerungs
Sandl
Weigetschlag
Rastenfeld
Gars am Kamp
Bad Leonfelden
Freistadt
WALDVIERTEL
Gföhl
Neufelden
St Oswald
Arbesbach
Zwettl an der Rodl
Langenlois
MÜHLVIERTEL
NIEDERÖSTERREICH
Unterweissenbach
Aschach
Kefermarkt
Königswiesen
Ottenschlag
Krems
2
Gallneukirchen
Weissenkirchen
Ottensheim
Pregarten
Mönchdorf
Spitz
Dürnstein
Eferding
Wilhering
A7
WACHAU
Laimbach
Alkoven
Linz
Aggsbach-Markt
LINZ
Mauthausen
Aggsbach-Dorf
Bad Schallerbach
Maria Taferl
Traun
Asten
Perg
Grein
Enns
Persenbeug
Pöchlarn
Melk
E552
A25
Loosdorf
Donau
Markt St Florian
Ybbs an der Donau
A9
Wels
A1
St Valentin
Strengberg
E55
Amstetten
St Leonhard
E56
Neuhofen an der Krems
E60
Haag
Aschbach Markt
Mank
Obergrafendorf
Kremsmünster
Wieselburg
Sierning
Euratsfeld
Bad Hall
Steyr
Seitenstetten
Purgstall
Vorchdorf
Scheibbs
Waidhofen an der Ybbs
A9
E57
Pettenbach
Grünburg
Gresten
Kirchberg an der Pielach
Gmunden
Losenstein
1
Kirchdorf an der Krems
Ybbsitz
1398
REISALPE
Enns
Gaming
Türnitz
Micheldorf
Grossraming
1893
Grünau
GR ÖTSCHER
Klaus an der Pyhrnbahn
48
Weyer-Markt
Lunz
Annaberg
49
St Aegyd
SENGSENGEBIRGE
Göstling
Almsee
2523
GR PRIEL
Terz
A
Windischgarsten
Altenmarkt
B
Mariazell
C
1620
Niederalpl

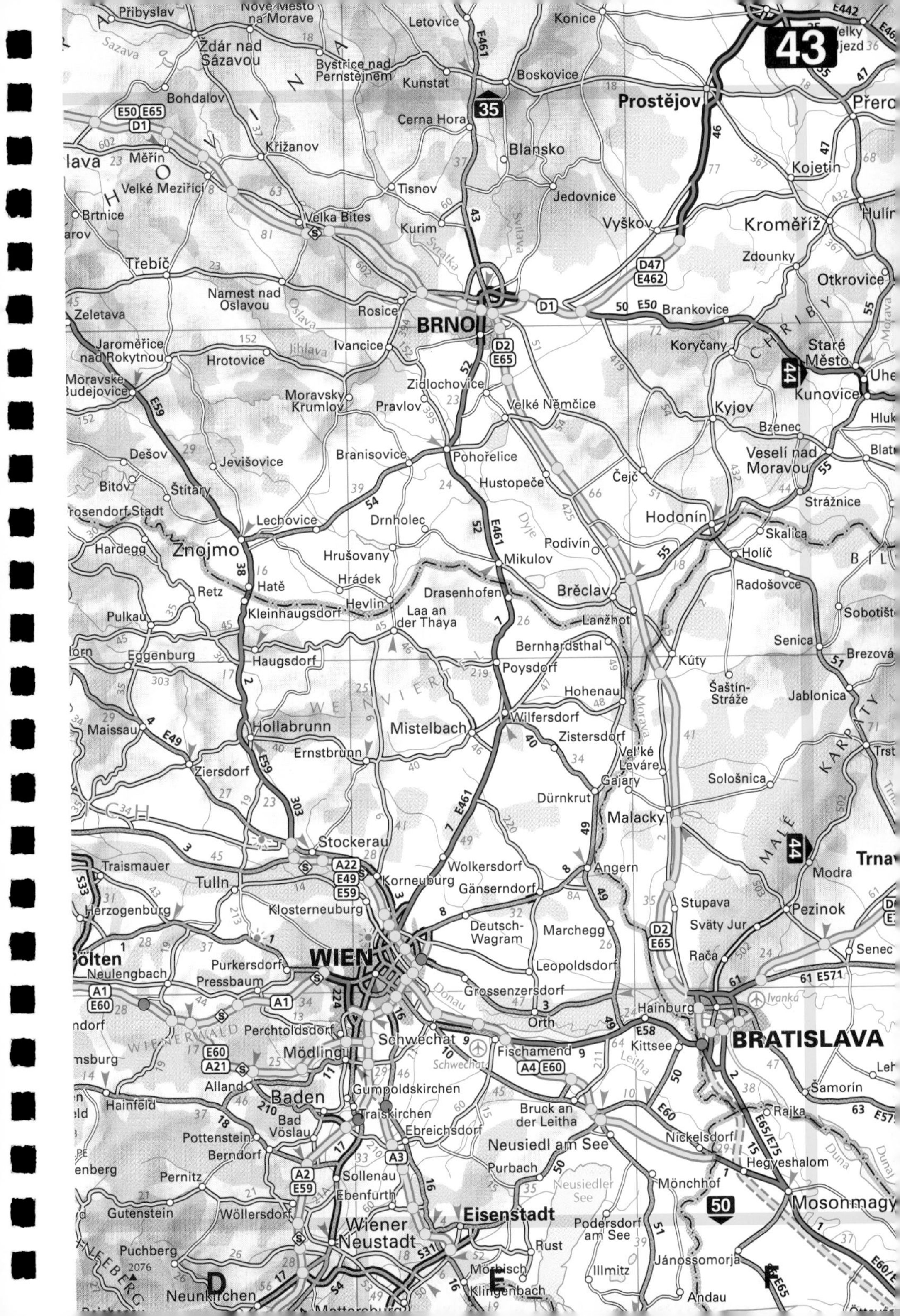

43
35
44
50
Přibyslav
Nové Město na Moravě
Letovice
Konice
Žďár nad Sázavou
Bystřice nad Pernštejnem
Kunstat
Boskovice
Prostějov
Přerov
Bohdalov
Cerna Hora
Křižanov
Blansko
Měřín
Jihlava
Kojetín
Velké Meziříčí
Tisnov
Jedovnice
Brtnice
Velka Bites
Kurim
Vyškov
Kroměříž
Hulín
Třebíč
Zdounky
Otkrovice
Namest nad Oslavou
Rosice
BRNO
Brankovice
Zeletava
Jaroměřice nad Rokytnou
Hrotovice
Ivancice
Koryčany
Staré Město
Moravské Budějovice
Moravsky Krumlov
Zidlochovice
Pravlov
Velké Němčice
Kyjov
Kunovice
Bzenec
Dešov
Jevišovice
Branisovice
Pohořelice
Veselí nad Moravou
Bitov
Štítary
Hustopeče
Čejč
Strážnice
Lechovice
Drnholec
Hodonín
Skalica
Hardegg
Znojmo
Hrušovany
Podivín
Mikulov
Holíč
Hatě
Hrádek
Břeclav
Radošovce
Retz
Hevlin
Drasenhofen
Pulkau
Kleinhaugsdorf
Laa an der Thaya
Lanžhot
Sobotište
Bernhardsthal
Senica
Eggenburg
Haugsdorf
Poysdorf
Kúty
Hohenau
Šaštín-Stráže
Jablonica
Maissau
Hollabrunn
Mistelbach
Wilfersdorf
Zistersdorf
Ernstbrunn
Ziersdorf
Vel'ké Leváre
Gajary
Sološnica
Dürnkrut
Malacky
WEINVIERTEL
Stockerau
Traismauer
Tulln
Wolkersdorf
Angern
Korneuburg
Gänserndorf
Modra
Herzogenburg
Klosterneuburg
Stupava
Pezinok
Deutsch-Wagram
Marchegg
Sväty Jur
WIEN
Rača
Senec
Purkersdorf
Leopoldsdorf
Neulengbach
Pressbaum
Grossenzersdorf
Hainburg
Ivanka
BRATISLAVA
Orth
Perchtoldsdorf
Kittsee
WIENERWALD
Schwechat
Mödling
Fischamend
Alland
Baden
Gumpoldskirchen
Šamorín
Hainfeld
Traiskirchen
Bruck an der Leitha
Rajka
Bad Vöslau
Pottenstein
Ebreichsdorf
Nickelsdorf
Berndorf
Neusiedl am See
Hegyeshalom
Pernitz
Purbach
Sollenau
Mönchhof
Ebenfurth
Neusiedler See
Mosonmagyaróvár
Gutenstein
Wöllersdorf
Eisenstadt
Wiener Neustadt
Podersdorf am See
Puchberg
Rust
Jánossomorja
Mörbisch
Illmitz
Neunkirchen
Klingenbach
Andau
D
E
F
Donau
Morava
Leitha
Dyje
Svratka
Svitava
Oslava
Jihlava
Sazava
CHRIBY
MALÉ KARPATY

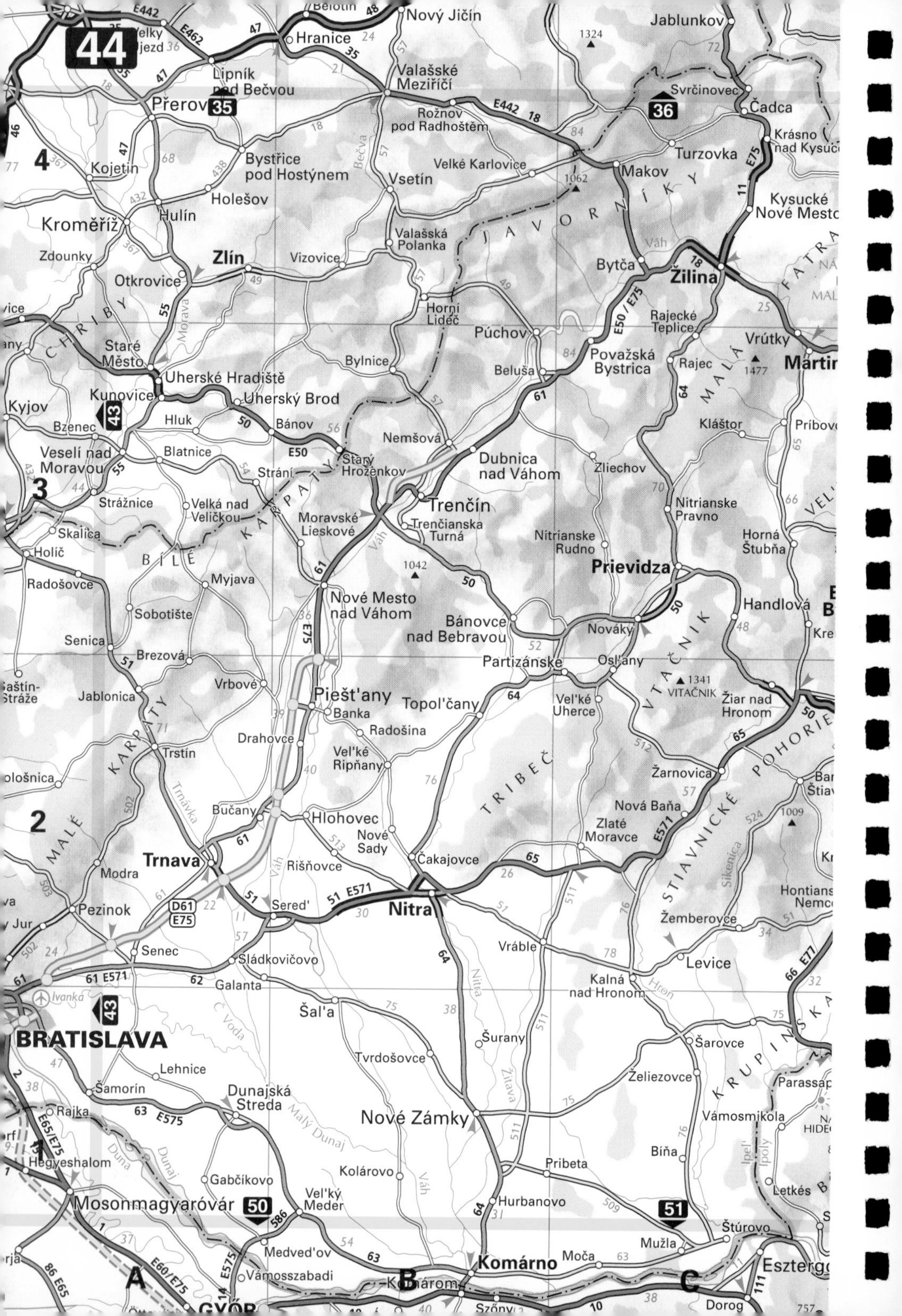

44
Nový Jičín
Hranice
Jablunkov
Lipník nad Bečvou
Valašské Meziříčí
Přerov
35
Svrčinovec
Čadca
36
Rožnov pod Radhoštěm
Krásno nad Kysucou
Turzovka
Bystřice pod Hostýnem
Kojetín
Velké Karlovice
Makov
Vsetín
Kysucké Nové Mesto
Holešov
Hulín
Kroměříž
Valašská Polanka
JAVORNÍKY
Zdounky
Zlín
Vizovice
Bytča
Žilina
Otkrovice
FATRA
Horní Lideč
Rajecké Teplice
CHRIBY
Púchov
Vrútky
Martin
Staré Město
Považská Bystrica
Rajec
Uherské Hradiště
Bylnice
Beluša
MALÁ
Kunovice
Uherský Brod
43
Kyjov
Hluk
Bánov
Kláštor
Bzenec
Nemšová
Veselí nad Moravou
Blatnice
Starý Hrozenkov
Dubnica nad Váhom
Zliechov
Strání
Trenčín
Strážnice
Velká nad Veličkou
KARPATY
Nitrianske Pravno
Skalica
Moravské Lieskové
Trenčianska Turná
Nitrianske Rudno
Horná Štubňa
Holíč
BÍLÉ
Prievidza
Radošovce
Myjava
Nové Mesto nad Váhom
Handlová
Sobotište
Bánovce nad Bebravou
Nováky
Senica
VTÁČNIK
Brezová
Partizánske
Oslany
Šaštín-Stráže
Vrbové
Piešťany
Vel'ké Uherce
Vitačnik
Žiar nad Hronom
Jablonica
Banka
Topol'čany
Radošina
Drahovce
Trstín
Vel'ké Ripňany
TRIBEČ
Žarnovica
Nová Baňa
ŠTIAVNICKÉ POHORIE
MALÉ KARPATY
Bučany
Hlohovec
Zlaté Moravce
Nové Sady
Trnava
Rišňovce
Čakajovce
Modra
Sered'
Nitra
Hontianske Nemce
Pezinok
Žemberovce
Senec
Vráble
Levice
Sládkovičovo
Galanta
Kalná nad Hronom
Ivanka
BRATISLAVA
Šal'a
Šurany
Šarovce
Tvrdošovce
Lehnice
Želiezovce
Šamorín
KRUPINSKÁ
Dunajská Streda
Malý Dunaj
Rajka
Nové Zámky
Vámosmikola
Parassapuszta
Hegyeshalom
Kolárovo
Bíňa
Gabčíkovo
Pribeta
Letkés
Mosonmagyaróvár
50
Vel'ký Meder
Hurbanovo
51
Štúrovo
Medved'ov
Mužla
Komárno
Moča
Esztergom
Vámosszabadi
Komárom
Dorog
GYŐR
Szőny
A
B
C
1
2
3
4

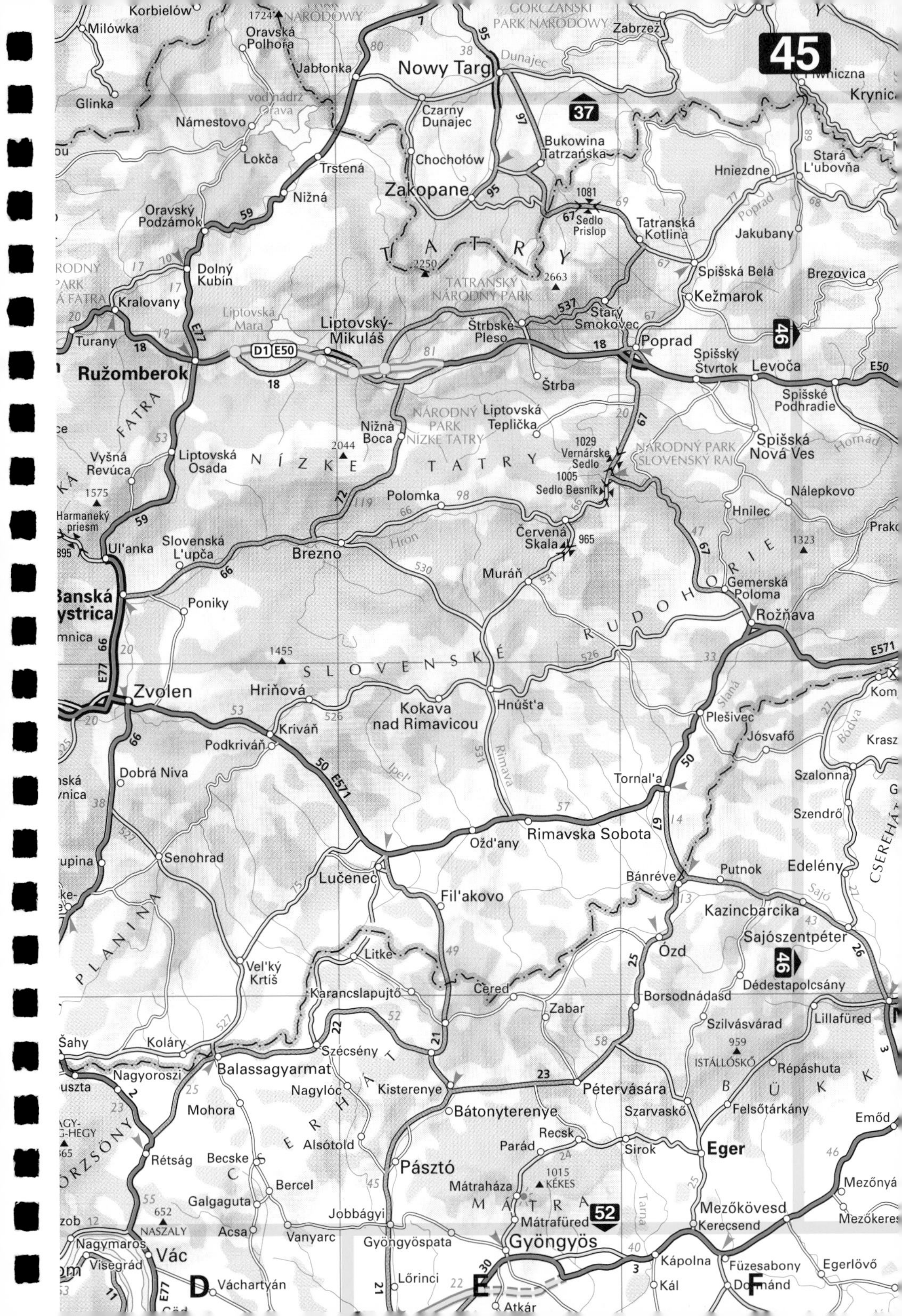
Korbielów
Milówka
Oravská Polhora
NARODOWY
GORCZAŃSKI PARK NARODOWY
Zabrzeż
Nowy Targ
Dunajec
Jabłonka
Glinka
vodná nádrž Orava
Czarny Dunajec
Námestovo
Bukowina Tatrzańska
Lokča
Chochołów
Trstená
Zakopane
Hniezdne
Stará L'ubovňa
Nižná
Oravský Podzámok
1081
Sedlo Prislop
Tatranská Kotlina
Jakubany
Poprad
T A T R Y
2250
2663
Dolný Kubín
Spišská Belá
Brezovica
TATRANSKÝ NÁRODNÝ PARK
Kežmarok
Kralovany
Liptovská Mara
Liptovský-Mikuláš
Štrbské Pleso
Starý Smokovec
Turany
D1
E50
Ružomberok
Štrba
Spišský Štvrtok
Levoča
Spišské Podhradie
FATRA
NÁRODNÝ PARK NÍZKE TATRY
Liptovská Teplička
Nižná Boca
2044
N Í Z K E
T A T R Y
Vyšná Revúca
Liptovská Osada
1029
Vernárske Sedlo
1005
Sedlo Besník
NÁRODNÝ PARK SLOVENSKÝ RAJ
Spišská Nová Ves
Hornád
1575
Harmanecký priesm
Polomka
Nálepkovo
Hnilec
Červená Skala
965
1323
Ul'anka
Slovenská L'upča
Brezno
Hron
Muráň
Gemerská Poloma
Banská Bystrica
Poniky
Rožňava
R U D O H O R I E
E571
1455
S L O V E N S K É
Zvolen
Hriňová
Kokava nad Rimavicou
Hnúšt'a
Slaná
Plešivec
Kriváň
Podkriváň
Jósvafő
Bódva
Dobrá Niva
Ipel'
Rimava
Tornal'a
Szalonna
Szendrő
CSEREHÁT
Ožd'any
Rimavska Sobota
Senohrad
Lučenec
Bánréve
Putnok
Edelény
Fil'akovo
Sajó
Kazincbarcika
Sajószentpéter
PLANINA
Litke
Ózd
Vel'ký Krtiš
Dédestapolcsány
Karancslapujtő
Cered
Zabar
Borsodnádasd
Lillafüred
Szilvásvárad
Šahy
Kolláry
Szécsény
959
ISTÁLLÓSKŐ
Répáshuta
Nagyoroszi
Balassagyarmat
Nagylóc
Kisterenye
Pétervására
B Ü K K
Mohora
Bátonyterenye
Szarvaskő
Felsőtárkány
Emőd
C S E R H Á T
Recsk
Rétság
Becske
Alsótold
Parád
Sirok
Eger
BÖRZSÖNY
Pásztó
1015
KÉKES
Bercel
Mátraháza
M Á T R A
Tarna
Mezőnyá
Galgaguta
652
NASZÁLY
Jobbágyi
Mátrafüred
Mezőkövesd
Mezőkeres
Acsa
Kerecsend
Nagymaros
Vanyarc
Gyöngyöspata
Gyöngyös
Visegrád
Vác
Kápolna
Füzesabony
Egerlövő
Váchartyán
Lőrinci
Kál
Dormánd
Atkár
D
E
F

37
46
46
52

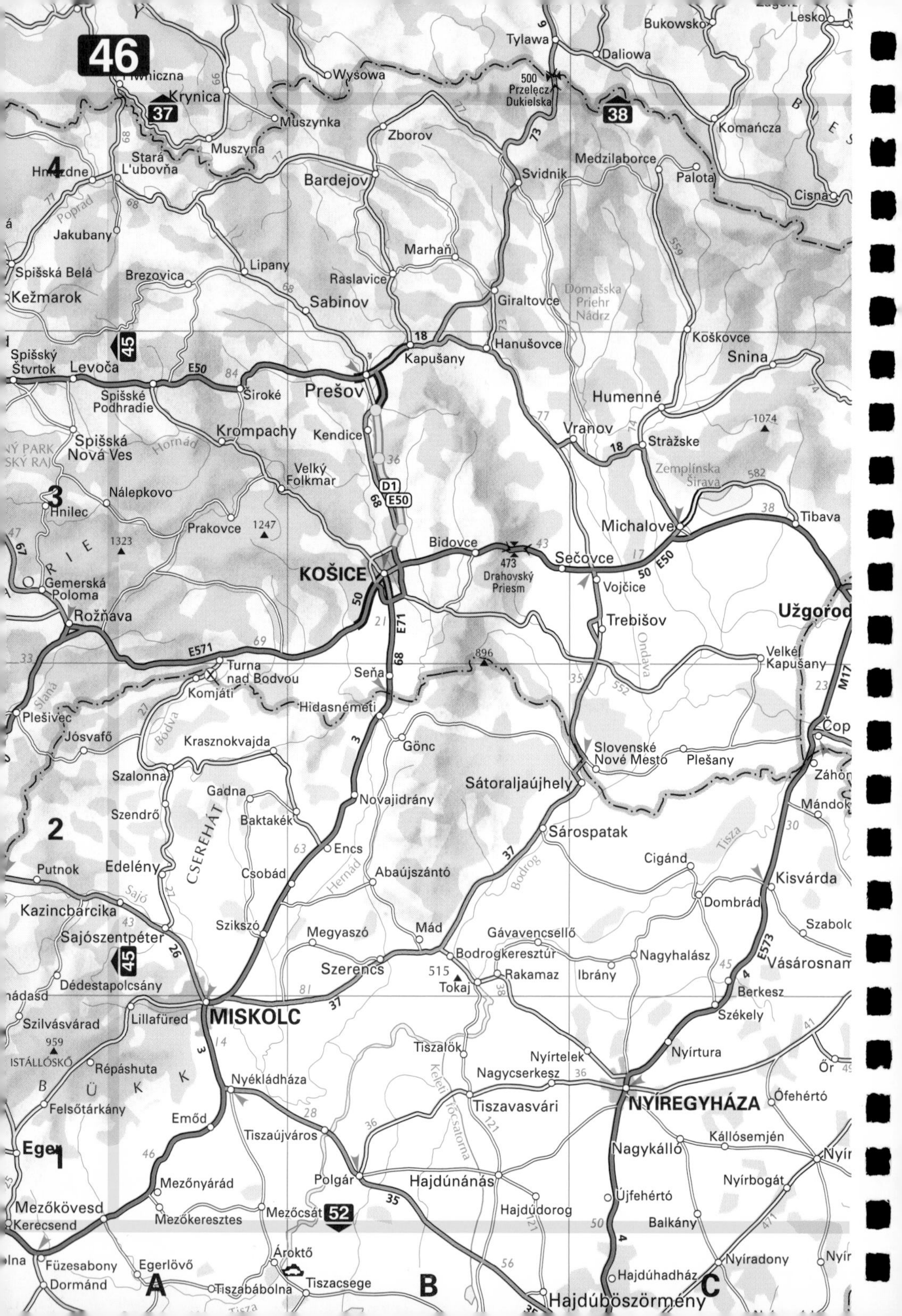

46
Krynica
37
Wysowa
Muszynka
Muszyna
Stará L'ubovňa
Tylawa
Daliowa
Bukowsko
Lesko
500 Przełęcz Dukielska
38
Komańcza
Zborov
Bardejov
Svidník
Medzilaborce
Palota
Cisna
Jakubany
Poprad
Spišská Belá
Kežmarok
Brezovica
Lipany
Raslavice
Marhaň
Sabinov
Giraltovce
Domašská Priehr Nádrz
Hanušovce
Koškovce
Snina
45
Spišský Štvrtok
Levoča
Spišské Podhradie
Široké
Prešov
Kapušany
Humenné
Krompachy
Kendice
Vranov
Stražske
1074
Spišská Nová Ves
Hornád
Veľký Folkmar
Zemplínska Šírava
582
Nálepkovo
Hnilec
Prakovce
1247
1323
D1
E50
Michalovce
Tibava
Bidovce
473 Drahovský Priesm
Sečovce
Vojčice
KOŠICE
Gemerská Poloma
Rožňava
Trebišov
Užgorod
E571
Turna nad Bodvou
Komjáti
Seňa
896
Ondava
Veľké Kapušany
M17
Plešivec
Jósvafő
Hidasnémeti
Gönc
Slovenské Nové Mesto
Plešany
Čop
Krasznokvajda
Szalonna
Gadna
Sátoraljaújhely
Záhony
Szendrő
Baktakék
Novajidrány
Mándok
Sárospatak
Tisza
Encs
Putnok
Edelény
CSEREHÁT
Csobád
Abaújszántó
Cigánd
Kisvárda
Kazincbarcika
Sajó
Bodrog
Dombrád
Sajószentpéter
Szikszó
Megyaszó
Mád
Gávavencsellő
Szabolcs
E573
Dédestapolcsány
Szerencs
Bodrogkeresztúr
Nagyhalász
Vásárosnamény
515 Tokaj
Rakamaz
Ibrány
Berkesz
Szilvásvárad
Lillafüred
MISKOLC
Székely
959
ISTÁLLÓSKŐ
Répáshuta
Tiszalök
Nyírtelek
Nyírtura
Őr
BÜKK
Nyékládháza
Nagycserkesz
Felsőtárkány
Keleti-főcsatorna
NYÍREGYHÁZA
Ófehértó
Emőd
Tiszavasvári
Tiszaújváros
Kállósemjén
Eger
Nagykálló
Mezőnyárád
Polgár
Hajdúnánás
Nyírbogát
Újfehértó
Mezőkövesd
Mezőkeresztes
Mezőcsát
52
Hajdúdorog
Balkány
Kerecsend
Ároktő
Füzesabony
Egerlövő
Nyíradony
Dormánd
Tiszabábolna
Tiszacsege
Hajdúhadház
Hajdúböszörmény
A
B
C
1
2
3
4

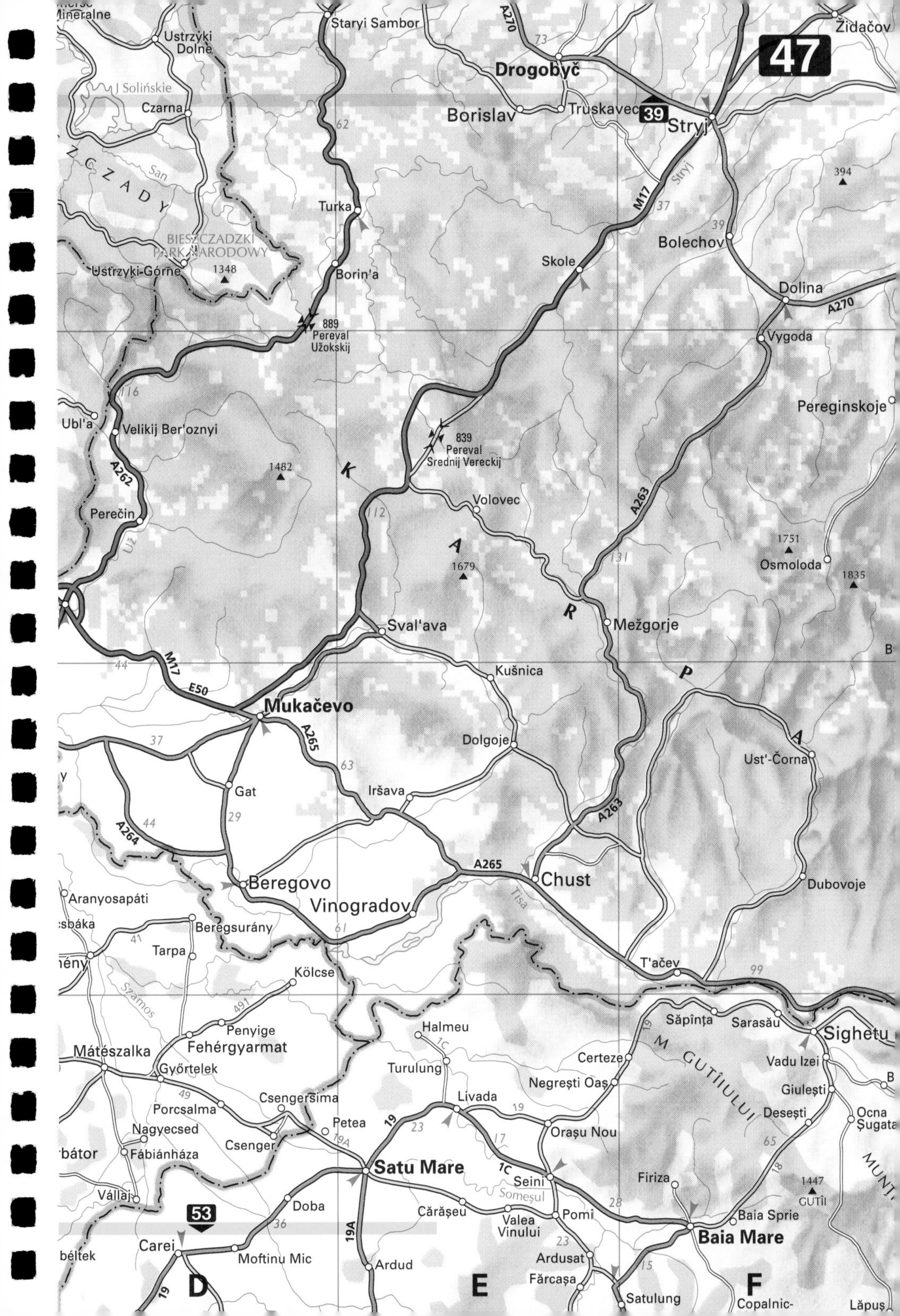

Staryi Sambor
Ustrzyki Dolne
Drogobyč
Židačov
Borislav
Truskavec
39
Stryj
Czarna
Turka
Skole
Bolechov
Ustrzyki Górne
BIESZCZADZKI PARK NARODOWY
Borin'a
Dolina
889 Pereval Užokskij
Vygoda
Ubl'a
Velikij Ber'oznyi
839 Pereval Srednij Vereckij
Pereginskoje
Perečin
Volovec
Osmoloda
Sval'ava
Mežgorje
Kušnica
Mukačevo
Dolgoje
Ust'-Čorna
Gat
Iršava
Beregovo
Vinogradov
Chust
Dubovoje
Aranyosapáti
Beregsurány
Tarpa
T'ačev
Kölcse
Penyige
Săpînţa
Sarasău
Sighetu
Halmeu
Mátészalka
Fehérgyarmat
Certeze
Vadu Izei
Turulung
Győrtelek
Negreşti Oaş
Giuleşti
Csengersima
Livada
Porcsalma
Petea
Oraşu Nou
Deseşti
Nagyecsed
Ocna Şugata
Csenger
Fábiánháza
Satu Mare
Seini
Firiza
Vállaj
Doba
Someşul
Cărăşeu
Valea Vinului
Pomi
Baia Sprie
53
Baia Mare
Carei
Moftinu Mic
Ardusat
Ardud
Fărcaşa
Satulung
Copalnic-
Lăpuş
GUTÎI
M. GUTÎIULUI
K A R P A
Szamos
Tisa
Už
Stryj
San
D
E
F

48
SALZBURG
41
42
54
Gmunden
Attersee
Weyregg
Altmünster
Scharnstein
Kirchdorf an der Krems
Losenstein
Mondsee
Traunkirchen
Unterach
Ebensee
Micheldorf
Grünau
Klaus an der Pyhrnbahn
Grossraming
Weyer-Markt
SENGSENGEBIRGE
St Gilgen
St Wolfgang
Strobl
SCHAFBERG
SALZKAMMERGUT
Almsee
Bad Reichenhall
Hallein
Berchtesgaden
Bad Ischl
TOTES GEBIRGE
GR PRIEL
Windischgarsten
Hengst Pass
St Gallen
Kuchl
Golling
Königssee
WATZMANN
Lueg Pass
Abtenau
Gschütt Pass
Gosau
Bad Goisern
Pötschen Pass
Altaussee
Gössl
Grundlsee
Bad Aussee
Hallstatt
Obertraun
Koppensattel
Bad Mitterndorf
Tauplitz
Hinterstoder
Spital am Pyhrn
BOSRUCK TUNNEL
Pyhrn Pass
Buchauer Sattel
Liezen
Stainach
Admont
Rottenmann
Annaberg
Werfen
Saalfelden
Bischofshofen
Mühlbach
Dienten
Eben im Pongau
DACHSTEINGRUPPE
Gröbming
Irdning
Öblarn
Trieben
EISENERZER
Ramsau
Radstadt
Schladming
Donnersbach
GR BÖSENSTEIN
Hohentauern
St Johann im Pongau
Altenmarkt im Pongau
Wagrain
Taxenbach
Lend
Schwarzach
ROTTENMANNER TAUERN
HOCHREICHART
St Johann am Tauern
Grossarl
Rauris
GASTEINERTAL
TAUERNTUNNEL
Hüttschlag
Bad Hofgastein
Badgastein
Böckstein
Obertauern
HOCHGOLLING
Radstädter-Tauern Pass
St Nikolai
Sölk Pass
NIEDERE TAUERN
Oberzeiring
Oberwölz
St Georgen
Fohnsdorf
Judenburg
Mauterndorf
Schöder
St Michael
Tamsweg
Murau
Scheifling
KATSCHBERG TUNNEL
Katschberg
Perchauer Sattel
Neumarkt
Predlitz
St Lambrecht
ZIRBITZKOGEL
Heiligenblut
Döllach
Mallnitz
Rennweg
AUTOBAHN
Obervellach
Metnitz
Turrach
Gmünd
Friesach
Bad St Leonhard
Turracher Höhe
Strassburg
SAUALPE
Möllbrücke
Seeboden
KÄRNTEN
Millstatt
Patergassen
Gurk
Bad Kleinkirchheim
Greifenburg
Steinfeld
Spittal an der Drau
Radenthein
Eberstein
Techendorf
Weissensee
Döbriach
Feld
St Veit
Kötschach-Mauthen
Feldkirchen
Brückl
Weissbriach
Paternion
Annenheim
Ossiacher See
Ossiach
Griffen
Hermagor
Villach
Pörtschach
Krumpendorf
Völkermarkt
KLAGENFURT
DOBRATSCH
Velden
Wörther See
Maria Wörth
Nassfeld Pass
Arnoldstein
Faak
Rosegg
St Jakob im Rosental
Paluzza
Pontebba
Tarvisio
Ratece
Wurzenpass
Podkoren
Kranjska Gora
KARAWANKEN
KARAWANKEN-TUNNEL
Loiblpass
Eisenkappel
Tolmezzo
Passo di Predil
Predel
Vršič prolaz
Jesenice
Ljubelj
Seeberg Pass
Chiusaforte
Carnia
Venzone
Passo di Nevea
TRIGLAV
TRIGLAV NACIONALNI PARK
Bled
Jezersko
Tržič
GRINTAVEC
Gemona del Friuli
Bovec
Zaga
Radovljica
Preddvor
Bohinjsko Jezero
Kobarid
Bohinjska Bistrica
Tarcento
Kranj
Kamnik
Brnik
Tolmin
San Daniele del Friuli
Tricesimo
Škofja Loka
Menges
Lukovica
Gorenja Vas
Želin
Medvode
Domzale
Cividale di Friuli
UDINE
LJUBLJANA
A
B
C
1
2
3
4

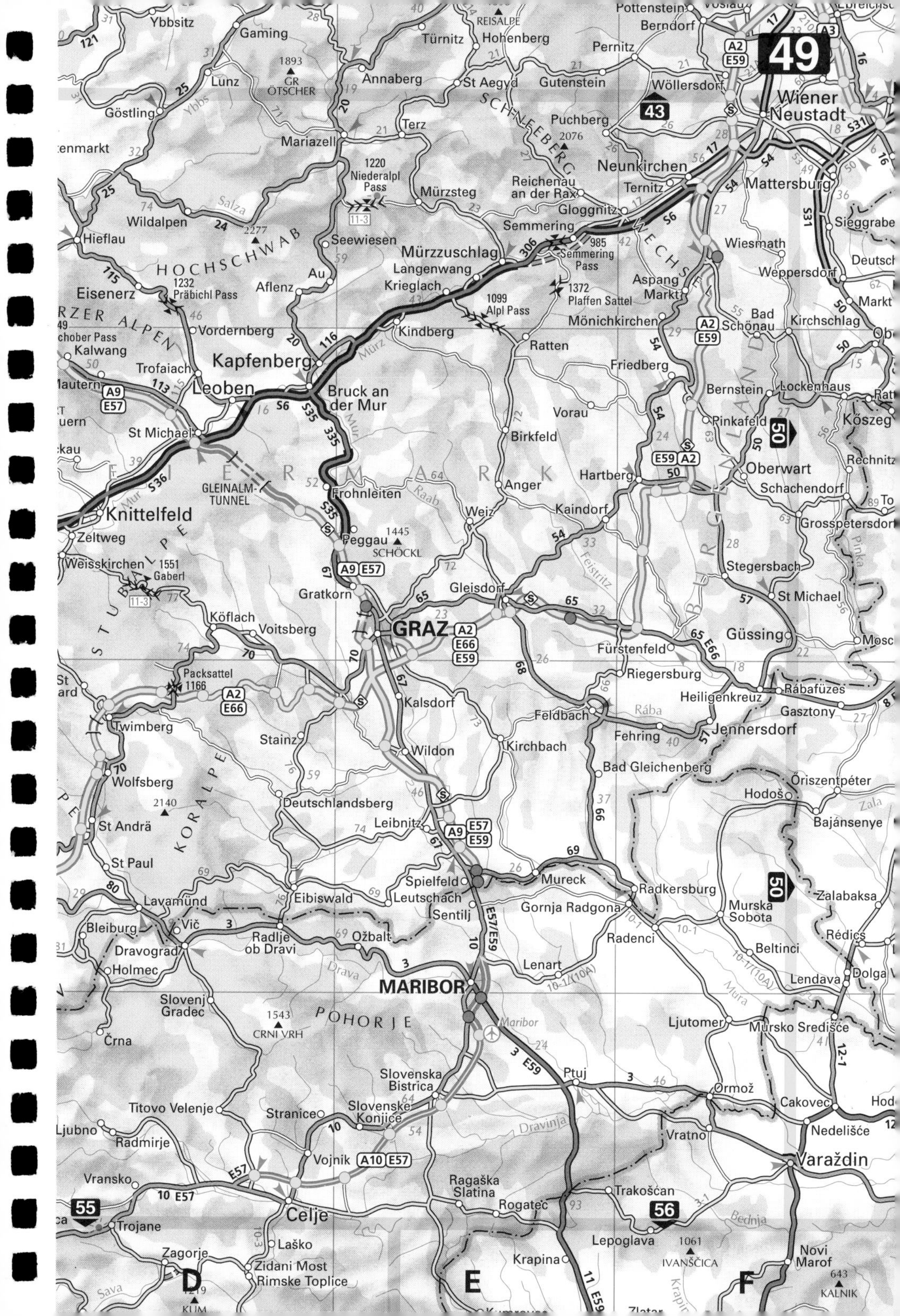
49
Ybbsitz
Gaming
Türnitz
Hohenberg
REISALPE
Pottenstein
Berndorf
Pernitz
1893
GR ÖTSCHER
Lunz
Annaberg
St Aegyd
Gutenstein
Wöllersdorf
Wiener Neustadt
Göstling
Ybbs
SCHNEEBERG
43
Puchberg
2076
Terz
Mariazell
1220
Niederalpl Pass
Neunkirchen
Mattersburg
Mürzsteg
Reichenau an der Rax
Ternitz
Gloggnitz
Salza
Wildalpen
2277
Semmering
Sieggraben
Hieflau
Seewiesen
Mürzzuschlag
985
Semmering Pass
Wiesmath
HOCHSCHWAB
Langenwang
WECHSEL
Deutsch
Weppersdorf
Aflenz
Au
Krieglach
Aspang Markt
1232
Präbichl Pass
1372
Plaffen Sattel
Eisenerz
1099
Alpl Pass
Markt
Bad Schönau
Kirchschlag
Mönichkirchen
Vordernberg
Kindberg
Mürz
Kalwang
Ratten
Kapfenberg
Friedberg
Trofaiach
Leoben
Bruck an der Mur
Bernstein
Lockenhaus
Mautern
Vorau
Pinkafeld
Kőszeg
St Michael
Birkfeld
50
Rechnitz
STEIERMARK
Hartberg
Oberwart
Schachendorf
GLEINALM-TUNNEL
Frohnleiten
Raab
Anger
Kaindorf
Knittelfeld
Weiz
Grosspetersdorf
Zeltweg
Peggau
1445
SCHÖCKL
Stegersbach
Weisskirchen
1551
Gaberl
Gratkorn
Gleisdorf
Feistritz
St Michael
STUBALPE
Köflach
Voitsberg
GRAZ
Güssing
Fürstenfeld
Packsattel
1166
Riegersburg
Heiligenkreuz
Rábafüzes
Kalsdorf
Gasztony
Twimberg
Feldbach
Rába
Stainz
Wildon
Kirchbach
Fehring
Jennersdorf
Wolfsberg
KORALPE
Bad Gleichenberg
2140
Deutschlandsberg
Hodoš
Őriszentpéter
St Andrä
Leibnitz
Zala
Bajánsenye
St Paul
Spielfeld
Mureck
Lavamünd
Eibiswald
Leutschach
Radkersburg
Šentilj
Gornja Radgona
Murska Sobota
Zalabaksa
Vič
Bleiburg
Dravograd
Radlje ob Dravi
Ožbalt
Radenci
Rédics
Holmec
Drava
Lenart
Beltinci
MARIBOR
Lendava
Dolga
Slovenj Gradec
1543
CRNI VRH
POHORJE
Mura
Ljutomer
Mursko Središče
Črna
Maribor
Ptuj
Ormož
Slovenska Bistrica
Čakovec
Titovo Velenje
Stranice
Slovenske Konjice
Dravinja
Ljubno
Radmirje
Vratno
Nedelišće
Vojnik
Varaždin
Vransko
Ragaška Slatina
Trakošćan
55
Celje
Rogatec
56
Trojane
Bednja
Laško
Lepoglava
1061
IVANŠĆICA
Zagorje
Krapina
Novi Marof
Zidani Most
Rimske Toplice
Sava
D
E
F
643
KALNIK
1219
KUM

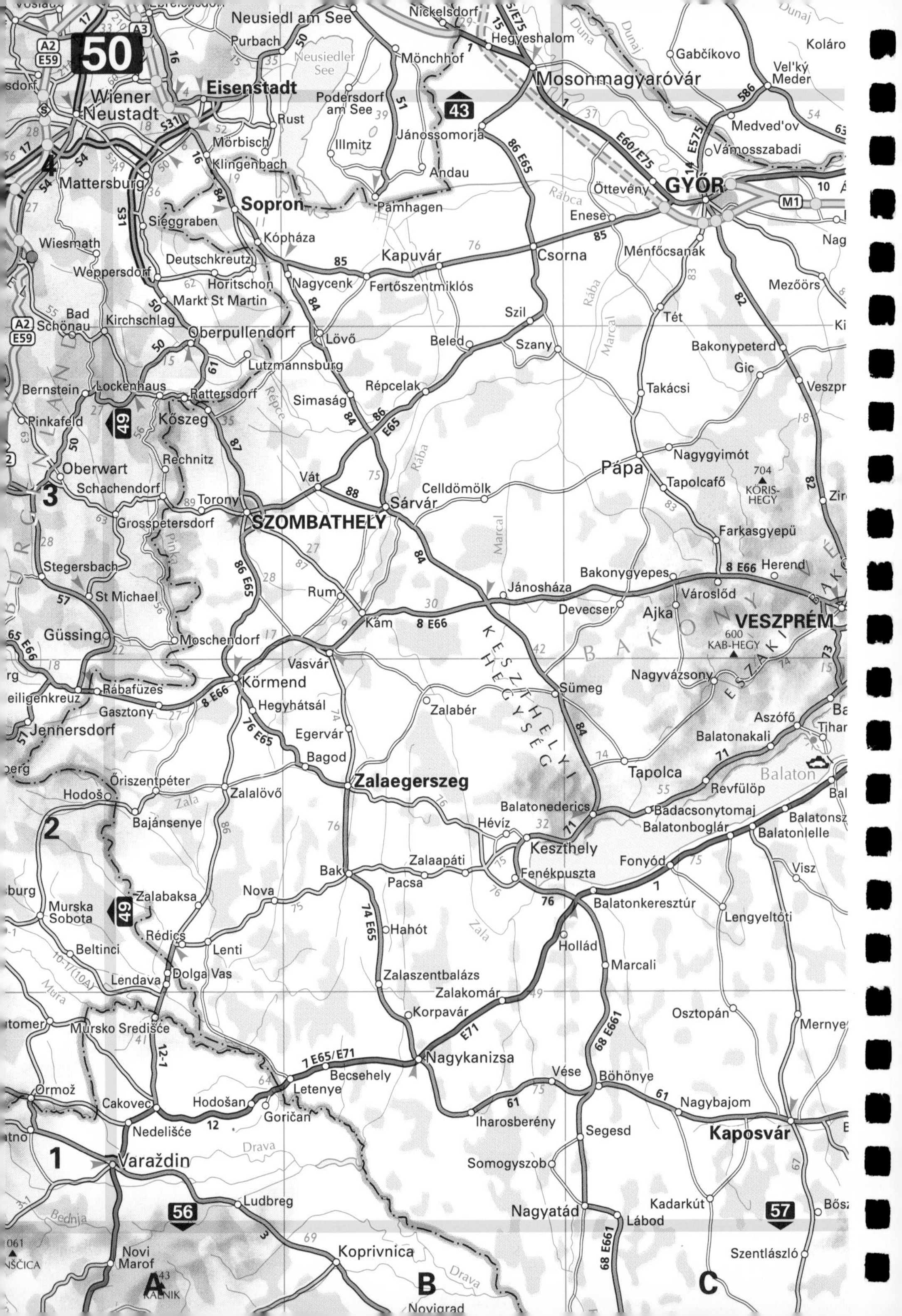
50
Wiener Neustadt
Eisenstadt
Neusiedl am See
Purbach
Neusiedler See
Podersdorf am See
Rust
Mörbisch
Illmitz
Nickelsdorf
Hegyeshalom
Mönchhof
Mosonmagyaróvár
Jánossomorja
Andau
Pamhagen
Klingenbach
Mattersburg
Sopron
Sieggraben
Kópháza
Wiesmath
Deutschkreutz
Weppersdorf
Horitschon
Markt St Martin
Nagycenk
Kapuvár
Fertőszentmiklós
Csorna
Bad Schönau
Kirchschlag
Oberpullendorf
Lövő
Lutzmannsburg
Beled
Szil
Szany
Bernstein
Lockenhaus
Rattersdorf
Pinkafeld
Kőszeg
Simaság
Répcelak
Rechnitz
Oberwart
Schachendorf
Torony
Vát
Sárvár
Celldömölk
Pápa
Grosspetersdorf
SZOMBATHELY
Stegersbach
St Michael
Rum
Kám
Jánosháza
Devecser
Güssing
Moschendorf
Vasvár
Körmend
Rábafüzes
Heiligenkreuz
Gasztony
Jennersdorf
Hegyhátsál
Egervár
Bagod
Zalabér
Sümeg
Zalaegerszeg
Őriszentpéter
Hodoš
Zalalövő
Bajánsenye
Hévíz
Keszthely
Fenékpuszta
Zalaapáti
Bak
Pacsa
Nova
Zalabaksa
Murska Sobota
Beltinci
Rédics
Lenti
Lendava
Dolga Vas
Hahót
Zalaszentbalázs
Zalakomár
Korpavár
Nagykanizsa
Mursko Središće
Ormož
Cakovec
Hodošan
Letenye
Becsehely
Goričan
Nedelišće
Varaždin
Ludbreg
Novi Marof
Koprivnica
Novigrad
Drava
Mura
Bednja
KALNIK
Győr
Gabčíkovo
Koláro
Vel'ký Meder
Medved'ov
Vámosszabadi
Öttevény
Enese
Ménfőcsanak
Tét
Bakonypeterd
Gic
Takácsi
Nagygyimót
Tapolcafő
704
KŐRIS-HEGY
Farkasgyepü
Bakonygyepes
Herend
Városlőd
Ajka
VESZPRÉM
600
KAB-HEGY
Nagyvázsony
Aszófő
Tihany
Balatonakali
Tapolca
Révfülöp
Balaton
Balatonederics
Badacsonytomaj
Balatonboglár
Balatonlelle
Fonyód
Balatonkeresztúr
Lengyeltóti
Holládl
Marcali
Osztopán
Mernye
Vése
Böhönye
Nagybajom
Iharosberény
Segesd
Somogyszob
Kaposvár
Nagyatád
Lábod
Kadarkút
Szentlászló
Mezőörs
Veszprém
Zirc
BAKONY
KESZTHELYI HEGYSÉG
ÉSZAKI BAKONY
Rába
Marcal
Rábca
Répce
Zala
Duna
Dunaj
A
B
C
1
2
3
4
43
49
56
57
M1
A2
E59
E60/E75
86 E65
8 E66
7 E65/E71
68 E661
74 E65
76 E65
E71
E575

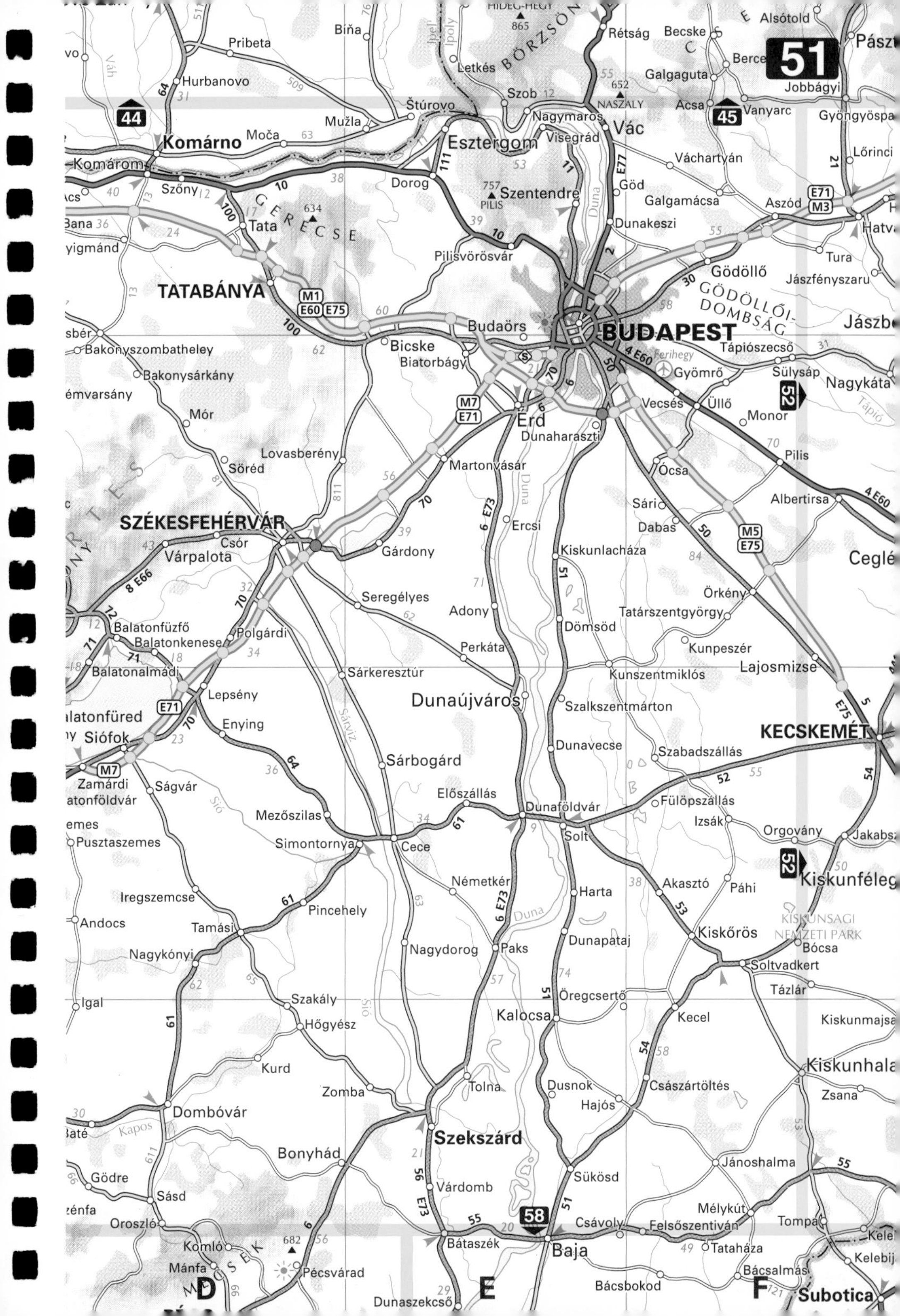
51
44
45
52
58
Komárno
Komárom
Esztergom
Vác
Szentendre
TATABÁNYA
BUDAPEST
Budaörs
Bicske
Biatorbágy
Érd
Dunaharaszti
Vecsés
Üllő
Gyömrő
Monor
Pilis
Ócsa
Gödöllő
Tata
Dorog
Pilisvörösvár
Dunakeszi
Göd
Visegrád
Nagymaros
Szob
Štúrovo
Mužla
Moča
Hurbanovo
Pribeta
Biňa
Letkés
Rétság
Becske
Galgaguta
Acsa
Vanyarc
Jobbágyi
Berce
Alsótold
Váchartyán
Galgamácsa
Aszód
Hatvan
Tura
Jászfényszaru
Tápiószecső
Sülysáp
Nagykáta
Albertirsa
Cegléd
SZÉKESFEHÉRVÁR
Várpalota
Csór
Gárdony
Martonvásár
Lovasberény
Söréd
Mór
Bakonysárkány
Bakonyszombathely
Seregélyes
Adony
Ercsi
Kiskunlacháza
Dömsöd
Perkáta
Sárkeresztúr
Dunaújváros
Polgárdi
Balatonfűzfő
Balatonkenese
Balatonalmádi
Lepsény
Enying
Siófok
Zamárdi
Ság vár
Mezőszilas
Simontornya
Sárbogárd
Előszállás
Dunaföldvár
Solt
Cece
Németkér
Harta
Pincehely
Iregszemcse
Tamási
Andocs
Nagykónyi
Igal
Szakály
Hőgyész
Kurd
Zomba
Tolna
Paks
Nagydorog
Dunapataj
Kalocsa
Öregcsertő
Dusnok
Hajós
Dombóvár
Szekszárd
Bonyhád
Várdomb
Sükösd
Baja
Bátaszék
Sásd
Gödre
Oroszló
Komló
Mánfa
Pécsvárad
Dunaszekcső
Bácsbokod
Bácsalmás
Tataháza
Felsőszentiván
Csávoly
Mélykút
Jánoshalma
Császártöltés
Kecel
Kiskőrös
Akasztó
Páhi
Izsák
Fülöpszállás
Szabadszállás
Dunavecse
Szalkszentmárton
Kunszentmiklós
Kunpeszér
Tatárszentgyörgy
Örkény
Lajosmizse
KECSKEMÉT
Orgovány
Jakabszállás
Kiskunfélegyháza
Bócsa
Soltvadkert
Tázlár
Kiskunmajsa
Kiskunhalas
Zsana
Tompa
Kelebija
Subotica
Sári
Dabas
Szőny
Bana
Kisigmánd
Pusztaszemes
BÖRZSÖNY
GERECSE
PILIS
NASZÁLY
GÖDÖLLŐI-DOMBSÁG
KISKUNSÁGI NEMZETI PARK
Duna
Sárvíz
Sió
Kapos
Vág
Ipoly
D
E
F

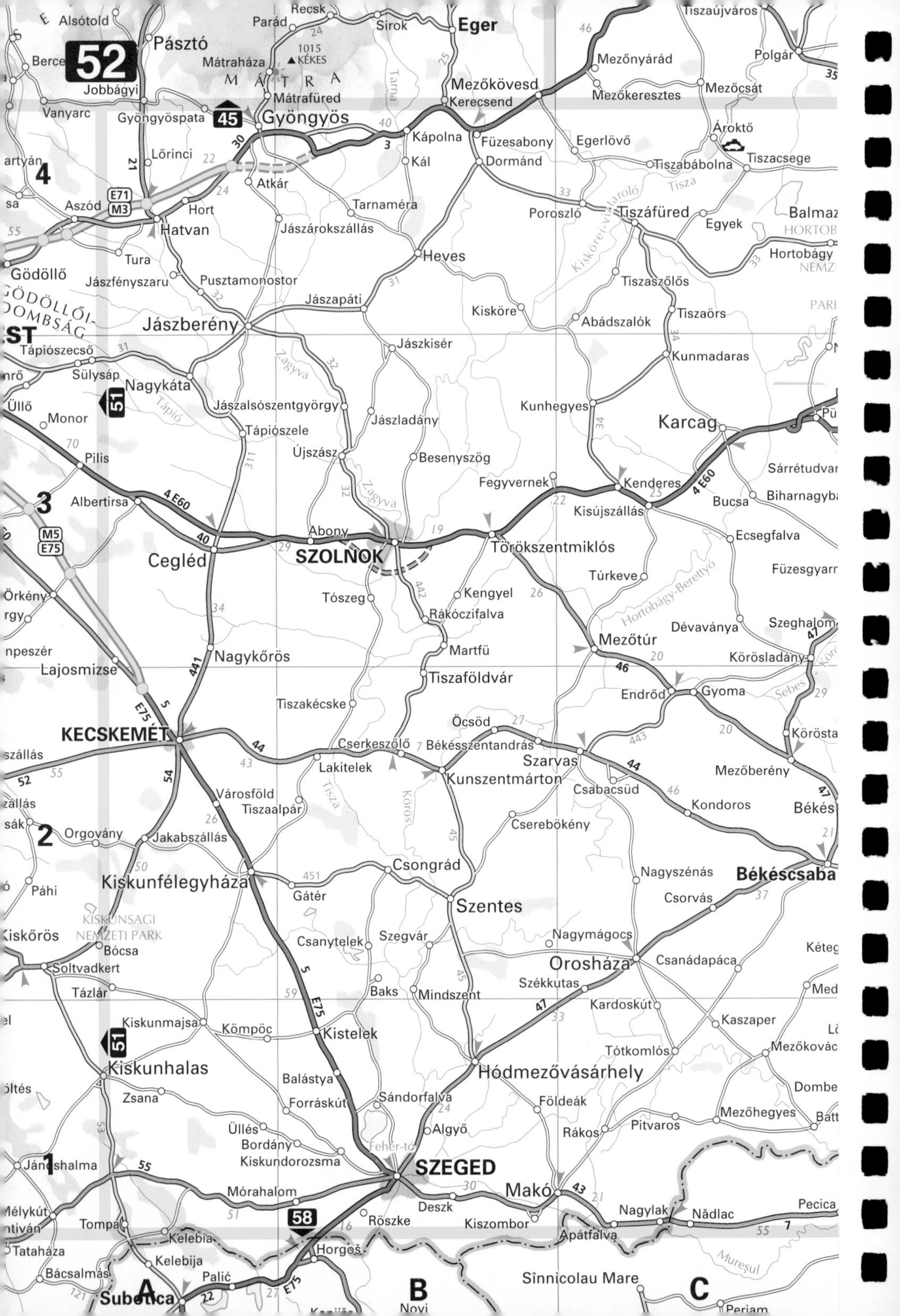
52
Alsótold
Pásztó
Berce
Jobbágyi
Vanyarc
Recsk
Parád
Mátraháza
1015
KÉKES
MÁTRA
Mátrafüred
Sirok
Eger
Tarna
Gyöngyöspata
45
Gyöngyös
Lőrinci
4
Aszód
E71
M3
Hort
Atkár
Hatvan
Tura
Gödöllő
Jászfényszaru
Pusztamonostor
GÖDÖLLŐI-DOMBSÁG
Jászberény
Tápiószecső
Sülysáp
Nagykáta
51
Üllő
Monor
Jászalsószentgyörgy
Tápiószele
Pilis
3
Albertirsa
M5
E75
Cegléd
Örkény
Lajosmizse
Nagykőrös
KECSKEMÉT
2
Orgovány
Jakabszállás
Páhi
Kiskunfélegyháza
KISKUNSÁGI NEMZETI PARK
Kiskőrös
Bócsa
Soltvadkert
Tázlár
Kiskunmajsa
Kömpöc
Kiskunhalas
Zsana
1
Jánoshalma
Tompa
Kelebia
Tataháza
Kelebija
Bácsalmás
Palić
A
Subotica
Mezőkövesd
Kerecsend
Kápolna
Kál
Füzesabony
Dormánd
Tarnaméra
Jászárokszállás
Heves
Jászapáti
Jászkisér
Zagyva
Jászladány
Újszász
Besenyszög
Abony
SZOLNOK
Tószeg
Tiszakécske
Cserkeszőlő
Lakitelek
Városföld
Tiszaalpár
Tisza
Gátér
Csongrád
Csanytelek
Szegvár
Baks
Kistelek
Balástya
Forráskút
Sándorfalva
Üllés
Bordány
Kiskundorozsma
Fehér-tó
Mórahalom
58
Röszke
Horgoš
B
Novi
SZEGED
Algyő
Deszk
Kiszombor
Makó
Sînnicolau Mare
C
Periam
Mezőnyárád
Mezőkeresztes
Mezőcsát
Polgár
Tiszaújváros
Árokto
Tiszacsege
Egerlövő
Tiszabábolna
Poroszló
Tiszafüred
Kiskörei-víztároló
Egyek
Balmaz
HORTOB
Hortobágy
Tiszaszőlős
Kisköre
Abádszalók
Tiszaörs
Kunmadaras
Kunhegyes
Karcag
Fegyvernek
Kenderes
Kisújszállás
Törökszentmiklós
Kengyel
Rákóczifalva
Martfű
Tiszaföldvár
Türkeve
Hortobágy-Berettyó
Mezőtúr
Dévaványa
Szeghalom
Körösladány
Endrőd
Gyoma
Sebes-Körös
Öcsöd
Békésszentandrás
Szarvas
Kunszentmárton
Csabacsüd
Kondoros
Mezőberény
Békés
Körös
Cserebökény
Nagyszénás
Békéscsaba
Csorvás
Szentes
Nagymágocs
Orosháza
Csanádapáca
Székkutas
Mindszent
Kardoskút
Kaszaper
Tótkomlós
Mezőkovác
Hódmezővásárhely
Földeák
Dombe
Mezőhegyes
Rákos
Pitvaros
Nagylak
Nădlac
Pecica
Apátfalva
Mureşul
Sárrétudvar
Biharnagyba
Bucsa
Ecsegfalva
Füzesgyarr
Köröstar
Kéteg
Med
PARI

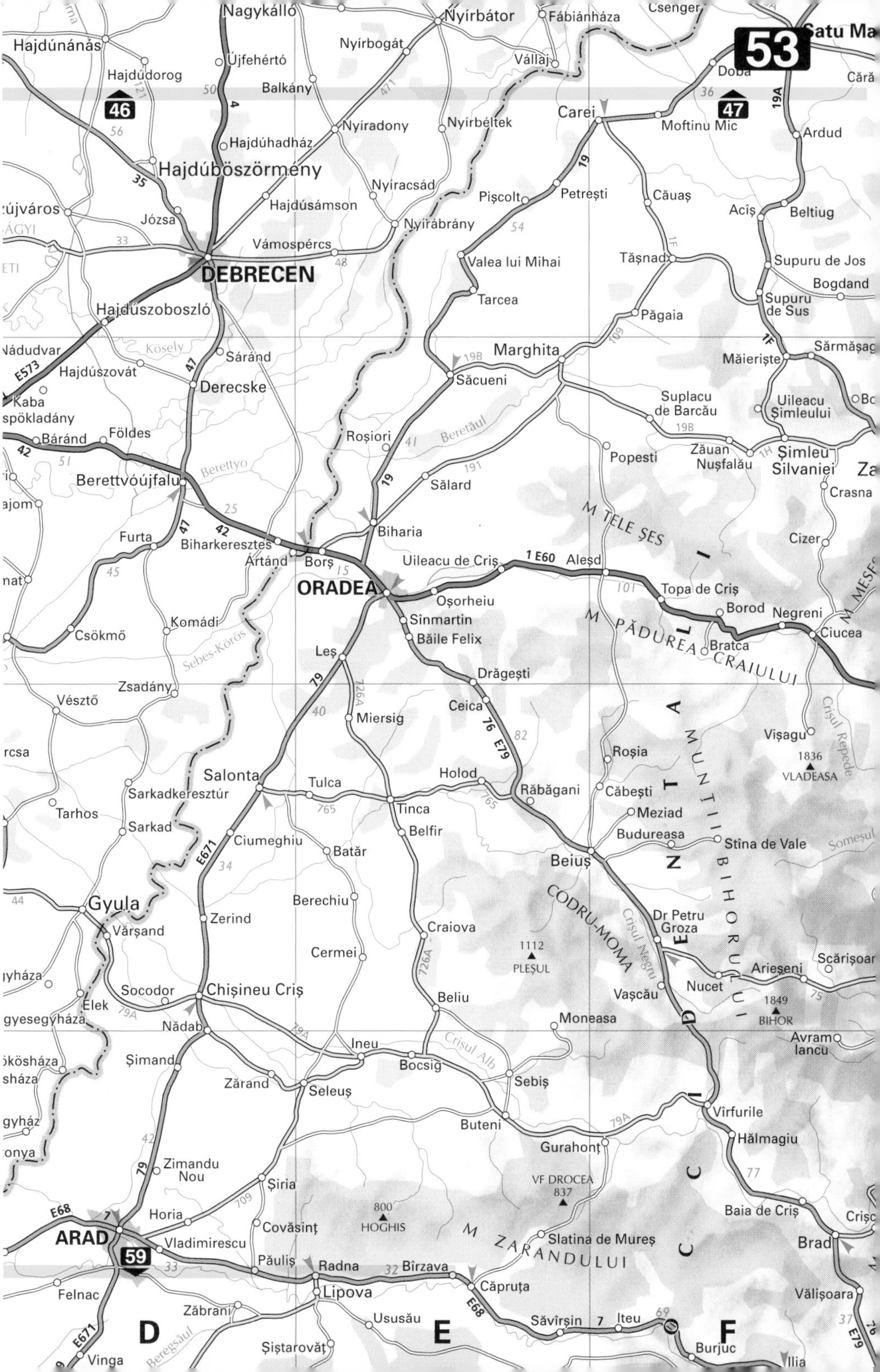
Nagykálló
Nyírbátor
Fábiánháza
Csenger
Satu Ma
Hajdúnánás
Nyírbogát
Újfehértó
Vállaj
Doba
Cără
Hajdúdorog
Balkány
46
47
Carei
Moftinu Mic
Ardud
Nyíradony
Nyírbéltek
Hajdúhadház
Hajdúböszörmény
Nyíracsád
Pişcolt
Petreşti
Căuaş
Acîş
Beltiug
Hajdúsámson
Józsa
Nyírábrány
Vámospércs
Valea lui Mihai
Tăşnad
Supuru de Jos
Bogdand
DEBRECEN
Tarcea
Supuru de Sus
Hajdúszoboszló
Păgaia
Nádudvar
Kösely
Sáránd
Marghita
Sărmăşag
Măieriște
Hajdúszovát
Săcueni
Derecske
Kaba
Suplacu de Barcău
Uileacu Şimleului
Püspökladány
Báránd
Földes
Roşiori
Beretăul
Popesti
Zăuan
Nuşfalău
Şimleu Silvaniei
Berettyó
Berettyóújfalu
Sălard
Crasna
Biharia
M TELE ŞES
Furta
Biharkeresztes
Ártánd
Borş
Cizer
Uileacu de Criş
Aleşd
ORADEA
Oşorheiu
Topa de Criş
Borod
Negreni
Ciucea
Komádi
Sînmartin
Băile Felix
Bratca
M PĂDUREA CRAIULUI
M MESEŞ
Csökmő
Sebes-Körös
Leş
Drăgeşti
Zsadány
Vésztő
Ceica
Miersig
Vişagu
1836
VLADEASA
Crişul Repede
Roşia
Salonta
Holod
Tulca
Răbăgani
Căbeşti
Sarkadkeresztúr
Tinca
Meziad
Tarhos
Budureasa
Stîna de Vale
Someşul
Sarkad
Ciumeghiu
Belfir
Batăr
Beiuş
MUNTII BIHORULUI
Berechiu
CODRU-MOMA
Crişul Negru
Gyula
Zerind
Dr Petru Groza
Vărşand
Craiova
1112
PLEŞUL
Cermei
Scărişoara
Arieşeni
Socodor
Chişineu Criş
Vaşcău
Nucet
Elek
Beliu
1849
BIHOR
Gyulavári
Nădab
Moneasa
Avram Iancu
Kétegyháza
Ineu
Crişul Alb
Şimand
Bocsig
Sebiş
Zărand
Seleuş
Vîrfurile
Buteni
Hălmagiu
Gurahonţ
Zimandu Nou
VF DROCEA
837
Şiria
Baia de Criş
Criş
Horia
800
HOGHIS
ARAD
Covăsinţ
Slatina de Mureş
M ZARANDULUI
Brad
Vladimirescu
59
Păuliş
Radna
Bîrzava
Căpruţa
Felnac
Lipova
Vălişoara
Zăbrani
Ususău
Săvîrşin
Iteu
Beregsăul
Burjuc
Ilia
Şiştarovăţ
Vinga
D
E
F
APUSENI
E573
E60
E68
E671
E79
E671

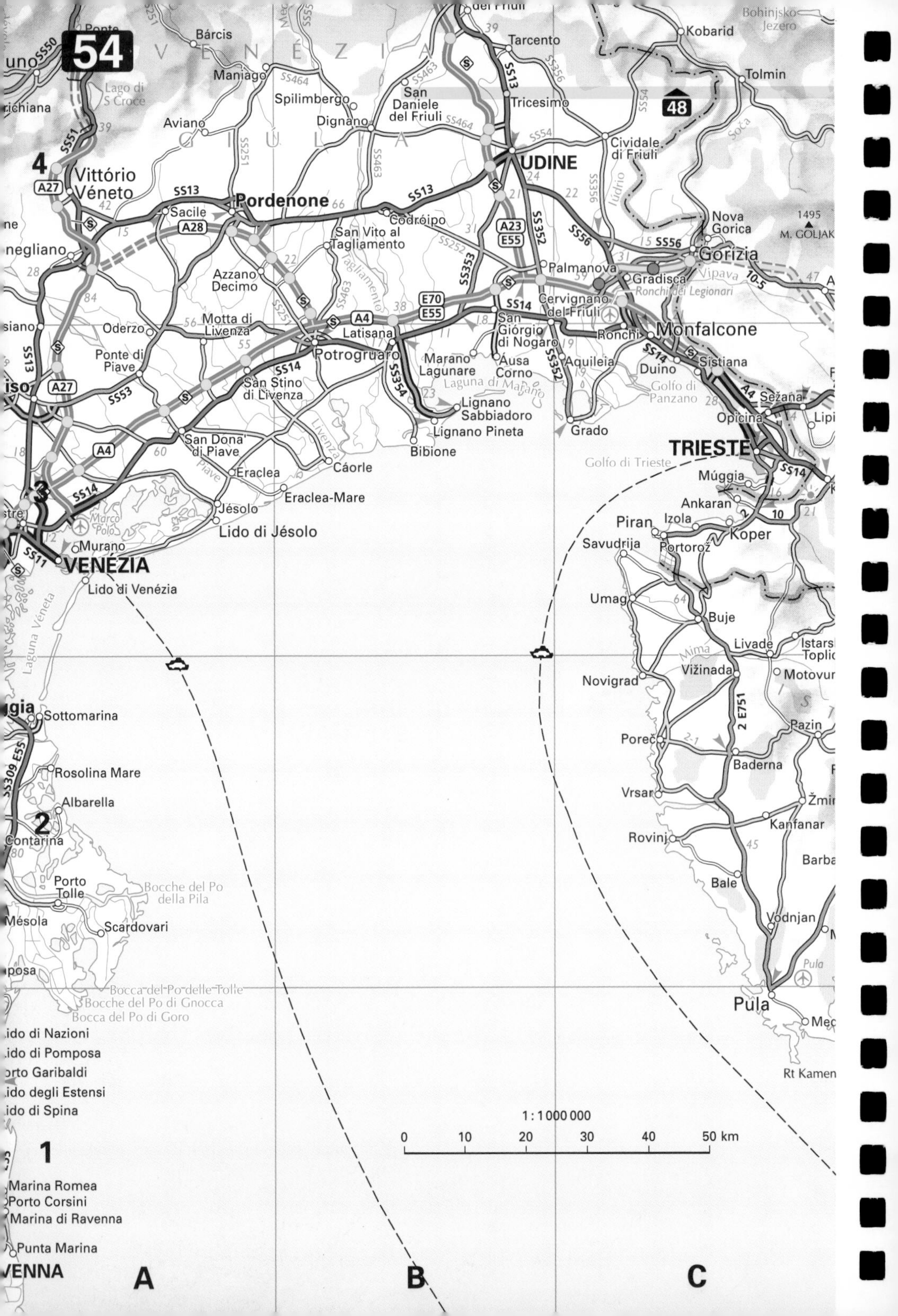

54
48
Bárcis
Maniago
Spilimbergo
San Daniele del Friuli
Dignano
Tarcento
Tricesimo
Kobarid
Tolmin
Bohinjsko Jezero
Aviano
Vittório Véneto
Pordenone
Sacile
Cividale di Friuli
UDINE
Codróipo
San Vito al Tagliamento
Nova Gorica
M. GOLJAK
Gorízia
Palmanova
Gradisca
Ronchi dei Legionari
Cervignano del Friuli
Azzano Decimo
Motta di Livenza
Oderzo
Latisana
San Giórgio di Nogaro
Monfalcone
Ronchi
Potrogruaro
Marano Lagunare
Ausa Corno
Aquileia
Duino
Sistiana
Ponte di Piave
San Stino di Livenza
Laguna di Marano
Golfo di Panzano
Sežana
Lignano Sabbiadoro
Lignano Pineta
Grado
Opicina
Bibione
San Donà di Piave
TRIESTE
Golfo di Trieste
Eraclea
Cáorle
Múggia
Ankaran
Eraclea-Mare
Jésolo
Lido di Jésolo
Piran
Izola
Koper
Savudrija
Portorož
Murano
VENÉZIA
Lido di Venézia
Laguna Véneta
Umag
Buje
Livade
Istarske Toplice
Novigrad
Vižinada
Motovun
Sottomarina
Pazin
Poreč
Baderna
Rosolina Mare
Albarella
Vrsar
Žminj
Contarina
Kanfanar
Rovinj
Porto Tolle
Bocche del Po della Pila
Bale
Mésola
Scardovari
Vodnjan
Bocca del Po delle Tolle
Bocche del Po di Gnocca
Bocca del Po di Goro
Pula
Lido di Nazioni
Lido di Pomposa
Porto Garibaldi
Lido degli Estensi
Lido di Spina
Rt Kamenjak
1 : 1 000 000
0 10 20 30 40 50 km
Marina Romea
Porto Corsini
Marina di Ravenna
Punta Marina
A
B
C
1
2
3
4

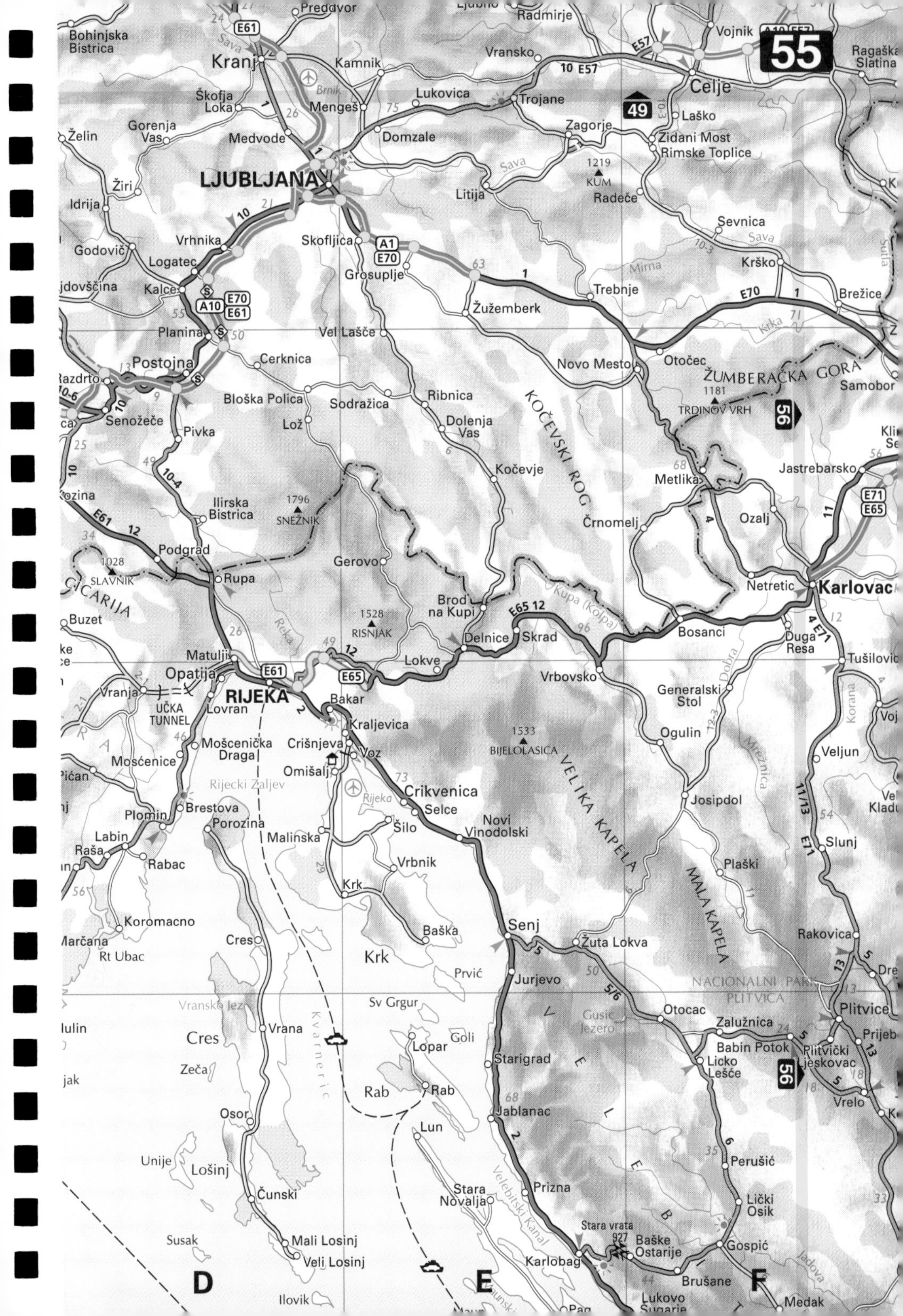
55
Bohinjska Bistrica
Predvor
Radmirje
Vojnik
Ragaška Slatina
Kranj
Kamnik
Vransko
Celje
Brnik
Škofja Loka
Menges
Lukovica
Trojane
49
Laško
Gorenja Vas
Medvode
Domzale
Zagorje
Zidani Most
Rimske Toplice
Želin
LJUBLJANA
Sava
1219
KUM
Žiri
Litija
Radeče
Idrija
Sevnica
Vrhnika
Skofljica
A1
E70
Krško
Godovič
Logatec
Grosuplje
Mirna
Sutla
Ajdovščina
Kalce
A10
E61
Trebnje
Brežice
Žužemberk
Planina
Vel Lašče
Krka
Postojna
Cerknica
Novo Mesto
Otočec
ŽUMBERAČKA GORA
Razdrto
Samobor
1181
TRDINOV VRH
56
Bloška Polica
Sodražica
Ribnica
Senožeče
Lož
Dolenja Vas
KOČEVSKI ROG
Pivka
Jastrebarsko
Kočevje
Metlika
Kozina
Ilirska Bistrica
1796
SNEŽNIK
Črnomelj
Ozalj
E71
E65
Podgrad
Gerovo
1028
SLAVNIK
Rupa
Netretic
Karlovac
ĆIĆARIJA
Brod na Kupi
Kupa (Kolpa)
E65 12
1528
RISNJAK
Buzet
Reka
Delnice
Skrad
Bosanci
Duga Resa
Matulji
Lokve
Tušilovic
Opatija
E61
E65
Vrbovsko
Dobra
Vranja
RIJEKA
Bakar
Generalski Stol
UČKA TUNNEL
Lovran
Kraljevica
Korana
Mošcenička Draga
Crišnjeva
1533
BIJELOLASICA
Ogulin
Mošćenice
Voz
Omišalj
VELIKA KAPELA
Veljun
Pićan
Rijecki Zaljev
Rijeka
Crikvenica
Mrežnica
Brestova
Selce
Josipdol
Plomin
Porozina
Novi Vinodolski
Labin
Šilo
Malinska
Slunj
Raša
Rabac
Vrbnik
Plaški
MALA KAPELA
Krk
Koromacno
Senj
Rakovica
Baška
Marčana
Cres
Žuta Lokva
Rt Ubac
Krk
Prvić
Jurjevo
NACIONALNI PARK PLITVICA
Vranško Jez
Sv Grgur
Gusic Jezero
Otocac
Plitvice
Kvarneric
Zaluznica
Vrana
Lopar
Goli
Babin Potok
Cres
Plitvički Ljeskovac
Prijeb
Starigrad
Licko Lešće
Zeča
Rab
Rab
Vrelo
Osor
Jablanac
Lun
Perušić
Unije
Lošinj
VELEBIT
Stara Novalja
Prizna
Velebitski Kanal
Lički Osik
Čunski
Stara vrata 927
Baške Ostarije
Susak
Mali Losinj
Gospić
Veli Losinj
Karlobag
Jadova
D
E
Brušane
F
Ilovik
Pag
Lukovo Sugarje
Medak

56
49
55
Varaždin
Ludbreg
Koprivnica
Trakošćan
Lepoglava
Krapina
Novi Marof
Kumrovec
Zlatar Bistrica
Breznica
Zabok
Križevci
Sevnica
Krško
Slatina
Zelina
Žabno
Rovišće
Brežice
MEDVEDNICA
Bjelovar
Zaprešić
Sesvete
Vrbovec
ZAGREB
Dugo Selo
Narta
ŽUMBERAČKA GORA
Samobor
Ivanska
Lupoglav
Stupnik
Pleso
Berek
Klinča Selo
Ivanić Grad
Cazma
Velika Gorica
Jastrebarsko
Podgarić
MOSLAVACKA GORA
Hercegovac
Ozalj
Kravarsko
Jamnička Kiselica
Lekenik
Potok
Popovaca
Garešnica
Netretic
Karlovac
Žažina
Pokupsko
Sisak
Kutina
Duga Resa
Petrinja
Tušilovic
Vrginmost
Glina
Blinja
Sunja
Vojnić
Maja
ZRINSKA GORA
Jasenovac
Veljun
Kostajnica
Živaja
Dubica
Velika Kladuša
Bosanska Dubica
Slunj
Divusa
Plaški
Medjumajdan
Knežica
Gornji Podgradci
Dvor
Bosanski Novi
Rakovica
Cazin
Prijedor
Kozarac
Dreznik-Grad
Otoka
NACIONALNI PARK PLITVICA
Ostrožac
Plitvice
Zalužnica
Bosanska Krupa
Babin Potok
Prijeboj
Plitvički Ljeskovac
Gudavac
Licko Lešće
Bihać
Ripač
Vrelo
Titova Korenica
Sanski Most
Lušci Palanka
Perušić
Krnjeuša
Vrhpolje
Lički Osik
Vrtoče
OSJECENICA
Donji Lapac
Bosanski Petrovac
Gospić
Velagići
Udbina
Gornji Lapac
Doljani
Oštrelj
Ključ
Medak
A
B
C
1
2
3
4

57
50
51
58
58
Somogyszob
Nagyatád
Lábod
Kadarkút
Bőszénfa
Gödre
Sásd
Bonyhád
Várdomb
Oroszló
Komló
Mánfa
MECSEK
Pécsvárad
Bátaszék
Szentlászló
Csokonyavisonta
Szigetvár
PÉCS
Dunaszekcső
Szentlőrinc
Mohács
Đurđevac
Kloštar
Barcs
Darány
Szederkény
Bóly
Pitomača
Stari Gradac
Terezino Polje
Udvar
Špišić Bukovica
Sellye
Túrony
Villány
Siklós
Batina
Virovitica
Vajszló
Harkány
Kneževo
Drávaszabolcs
Moslavina
Beli Manastir
Cadjavica
Donji Miholjac
Knezevi Vinograd
Lončarica
Grubišno Polje
Pivnica
Podravska Slatina
Miokovićevo
Beničanci
Valpovo
Darda
Čačinci
Bizovac
Josipovac
Osijek
Daruvar
Koška
Čepin
PAPUK
Feričanci
Našice
Pakrac
Lipik
PSUNJ
Slavonska Požega
Jakšić
Djakovo
Ruševo
Ivankovo
Cernik
Pleternica
Kondrić
DILJ
Stari Mikanovci
Okučani
Nova Gradiska
Vrpolje
Lužani
Slavonski Brod
Bosanski Brod
Babina Greda
Vrbaška
Bosanska Gradiška
Županja
Bošnja
Nova Topola
MOTAJICA
Bosanski Šamac
Orašje
Derventa
Modrica
Podnovlje
Loncari
Ivanjska
Laktasi
Klašnice
Lišnja
Prnjavor
Kotorsko
Gradačac
Brčko
Banja Luka
UZLOMAC
SVINJAR
Doboj
Spionica Donja
Gračanica
MAJEVICA
Jelah
Kotor Varoš
Klupe
OZREN
Lopare
Krupa na Vrbasu
Teslić
Maglaj
Gornja Tzula
Maslovare
BORJAPLANINA
Lukavac
Tuzla
OLAUŠ
Zivinice
D
E
F
Drava
Rinya
Česma
Rijeka
Karašica
Vuka
Pakra
Sava
Vrbas
Ukrina
M. Ukrina
Bosna
Spreča
Tinja
Vrbanja
Usora

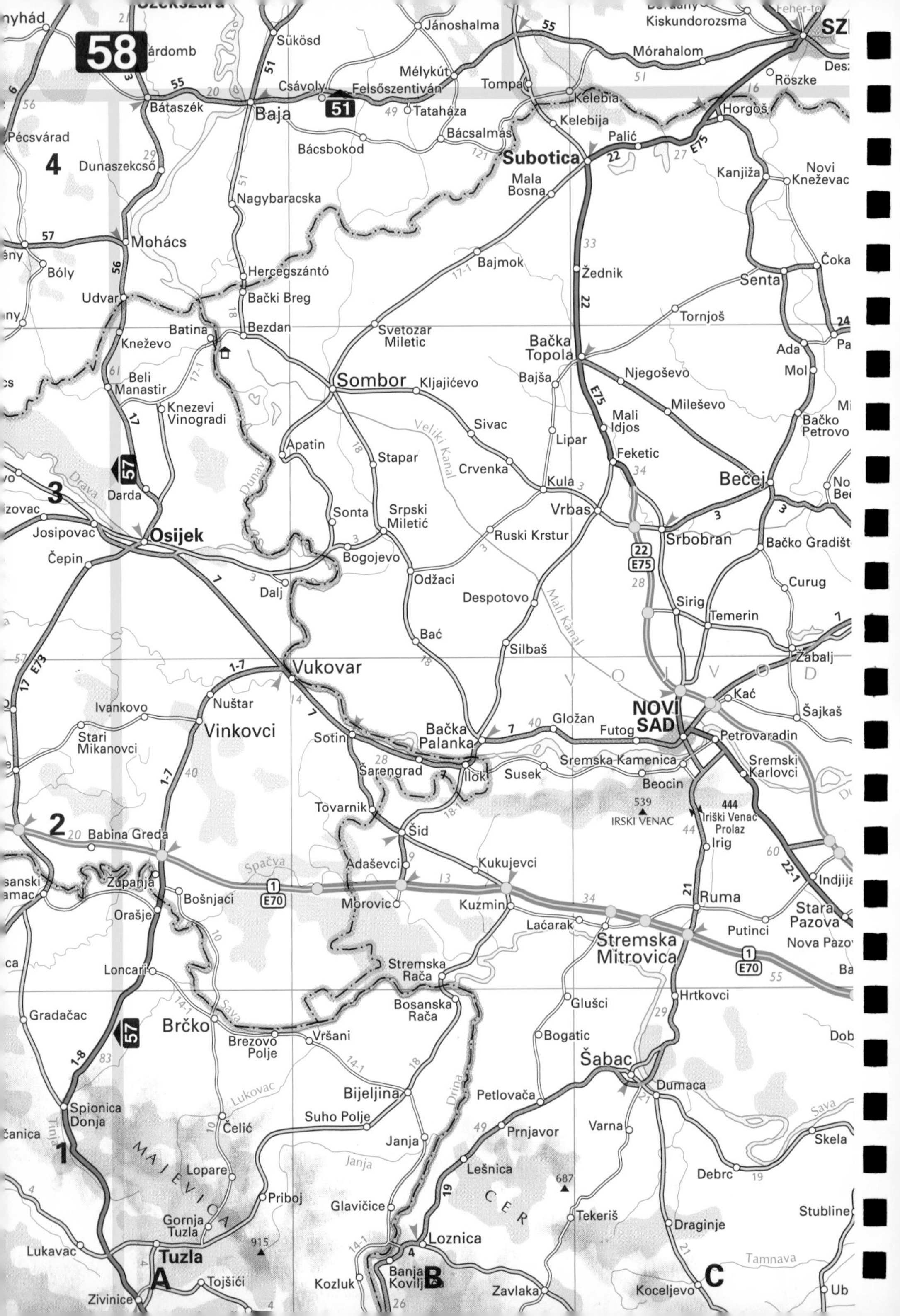

58
Szekszárd
Sükösd
Jánoshalma
Kiskundorozsma
SZ
Mórahalom
Röszke
Várdomb
Mélykút
Csávoly
Felsőszentiván
Tompa
Bátaszék
Baja
Tataháza
Kelebia
Kelebija
Horgoš
Pécsvárad
Bácsalmás
Bácsbokod
Palić
Subotica
Dunaszekcső
Mala Bosna
Kanjiža
Novi Kneževac
Nagybaracska
Mohács
Bóly
Bajmok
Žednik
Čoka
Hercegszántó
Senta
Udvar
Bački Breg
Tornjoš
Batina
Bezdan
Svetozar Miletic
Bačka Topola
Kneževo
Ada
Sombor
Kljajićevo
Bajša
Njegoševo
Mol
Beli Manastir
Knezevi Vinogradi
Mali Idjos
Mileševo
Bačko Petrovo
Apatin
Sivac
Lipar
Stapar
Crvenka
Feketic
Kula
Bečej
Darda
Drava
Dunav
Veliki Kanal
Sonta
Srpski Miletić
Vrbas
Josipovac
Osijek
Ruski Krstur
Srbobran
Bačko Gradište
Čepin
Bogojevo
Dalj
Odžaci
Despotovo
Curug
Sirig
Temerin
Mali Kanal
Bać
Silbaš
Žabalj
Vukovar
V O J V O D
Nuštar
Kać
Ivankovo
NOVI SAD
Šajkaš
Vinkovci
Stari Mikanovci
Sotin
Bačka Palanka
Gložan
Futog
Petrovaradin
Šarengrad
Ilok
Susek
Sremska Kamenica
Sremski Karlovci
Beocin
Tovarnik
539
IRSKI VENAC
444
Irški Venac Prolaz
Babina Greda
Šid
Irig
Spačva
Adaševci
Kukujevci
Indjija
Županja
Bošnjaci
Morovic
Kuzmin
Ruma
Stara Pazova
Orašje
Laćarak
Stremska Mitrovica
Putinci
Nova Pazova
E70
Loncari
Stremska Rača
Bosanska Rača
Hrtkovci
Glušci
Gradačac
Brčko
Sava
Brezovo Polje
Vršani
Bogatic
Dob
Šabac
Dumaca
Bijeljina
Petlovača
Lukovac
Spionica Donja
Suho Polje
Varna
Drina
Čelić
Janja
Prnjavor
Skela
MAJEVICA
Lopare
Lešnica
687
Debrc
CER
Priboj
Glavičice
Tekeriš
Stubline
Gornja Tuzla
Loznica
Draginje
Lukavac
915
Tuzla
Tamnava
Tojšići
Kozluk
Banja Koviljača
Zavlaka
Koceljevo
Ub
Zivinice
A
B
C
1
2
3
4

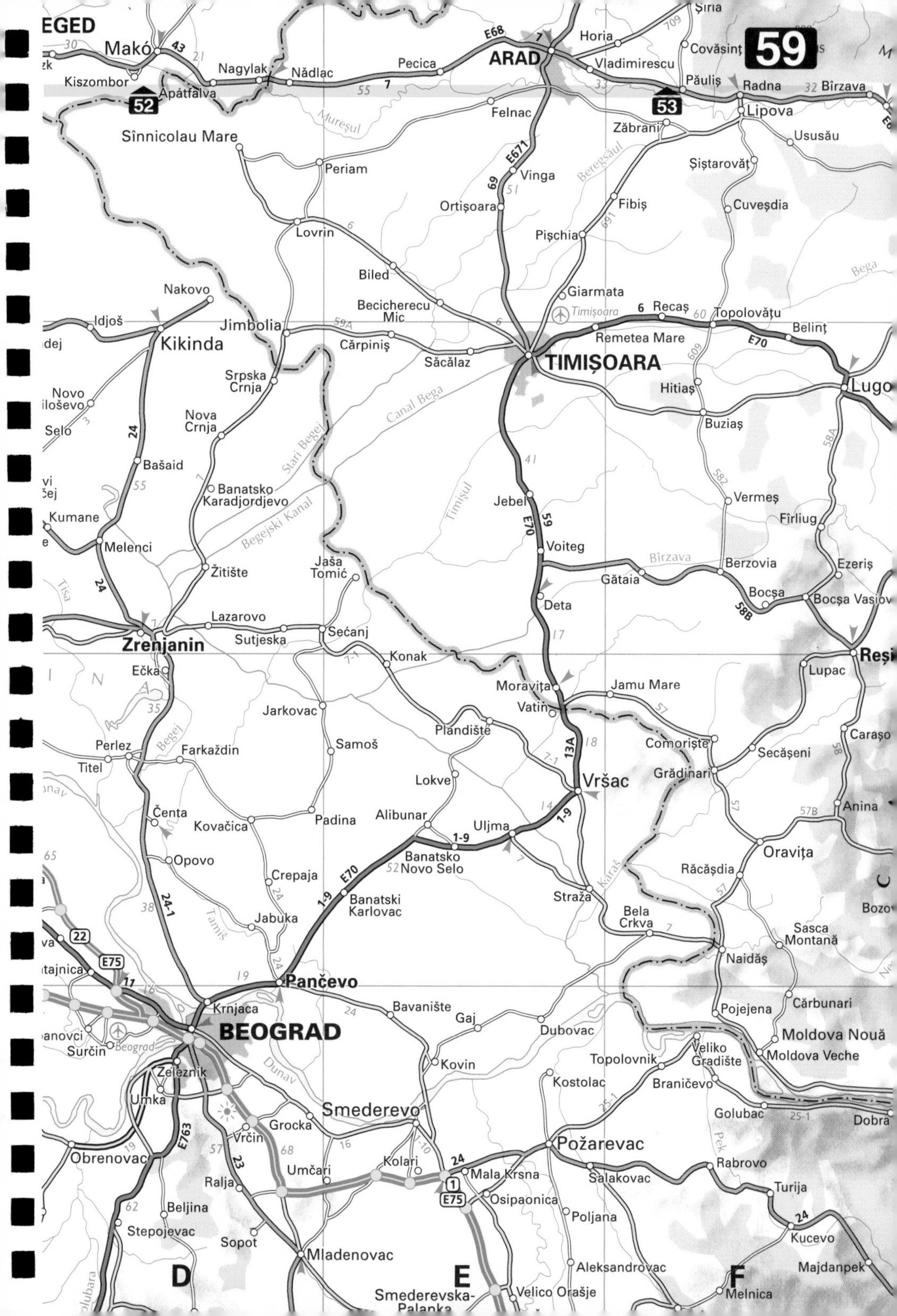
EGED
Makó
Kiszombor
Apátfalva
52
Nagylak
Nădlac
Pecica
ARAD
Horia
Vladimirescu
Şiria
Covăsinţ
Păuliş
Radna
Bîrzava
53
Lipova
Felnac
Mureşul
Sînnicolau Mare
Periam
Zăbrani
Ususău
Vinga
Şiştarovăţ
Ortişoara
Fibiş
Cuveşdia
Lovrin
Pişchia
Biled
Bega
Nakovo
Giarmata
Becicherecu Mic
Timişoara
Recaş
Topolovăţu
Idjoš
Jimbolia
Kikinda
Remetea Mare
Belinţ
Cărpiniş
Săcălaz
TIMIŞOARA
Lugo
Srpska Crnja
Novo Miloševo
Hitiaş
Selo
Nova Crnja
Canal Bega
Buziaş
Bašaid
Stari Begej
Banatsko Karadjordjevo
Jebel
Vermeş
Kumane
Begejski Kanal
Timişul
Fîrliug
Melenci
Voiteg
Žitište
Jaša Tomić
Bîrzava
Berzovia
Ezeriş
Tisa
Găţaia
Bocşa
Bocşa Vasiov
Deta
Lazarovo
Zrenjanin
Sutjeska
Sečanj
Konak
Reşi
Lupac
Ečka
Moraviţa
Jamu Mare
Vatin
Jarkovac
Plandište
Caraşo
Perlez
Titel
Farkaždin
Begej
Samoš
Comorişte
Secăşeni
Vršac
Grădinari
Lokve
Dunav
Čenta
Kovačica
Padina
Alibunar
Uljma
Anina
Oraviţa
Opovo
Banatsko Novo Selo
Crepaja
Răcăşdia
Straža
Karaš
Banatski Karlovac
Bela Crkva
Bozo
Jabuka
Tamiš
Sasca Montană
Naidăş
Pančevo
Bavanište
Gaj
Pojejena
Cărbunari
Krnjaca
BEOGRAD
Dubovac
Moldova Nouă
Surčin
Beograd
Kovin
Topolovnik
Veliko Gradište
Moldova Veche
Železnik
Kostolac
Braničevo
Umka
Golubac
Dobra
Smederevo
Grocka
Vrčin
Požarevac
Pek
Obrenovac
Umčari
Kolari
Rabrovo
Mala Krsna
Salakovac
Turija
Ralja
Osipaonica
Beljina
Poljana
Kucevo
Stepojevac
Sopot
Mladenovac
Aleksandrovac
Majdanpek
D
E
F
Smederevska-Palanka
Velico Orašje
Melnica
Kolubara
E68
E671
E70
E75
E763
24
24-1
1-9
13A
58B
58A

A

Abádszalók *H* 52 C4
Abaújszántó *H* 46 B2
Abenberg *D* 40 A4
Abensberg *D* 40 C3
Abja-Paluoja *EST* 7 F2
Åbo/Turku *FIN* 2 A4
Abony *H* 52 B3
Abtenau *A* 48 A4
Acîş *RO* 53 F4
Ács *H* 51 D4
Acsa *H* 51 F4
Ada *YU* 58 C3
Adaševci *YU* 58 B2
Adelsried *D* 40 A2
Admont *A* 48 C4
Adony *H* 51 E3
Adorf *D* 32 C3
Adutiškis *LT* 17 E3
Aegviidu *EST* 3 F2
Aflenz *A* 49 D4
Aggsbach-Dorf *A* 42 C2
Aggsbach-Markt *A* 42 C2
Ahlbeck *D* 20 A3
Ahlbeck *D* 20 A3
Aicha *D* 41 E3
Aichach *D* 40 B2
Aidenbach *D* 41 E2
Aigen *A* 41 F3
Aiglsbach *D* 40 B3
Ainaži *LV* 7 D2
Aiterhofen *D* 41 D3
Aizkraukle *LV* 12 B3
Ajdovščina *SLO* 54 C4
Ajka *H* 50 C3
Akasztó *H* 51 F2
Akniste *LV* 12 C2
Albarella *I* 54 A2
Albertirsa *H* 52 A3
Aleksandrovac *YU* 59 E1
Aleksandrów Kujawski *PL* 22 C1
Aleksandrów Łódzki *PL* 29 D2
Aleşd *RO* 53 F3
Alfeld *D* 32 B1
Algyő *H* 52 B1
Alibunar *YU* 59 E2
Alkoven *A* 42 A2
Alland *A* 43 D1
Allersberg *D* 40 B4
Allershausen *D* 40 B2
Aloja *LV* 7 E2
Alsótold *H* 45 E1
Alt Schadow *D* 26 A3
Altaussee *A* 48 B4
Altdorf *D* 32 A1
Altenberg *D* 33 E4
Altenburg *D* 32 C4
Altenmarkt *A* 48 C4
Altenmarkt *D* 41 D1
Altenmarkt im Pongau *A* 48 A3
Altheim *A* 41 E2
Altmünster *A* 41 F1
Altötting *D* 41 D2
Alūksne *LV* 8 C1
Alytus *LT* 16 B1
Amberg *D* 32 B1
Ambla *EST* 3 F1
Ampfing *D* 41 D2
Amstetten *A* 42 B1
Andau *A* 50 B4
Andocs *H* 51 D2
Andrespol *PL* 29 D2
Andrychów *PL* 36 C2
Anger *A* 49 E3
Angermünde *D* 20 A1
Angern *A* 43 E2
Anina *RO* 59 F2
Ankaran *SLO* 54 C3
Anklam *D* 20 A3
Annaberg *A* 48 A4
Annaberg *A* 42 C1
Annaberg-Buchholz *D* 33 D3
Annenheim *A* 48 B2
Annopol *PL* 38 B4
Ansbach *D* 40 A4
Antonin *PL* 28 B2
Antsla *EST* 8 B2
Anykščiai *LT* 16 C4
Apátfalva *H* 52 C1
Apatin *YU* 58 A3
Ape *LV* 8 B1
Apolda *D* 32 B4
Aquileia *I* 54 C3
Arad *RO* 53 D1
Aranyosapáti *H* 47 D2
Arbesbach *A* 42 B2
Ardud *RO* 53 F4
Ardusat *RO* 47 E1
Arieşeni *RO* 53 F2
Ariogala *LT* 16 A3
Arnoldstein *A* 48 B2
Arnschwang *D* 41 D4
Arnstadt *D* 32 A4
Ároktő *H* 52 C4
Ártánd *H* 53 D3
Arth *D* 40 C3
Arzberg *D* 32 C2
As *CZ* 32 C3
Ascha *D* 41 D3
Aschach *A* 41 F2
Aschau *D* 40 C1
Aschbach Markt *A* 42 B1
Askainen *FIN* 2 A4
Aspang Markt *A* 49 F4
Assling *D* 40 C1
Asten *A* 42 A2
Aszód *H* 51 F4
Aszófő *H* 50 C2
Atkár *H* 52 A4
Attel *D* 40 C1
Attersee *A* 41 E1
Attnang-Puchheim *A* 41 F1
Au *A* 49 D4
Au *D* 40 B3
Auce *LV* 11 D2
Aue *D* 33 D3
Auerbach *D* 32 B2
Auerbach *D* 32 C3
Augsburg *D* 40 A2
Augustów *PL* 24 C3
Augustusburg *D* 33 D4
Aukštadvaris *LT* 16 C2
Auma *D* 32 B4
Aura *FIN* 2 B4
Áusa Corno *I* 54 B3
Aussernbrünst *D* 41 E3
Aviano *I* 54 A4
Avinurme *EST* 4 B1
Avram Iancu *RO* 53 F1
Azzano Decimo *I* 54 A4

B

Baar *D* 40 A3
Babiak *PL* 28 C3
Babica *PL* 38 B2
Babice *PL* 37 D2
Babięta *PL* 23 F3
Babigoszcz *PL* 20 B3
Babimost *PL* 27 D3
Babin Potok *HR* 55 F1
Babina Greda *HR* 57 F2
Babriškes *LT* 16 C1
Babylon *CZ* 33 D1
Bać *YU* 58 B3
Bačka Palanka *YU* 58 B2
Bačka Topola *YU* 58 C3
Bački Breg *YU* 58 A4
Bačko Gradište *YU* 58 C3
Bačko Petrovo Selo *YU* 58 C3
Baćkowice *PL* 38 A4
Bácsalmás *H* 58 B4
Bácsbokod *H* 58 B4
Baczyna *PL* 20 C1
Bad Abbach *D* 40 C3
Bad Aibling *D* 40 C1
Bad Aussee *A* 48 B4
Bad Berka *D* 32 B4
Bad Berneck *D* 32 B2
Bad Blankenburg *D* 32 A4
Bad Brambach *D* 32 C3
Bad Elster *D* 32 C3
Bad Freienwalde *D* 20 A1
Bad Gleichenberg *A* 49 E2
Bad Goisern *A* 48 B4
Bad Gottleuba *D* 33 F4
Bad Hall *A* 42 A1
Bad Hofgastein *A* 48 A3
Bad Ischl *A* 48 B4
Bad Kleinkirchheim *A* 48 B2
Bad Lausick *D* 33 D4
Bad Leonfelden *A* 42 A2
Bad Mitterndorf *A* 48 B4
Bad Muskau *D* 26 B2
Bad Reichenhall *D* 41 D1
Bad Saarow-Pieskow *D* 26 A3
Bad St Leonhard *A* 49 D2
Bad Schallerbach *A* 41 F2
Bad Schandau *D* 33 F4
Bad Schönau *A* 49 F3
Bad Tölz *D* 40 B1
Bad Vöslau *A* 43 D1
Bad Wiessee *D* 40 B1
Bad Wörishofen *D* 40 A2
Badacsonytomaj *H* 50 C2
Baden *A* 43 D1
Baderna *HR* 54 C2
Badgastein *A* 48 A3
Bądkowo *PL* 28 C4
Badljevina *HR* 57 D3
Bagod *H* 50 B2
Bagrationovsk *RUS* 14 C1
Baia de Criş *RO* 53 F1
Baia Mare *RO* 47 F1
Baia Sprie *RO* 47 F1
Băile Felix *RO* 53 E3
Baisogala *LT* 16 A4
Baja *H* 58 A4
Bajánsenye *H* 50 A2
Bajmok *YU* 58 B4
Bajša *YU* 58 B3
Bak *H* 50 B2
Bakar *HR* 55 D2
Bakonygyepes *H* 50 C3
Bakonypeterd *H* 50 C3
Bakonysárkány *H* 51 D3
Bakonyszombatheley *H* 51 D3
Baks *H* 52 B2
Baktakék *H* 46 B2
Balassagyarmat *H* 45 D1
Balástya *H* 52 B1
Balatonakali *H* 50 C2
Balatonalmádi *H* 51 D3
Balatonboglár *H* 50 C2
Balatonederics *H* 50 C2
Balatonföldvár *H* 50 C2
Balatonfüred *H* 50 C2
Balatonfüzfő *H* 51 D3
Balatonkenese *H* 51 D3
Balatonkeresztúr *H* 50 C2
Balatonlelle *H* 50 C2
Balatonszemes *H* 50 C2
Bale *HR* 54 C2
Balewo *PL* 22 C3
Balice *PL* 37 D2
Balkány *H* 46 C1
Balmazújváros *H* 53 D4
Baltijsk *RUS* 14 B1
Balvi *LV* 13 D4

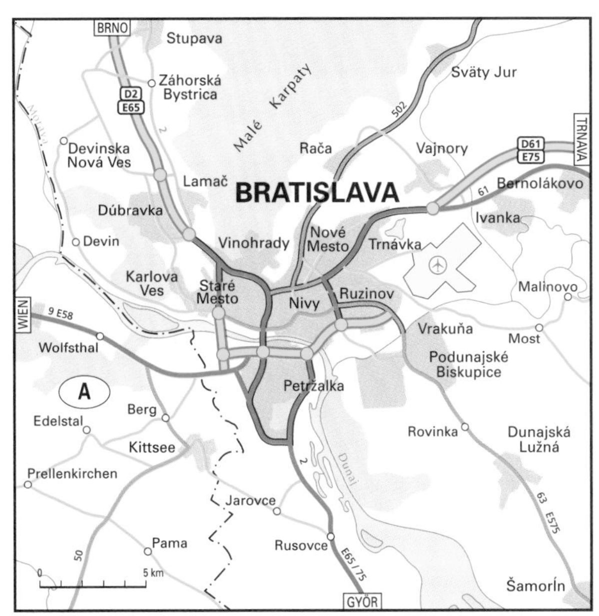
BRNO
Stupava
Záhorská
Bystrica
D2
E65
Malé Karpaty
Sväty Jur
502
Devinska
Nová Ves
Rača
Vajnory
D61
E75
TRNAVA
Lamač
BRATISLAVA
61
Bernolákovo
Ivanka
Dúbravka
Devin
Vinohrady
Nové
Mesto
Trnávka
Karlova
Ves
Staré
Mesto
Nivy
Ruzinov
Malinovo
WIEN
9 E58
Wolfsthal
Vrakuňa
Most
Podunajské
Biskupice
A
Petržalka
Berg
Edelstal
Kittsee
Rovinka
Dunajská
Lužná
Prellenkirchen
Dunaj
2
63
E575
Jarovce
Pama
Rusovce
E65/75
50
0
5 km
GYŐR
Šamorín

Bamberg *D* 32 A2
Bana *H* 50 C4
Banatski Karlovac *YU* 59 E2
Banatsko Karadjordjevo *YU* 59 D3
Banatsko Novo Selo *YU* 59 E2
Banie *PL* 20 B2
Banja Koviljača *YU* 58 B1
Banja Luka *BIH* 57 D1
Banka *SK* 44 B2
Bánov *CZ* 44 A3
Bánovce nad Bebravou *SK* 44 B3
Bánréve *H* 45 F2
Bansin *D* 20 A3
Banská Bystrica *SK* 45 D3
Banská Štiavnica *SK* 44 C2
Báránd *H* 53 D3
Baranów Sandomierski *PL* 38 A3
Baranowo *PL* 24 A2
Barban *HR* 55 D2
Bārbele *LV* 12 A2
Barbing *D* 40 C3
Barciany *PL* 24 A4
Barcin *PL* 22 A1
Bárcis *I* 54 A4
Barcs *H* 57 D4
Barczewo *PL* 23 E3
Bardejov *SK* 46 B4
Bardo *PL* 35 E3
Barkava *LV* 13 D3
Barkowo *PL* 21 F3
Barlinek *PL* 20 C1
Bärnau *D* 32 C2
Bartoszyce *PL* 23 E4
Barwice *PL* 21 D3
Bašaid *YU* 59 D3
Baška *HR* 55 E2
Baške Ostarije *HR* 55 F1
Batajnica *YU* 59 D2
Batăr *RO* 53 E2
Bátaszék *H* 58 A4
Baté *H* 51 D1
Batelov *CZ* 42 C4
Batina *HR* 58 A3
Bátonyterenye *H* 45 E1
Battonya *H* 52 C1
Bauska *LV* 11 F2
Bautzen *D* 26 B1
Bavanište *YU* 59 E1
Bavorov *CZ* 42 A4
Bayerisch Eisenstein *D* 41 E4
Bayreuth *D* 32 B2
Bayrischzell *D* 40 C1
Bebrene *LV* 12 C2
Bečej *YU* 58 C3
Bechhofen *D* 40 A4
Bechyně *CZ* 42 B4
Becicherecu Mic *RO* 59 E4
Becov nad Tepbu *CZ* 33 D2
Becsehely *H* 50 B1
Becske *H* 45 D1
Będków *PL* 29 D2
Bednarka *PL* 38 A1
Będzin *PL* 36 C3
Będzino *PL* 18 A2
Beeskow *D* 26 B3
Begunicy *RUS* 5 E3
Behringersmühle *D* 32 A2
Beilngries *D* 40 B4
Beiuș *RO* 53 F2
Békés *H* 53 D2
Békéscsaba *H* 52 C2
Békésszentandrás *H* 52 B2
Bela Crkva *YU* 59 F2
Bělá pod Bezdězem *CZ* 34 B3
Bełchatów *PL* 29 D1
Beled *H* 50 B3
Belfir *RO* 53 E2
Beli Manastir *HR* 57 F3
Belinț *RO* 59 F3
Beliu *RO* 53 E2
Beljina *YU* 59 D1
Belluno *I* 54 A4
Bělotin *CZ* 36 A1
Belsk Duży *PL* 29 F2
Beltinci *SLO* 49 F2
Beltiug *RO* 53 F4
Beluša *SK* 44 B3
Belz *UA* 39 E3
Bełżec *PL* 39 D3
Bełżyce *PL* 30 C1
Ben'akoni *SU* 17 D1
Benatsky nad Jizerou *CZ* 34 B2
Benediktbeuern *D* 40 B1
Benešov *CZ* 34 A1
Benešov nad Ploučnicí *CZ* 33 F4
Beničanci *HR* 57 E3
Beocin *YU* 58 C2
Beograd *YU* 59 D1
Bercel *H* 45 D1
Berching *D* 40 B4
Berchtesgaden *D* 48 A4
Berechiu *RO* 53 E2
Beregovo *UA* 47 D2
Beregsurány *H* 47 D2
Berek *HR* 56 C3
Berettyóújfalu *H* 53 D3
Bereza *SU* 25 F1
Berg *D* 40 B1
Berglern *D* 40 C2
Berkesz *H* 46 C2
Bernartice *CZ* 42 B4
Bernau *D* 40 C1
Bernau *D* 26 A4
Berndorf *A* 43 D1
Bernhardsthal *A* 43 E3
Bernsdorf *D* 26 A1
Bernstein *A* 49 F3
Beroun *CZ* 33 F2
Berzovia *RO* 59 F3
Besenyszög *H* 52 B3
Bezdan *YU* 58 A3
Biała *PL* 35 F3
Biala Piska *PL* 24 B3
Biała Podlaska *PL* 31 D3
Biała Rawska *PL* 29 F2
Białobrzegi *PL* 30 A2
Białogard *PL* 18 A2
Białowieza *PL* 25 E1
Biały Bór *PL* 21 E3
Białystok *PL* 25 D2
Biatorbágy *H* 51 E3
Bibione *I* 54 B3
Bichl *D* 40 B1
Bicske *H* 51 E3
Bidovce *SK* 46 B3
Bidziny *PL* 38 A4
Biebersdorf *D* 26 A3
Biecz *PL* 38 A2
Bielawa *PL* 35 D3
Bielczyny *PL* 22 B2
Bielowy *PL* 38 A2
Bielsk *PL* 29 D4
Bielsk Podlaski *PL* 25 D1
Bielsko-Biała *PL* 36 C2
Bierutów *PL* 28 A1
Bierzwnik *PL* 20 C1
Biesenthal *D* 26 A4
Biesiekierz *PL* 18 A2
Bieżuń *PL* 23 D1
Bihać *BIH* 56 A1
Biharia *RO* 53 E3
Biharkeresztes *H* 53 D3
Biharnagybajom *H* 53 D3
Bijeljina *BIH* 58 B1
Bikava *LV* 13 D3
Biled *RO* 59 E4
Biłgoraj *PL* 38 C3
Bílina *CZ* 33 E3
Bílovec *CZ* 36 A1
Bíňa *SK* 44 C1
Bircza *PL* 38 C2
Birkfeld *A* 49 E3
Bîrsana *RO* 47 F1
Birštonas *LT* 16 B2
Biržai *LT* 12 A2
Bîrzava *RO* 59 F4
Birži *LV* 12 C2
Bischofsgrün *D* 32 B2
Bischofshofen *A* 48 A3
Bischofswerda *D* 26 A1
Biskupiec *PL* 22 C2
Biskupiec *PL* 23 F3
Bisztynek *PL* 23 F4
Bitov *CZ* 43 D3

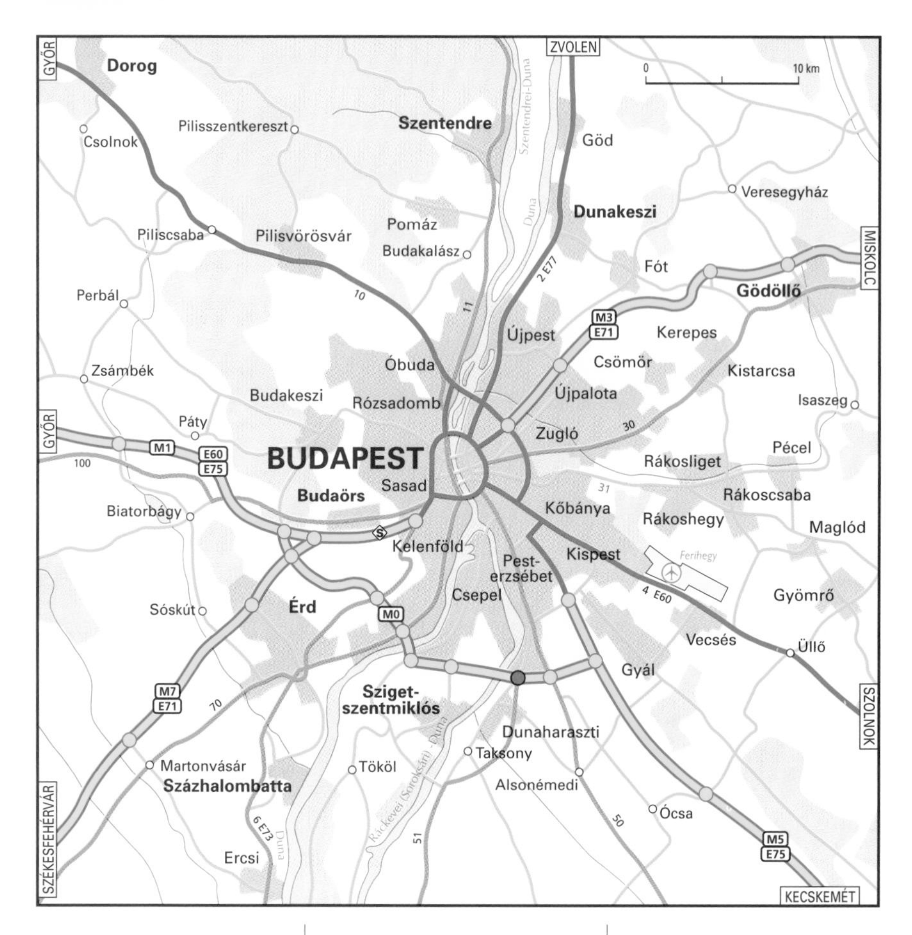
GYŐR
Dorog
ZVOLEN
0
10 km
Csolnok
Pilisszentkereszt
Szentendre
Szentendrei-Duna
Göd
Veresegyház
Dunakeszi
Duna
Piliscsaba
Pilisvörösvár
Pomáz
Budakalász
MISKOLC
Fót
Gödöllő
2 E77
Perbál
10
11
M3
E71
Újpest
Kerepes
Zsámbék
Óbuda
Csömör
Kistarcsa
Budakeszi
Rózsadomb
Újpalota
Isaszeg
Páty
GYŐR
M1
E60
E75
100
BUDAPEST
Zugló
30
Pécel
Rákosliget
Sasad
Budaörs
31
Rákoscsaba
Kőbánya
Biatorbágy
Rákoshegy
Maglód
Kelenföld
Pest-
erzsébet
Kispest
Ferihegy
Csepel
Sóskút
Érd
M0
4 E60
Gyömrő
Vecsés
Üllő
Sziget-
szentmiklós
Gyál
M7
E71
70
SZOLNOK
Dunaharaszti
Taksony
Martonvásár
Tököl
Százhalombatta
Alsónémedi
Ócsa
SZÉKESFEHÉRVÁR
6 E73
Ráckevei (Soroksári) - Duna
51
50
M5
E75
Ercsi
Duna
KECSKEMÉT

Bizovac *HR* ... 57 F3
Bjelovar *HR* ... 56 C4
Blankenhain *D* ... 32 B4
Blansko *CZ* ... 43 E4
Błaszki *PL* ... 28 B2
Blatná *CZ* ... 41 F4
Blatnice *CZ* ... 44 A3
Bled *SLO* ... 48 B1
Bleiburg *A* ... 49 D2
Blinja *HR* ... 56 B2
Blizne *PL* ... 38 B2
Błogoszów *PL* ... 37 D4
Błonie *PL* ... 27 E1
Błonie *PL* ... 29 F3
Błonie *PL* ... 31 D3
Bloška Polica *SLO* ... 55 D3
Blovice *CZ* ... 33 E1
Bobingen *D* ... 40 A2
Bobolice *PL* ... 21 E3
Bobrka *UA* ... 39 F2
Bobrowice *PL* ... 26 C3
Bobrowniki *PL* ... 25 E2
Bochnia *PL* ... 37 E2
Bochov *CZ* ... 33 D2
Boćki *PL* ... 25 D1
Böckstein *A* ... 48 A3
Bócsa *H* ... 51 F2
Bocşa *RO* ... 59 F3
Bocşa Vasiovei *RO* ... 59 F3
Bocsig *RO* ... 53 E1
Bodenmais *D* ... 41 E3
Bodenwöhr *D* ... 40 C4
Bodrogkeresztúr *H* ... 46 B2
Bodzanów *PL* ... 29 E4
Bodzentyn *PL* ... 37 F4
Bogatic *YU* ... 58 B1
Bogatynia *PL* ... 34 B4
Bogdand *RO* ... 53 F4
Bogdaniec *PL* ... 26 C4
Bogen *D* ... 41 D3
Bogojevo *YU* ... 58 B3
Boguszow-Gorce *PL* ... 35 D3
Bohdalov *CZ* ... 34 C1
Bohinjska Bistrica *SLO* ... 48 B1
Böhönye *H* ... 50 C1
Bojanów *PL* ... 38 B3
Bojanowo *PL* ... 27 E2
Bol Sabsk *RUS* ... 5 E2
Bol'šakovo *RUS* ... 15 D2
Bolechov *UA* ... 47 F4
Bolemin *PL* ... 26 C4
Bolesławiec *PL* ... 26 C1
Bolesławów *PL* ... 35 E2
Boleszkowice *PL* ... 26 B4
Bolków *PL* ... 35 D4
Bolszewo *PL* ... 19 D3
Bóly *H* ... 57 F4
Bonyhád *H* ... 51 D1
Bor *CZ* ... 33 D1
Bordány *H* ... 52 B1
Borek Wielkopolski *PL* ... 27 F2
Borgå/Porvoo *FIN* ... 3 E4
Borin'a *UA* ... 47 D4
Borislav *UA* ... 47 E4
Borkoviči *SU* ... 13 F1
Borla *RO* ... 53 F3
Borna *D* ... 32 C4
Borod *RO* ... 53 F3
Borovany *CZ* ... 42 B3
Boroviči *RUS* ... 9 F3
Borowa *PL* ... 27 F1
Borş *RO* ... 53 E3
Borsodnádasd *H* ... 45 F1
Borzechowo *PL* ... 22 B3
Bosanci *HR* ... 55 F3
Bosanska Dubica *BIH* ... 56 C2
Bosanska Gradiška *BIH* ... 57 D2
Bosanska Krupa *BIH* ... 56 B1
Bosanska Rača *BIH* ... 58 B1
Bosanski Brod *BIH* ... 57 E2
Bosanski Novi *HR* ... 56 B2
Bosanski Petrovac *BIH* ... 56 B1
Bosanski Šamac *BIH* ... 57 F2
Boskovice *CZ* ... 35 D1
Bošnjaci *HR* ... 58 A2
Bőszénfa *H* ... 50 C1
Bovec *SLO* ... 48 A1
Brad *RO* ... 53 F1
Brand-Erbisdorf *D* ... 33 E4
Brandýs n Labem *CZ* ... 34 A2

Brandýsek *CZ* 33 F2
Braničevo *YU* 59 F1
Braniewo *PL* 14 A1
Branišovice *CZ* 43 E3
Brankovice *CZ* 43 F4
Brannenburg *D* 40 C1
Brańsk *PL* 24 C1
Braslav *SU* 13 E1
Bratca *RO* 53 F3
Bratislava *SK* 43 F1
Bratków Din *PL* 28 C2
Braunau *A* 41 E2
Brčko *BIH* 58 A1
Břeclav *CZ* 43 E3
Breitengussbach Hallstadt *D* 32 A2
Brest *SU* 31 E3
Brestova *HR* 55 D2
Brežice *SLO* 56 A4
Breznica *HR* 56 B4
Březnice *CZ* 33 E1
Brezno *SK* 45 E3
Brezová *SK* 44 A2
Brezovica *SK* 46 A4
Brezovo Polje *BIH* 58 A1
Brieskow-Finkenheerd *D* 26 B3
Brněnec *CZ* 35 D1
Brno *CZ* 43 E3
Broceni *LV* 11 D3
Brod na Kupi *HR* 55 E3
Brodnica *PL* 22 C2
Brody *PL* 26 B2
Brody *PL* 26 C3
Brody *PL* 37 F4
Brok *PL* 24 B1
Bromarv *FIN* 2 B3
Broumov *CZ* 35 D3
Brtnice *CZ* 43 D4
Bruck *D* 41 D4
Bruck an der Leitha *A* 43 E1
Bruck an der Mur *A* 49 D3
Brückl *A* 48 C2
Brudzeń Duży *PL* 29 D4
Bruntál *CZ* 35 F2
Brušane *HR* 55 F1
Brüssow *D* 20 A2
Brusy *PL* 22 A3
Brwinów *PL* 29 F3
Brzeg *PL* 35 F4
Brzeg Dolny *PL* 27 E1
Brześć Kujawski *PL* 28 C4
Brzesko *PL* 37 E2
Brzeszcze *PL* 36 C2
Brzezie *PL* 21 E3
Brzezie *PL* 28 B2
Brzeziny *PL* 28 B2
Brzeziny *PL* 29 D2
Brzeźnica *PL* 38 A2
Brzostek *PL* 38 A2
Brzoza *PL* 22 A1
Brzoza *PL* 30 B2
Brzozie Lubawskie *PL* 23 D2
Brzozów *PL* 38 B2
Bučany *SK* 44 A2
Buchenwald *D* 32 A4
Buchloe *D* 40 A2
Bucin *UA* 31 F2
Buckow *D* 26 A4
Bucsa *H* 52 C3
Buczek *PL* 29 D2
Buczyna *PL* 39 D2
Budaörs *H* 51 E3
Budapest *H* 51 E4
Budilovo *RUS* 5 D1
Budišov nad Budišovkou *CZ* 35 F1
Budomierz *PL* 39 D2
Budowo *PL* 18 C2
Budry *PL* 24 B4
Budureasa *RO* 53 F2
Budyně nad Ohří *CZ* 33 F3
Budzyń *PL* 21 E1
Buje *HR* 54 C3
Buk *PL* 27 E3
Bukowiec *PL* 27 D3
Bukowina Tatrzańska *PL* 45 E4
Bukowo Morskie *PL* 18 B2
Bukowsko *PL* 38 B1
Bulkowo *PL* 29 E4
Burg Vetschau *D* 26 A2
Bürgel *D* 32 B4
Burghausen *D* 41 D2
Burgkunstadt *D* 32 A3
Burglengenfeld *D* 40 C4
Burjuc *RO* 53 F1
Burštyn *UA* 39 F1
Busk *UA* 39 F2
Busko-Zdrój *PL* 37 E3
Buśno *PL* 31 E1
Buteni *RO* 53 E1
Buttelstedt *D* 32 B4
Buzet *HR* 55 D3
Buziaş *RO* 59 F3
Bychawa *PL* 30 C1
Byczki *PL* 29 E3
Byczyna *PL* 28 B1
Bydgoszcz *PL* 22 A2
Bylnice *CZ* 44 B3
Bystřice *CZ* 34 A1
Bystřice nad Pernštejnem *CZ* 35 D1
Bystřice pod Hostýnem *CZ* 44 A4
Bystrzyca Kłodzka *PL* 35 D3
Byszyno *PL* 21 D3
Bytča *SK* 44 C4
Bytom *PL* 36 C3
Bytom Odrzański *PL* 27 D2
Bytonia *PL* 22 B3
Bytów *PL* 18 C2
Bzenec *CZ* 43 F3

C

Căbeşti *RO* 53 F2
Čačinci *HR* 57 E3
Čadca *SK* 44 C4
Cadjavica *HR* 57 E3
Čakajovce *SK* 44 B2
Cakovec *HR* 50 A1
Calau *D* 26 A2
Camburg *D* 32 B4
Cáorle *I* 54 B3
Capel'ka *RUS* 9 E3
Căpruţa *RO* 53 E1
Cărăşeu *RO* 47 E1
Caraşova *RO* 59 F2
Cărbunari *RO* 59 F1
Carei *RO* 53 F4
Carnia *I* 48 A1
Cărpiniş *RO* 59 E3
Casekow *D* 20 A2
Čáslav *CZ* 34 B2
Căuaş *RO* 53 F4
Cazin *BIH* 56 B2
Cazma *HR* 56 C3
Cece *H* 51 E2
Čechtice *CZ* 34 B1
Cedynia *PL* 20 A1
Cegléd *H* 52 A3
Ceica *RO* 53 E2
Čejč *CZ* 43 F3
Ceków Kolonia *PL* 28 B2
Čelákovice *CZ* 34 A2
Čelić *BIH* 58 A1
Celje *SLO* 49 D1
Celldömölk *H* 50 B3
Čenta *YU* 59 D2
Čepin *HR* 57 F3
Ceranów *PL* 24 B1
Cered *H* 45 E1
Cerkníca *SLO* 55 D3
Cermei *RO* 53 E2
Čern'achovsk *RUS* 15 D2
Čern'any *SU* 31 F3
Černá *CZ* 42 A3
Černá Hora *CZ* 43 E4
Černevo *RUS* 9 D4
Cernik *HR* 57 D2
Černošin *CZ* 33 D2
Černovice *CZ* 42 B4
Certeze *RO* 47 F1
Červená Skala *SK* 45 E3
Červená Voda *CZ* 35 E2
Červená-Řečice *CZ* 34 B1
Červeny Kostelec *CZ* 35 D3
Cervignano del Friuli *I* 54 B4
Červonograd *UA* 39 F3
Cesarzowice *PL* 35 D4
Cēsis *LV* 12 B4
Česká Kamenice *CZ* 34 A4
Česká Lípa *CZ* 34 A3
Česká Skalice *CZ* 34 C3
Česká Třebová *CZ* 35 D2
České Budějovice *CZ* 42 B3
České Velenice *CZ* 42 B3
Český Brod *CZ* 34 B2
Český Krumlov *CZ* 42 A3
Český Těšín *CZ* 36 B1
Cesvaine *LV* 12 C4
Cham *D* 41 D4
Charbowo *PL* 28 A4
Cheb *CZ* 32 C2
Chęciny *PL* 37 E4
Chelm *PL* 31 E1
Chełmek *PL* 36 C2
Chełmno *PL* 22 B2
Chełmża *PL* 22 B2
Chełst *PL* 21 D1
Chemnitz *D* 33 D4
Chieming *D* 41 D1
Chióggia *I* 54 A2
Chişineu Criş *RO* 53 D2
Chiusaforte *I* 48 A1
Chlebowo *PL* 26 B3
Chlewiska *PL* 29 F1
Chlumec nad Cidlinou *CZ* 34 C2
Chmielnik *PL* 37 E3
Choceń *CZ* 35 D2
Chochołów *PL* 45 E4
Chocianów *PL* 27 D1
Chociwel *PL* 20 C2
Choczewo *PL* 19 D3
Chodecz *PL* 28 C4
Chodel *PL* 30 C1
Chodorov *UA* 39 F1
Chodová Planá *CZ* 33 D2
Chodzież *PL* 21 E1
Chojna *PL* 20 B1
Chojnice *PL* 21 F3
Chojnów *PL* 27 D1
Chomęciska Małe *PL* 39 D4
Chomutov *CZ* 33 E3
Chorzele *PL* 23 F2
Chorzów *PL* 36 C3
Chorzyna *PL* 28 C1
Choszczno *PL* 20 C2
Chotěboř *CZ* 34 C1
Chrast *CZ* 34 C2
Chrastava *CZ* 34 B4
Chrudim *CZ* 34 C2
Chrząchówek *PL* 30 C2
Chrzanów *PL* 36 C2
Chust *UA* 47 E2
Chwaszczyno *PL* 19 E3
Chyňava *CZ* 33 F2
Chýnov *CZ* 42 B4
Chyrov *UA* 39 D1
Ciąże *PL* 28 B3
Ciechanów *PL* 23 E1
Ciechanowiec *PL* 24 C1
Ciechocinek *PL* 22 C1
Ciepielów *PL* 30 B1
Cieplice Śląskie-Zdrój *PL* 34 C4
Cieszanów *PL* 39 D3
Cieszyn *PL* 36 B1
Cigánd *H* 46 C2

Cínovec CZ 33 E3
Ciółkowo PL 29 E4
Čirkovicy RUS 5 E3
Cisna PL 46 C4
Ciucea RO 53 F3
Ciumeghiu RO 53 D2
Cividale di Friuli I 54 C4
Cizer RO 53 F3
Ćmielów PL 38 A4
Cmolas PL 38 B3
Coburg D 32 A3
Codróipo I 54 B4
Čoka YU 58 C4
Colditz D 33 D4
Comorişte RO 59 F2
Conegliano I 54 A4
Čop UA 46 C2
Copalnic-Mănăştur RO 47 F1
Čornaja Rečka RUS 9 D3
Cottbus D 26 B2
Covăsinţ RO 53 D1
Craiova RO 53 E2
Crasna RO 53 F3
Crepaja YU 59 D2
Cres HR 55 D2
Creussen D 32 B2
Crikvenica HR 55 E2
Crimmitschau D 32 C4
Crišnjeva HR 55 E2
Črna SLO 49 D1
Črnomelj SLO 55 F3
Crvenka YU 58 B3
Csabacsüd H 52 C2
Csanádapáca H 52 C2
Csanytelek H 52 B2
Császártöltés H 51 F1
Csávoly H 58 B4
Csenger H 47 D1
Csengersima H 47 D1
Cserebökény H 52 B2
Cserkeszőlő H 52 B2
Csobád H 46 B2
Csökmő H 53 D3
Csokonyavisonta H 57 D4
Csongrád H 52 B2
Csór H 51 D3
Csorna H 50 B4
Csorvás H 52 C2
Čunski HR 55 D1
Curug YU 58 C3
Cuveşdia RO 59 F4
Cvikov CZ 34 A4
Cybinka PL 26 B3
Cyców PL 31 D2
Czacz PL 27 E3
Czaplinek PL 21 D3
Czarna PL 47 D4
Czarna Białostocka PL 25 D2
Czarna Dąbrówka PL 19 D2
Czarne PL 21 E3
Czarnków PL 21 E1
Czarny Dunajec PL 37 D1
Czechowice-Dziedzice PL 36 C2
Czempiń PL 27 E3
Czerniejewo PL 28 A4
Czernikowo PL 22 C1
Czersk PL 22 A3
Częstochowa PL 36 C4
Człopa PL 21 D2
Człuchów PL 21 F3
Czyżew-Osada PL 24 C1

D

Dabas H 51 F3
Dąbie PL 20 B2
Dąbie PL 28 C3
Dąbrowa PL 36 A3
Dąbrowa Białostocka PL 25 D3
Dąbrowa Górnicza PL 36 C3
Dąbrowa Tarnowska PL 37 F2
Dąbrówka Kościelna PL 24 C1
Dąbrówno PL 23 D2
Dachau D 40 B2
Dachnów PL 39 D3
Dačice CZ 42 C3
Dagda LV 13 E2
Daleszyce PL 37 F4
Daliowa PL 38 B1
Dalj HR 58 A3
Dalsbruk/Taalintehdas FIN 2 B3
Damasławek PL 21 F1
Daniszyn PL 28 A2
Darány H 57 D4
Darbėnai LT 10 B1
Darda HR 58 A3
Darłówko PL 18 B3
Darłowo PL 18 B3
Dąrowa PL 30 C4
Daruvar HR 57 D3
Dašice CZ 34 C2
Dasing D 40 A2
Dasswang D 40 B4
Daszyna PL 29 D3
Daugavpils LV 13 D1
Davle CZ 34 A2
Dębe Wielkie PL 30 B3
Dębica PL 38 A2
Dębina PL 35 F3
Deblin PL 30 B2
Dębnica Kaszubska PL 18 C3
Dębno PL 20 B1
Debrc YU 58 C1
Debrecen H 53 D4
Debrzno PL 21 F2
Dęby PL 24 A2
Děčín CZ 33 F4
Dédestapolcsány H 45 F2
Degerby FIN 3 D3
Degerndorf D 40 C1
Deggendorf D 41 D3
Delnice HR 55 E3
Demandice SK 44 C1
Denkendorf D 40 B3
Derečin SU 25 F2
Derecske H 53 D3
Derventa BIH 57 E2
Deseşti RO 47 F1
Dešov CZ 43 D3
Despotovo YU 58 B3
Deszk H 52 B1
Deta RO 59 E3
Deutsch-Wagram A 43 E2
Deutschkreutz A 50 A4
Deutschlandsberg A 49 D2
Dévaványa H 52 C3
Devecser H 50 C3
Diagučiai LT 17 E4
Dienten A 48 A3
Diessen D 40 A1
Dietfurt D 40 B4
Dieveniškės LT 17 D1
Dignano I 54 B4
Dingolfing D 41 D3
Dippoldiswalde D 33 E4
Disna SU 13 F1
Divin SU 31 F3
Divusa HR 56 B2
Djakovo HR 57 F2
Djurdjevac HR 56 C4
Dłoń PL 27 F2
Doba RO 47 D1
Dobanovci YU 59 D1
Dobczyce PL 37 D2
Dobele LV 11 E2
Döbeln D 33 D4
Döbern D 26 B2
Dobersberg A 42 C3
Dobiegniew PL 20 C1
Doboj BIH 57 E1
Dobra PL 20 C3
Dobra PL 28 C3
Dobrá Niva SK 45 D2
Dobre PL 30 B4
Dobre Miasto PL 23 E4
Döbriach A 48 B2
Dobřichovice CZ 33 F2
Dobříš CZ 33 F2
Dobrodzień PL 36 B3
Dobromierz PL 35 D4
Dobroszyce PL 27 F1
Dobrovol'sk RUS 15 E2
Dobruči RUS 4 C1
Dobruška CZ 35 D2
Dobrzany PL 20 C2
Dobrzyca PL 28 A2
Dobrzyń n Wista PL 29 D4
Doksy CZ 34 A3
Dolenja Vas SLO 55 E3
Dolga Vas SLO 50 A2
Dolgoje UA 47 E2
Dolhobyczów PL 39 E4
Dolice PL 20 C2
Dolina UA 47 F4
Doljani HR 56 B1
Dolní Dvonste CZ 42 B3
Dolný Kubín SK 45 D4
Domažlice CZ 33 D1
Dombegyház H 53 D1
Dombóvár H 51 D1
Dombrád H 46 C2
Dömsöd H 51 E3
Domzale SLO 55 E4
Donaustauf D 40 C3
Donauwörth D 40 A3
Donji Lapac HR 56 B1
Donji Miholjac HR 57 E3
Donnersbach A 48 C3
Dorfen D 40 C2
Dormánd H 52 B4
Dornburg D 32 B4
Dorog H 51 E4
Dorohucza PL 31 D1
Dr Petru Groza RO 53 F2
Drachselsried D 41 E4
Drăgeşti RO 53 E3
Draginje YU 58 C1
Dragsfjärd FIN 2 B3
Drahonice CZ 42 A4
Drahovce SK 44 B2
Drasenhofen A 43 E3
Drávaszabolcs H 57 E3
Dravograd SLO 49 D2
Drawno PL 21 D2
Drawsko Pomorski PL 21 D2
Drazdzewo PL 23 F2
Draženov CZ 33 D1
Drebkau D 26 A2
Dresden D 33 E4
Drezdenko PL 21 D1
Dreznik-Grad HR 56 A2
Drnholec CZ 43 E3
Drobin PL 23 D1
Drogobyč UA 39 E1
Drohiczyn PL 30 C4
Drołtowice PL 28 A1
Drosendorf Stadt A 42 C3
Druja SU 13 E1
Druskininkai LT 25 E4
Dubá CZ 34 A3
Duben D 26 A3
Dubica HR 56 C2
Dubnica nad Váhom SK 44 B3
Dubovac YU 59 E1
Dubovoje UA 47 F2
Dubrovka RUS 9 F2
Ducherow D 20 A3
Duga Resa HR 55 F3
Dugo Selo HR 56 B3
Duino I 54 C3
Dukla PL 38 B1
Dūkštas LT 17 E4
Dulovka RUS 9 D2

Dumaca *YU* ... 58 C1
Dunaföldvár *H* ... 51 E2
Dunaharaszti *H* ... 51 E3
Dunajská Streda *SK* ... 44 A1
Dunakeszi *H* ... 51 E4
Dunapataj *H* ... 51 E2
Dunaszekcső *H* ... 58 A4
Dunaújváros *H* ... 51 E2
Dunavecse *H* ... 51 E2
Dundaga *LV* ... 6 B1
Dunilovići *SU* ... 17 F3
Durbe *LV* ... 10 B2
Dürnkrut *A* ... 43 E2
Dürnstein *A* ... 42 C2
Dusetos *LT* ... 12 C1
Dusnok *H* ... 51 E1
Dusocin *PL* ... 22 C3
Dvor *HR* ... 56 B2
Dvorce *CZ* ... 35 F2
Dvůr Králové nad Labem *CZ* ... 34 C3
Dylewo *PL* ... 24 A2
Dynów *PL* ... 38 C2
Dziadkowice *PL* ... 31 D4
Działdowo *PL* ... 23 E2
Działoszyce *PL* ... 37 E3
Dziemiany *PL* ... 19 D2
Dzierzgoń *PL* ... 22 C3
Dzierżoniów *PL* ... 35 D3
Dziwnów *PL* ... 20 B4
Dźwierzuty *PL* ... 23 F3

E

Ebbo/Epoo *FIN* ... 3 F4
Eben im Pongau *A* ... 48 A3
Ebenfurth *A* ... 43 E1
Ebensee *A* ... 48 B4
Ebermannstadt *D* ... 32 A2
Ebern *D* ... 32 A2
Ebersbach *D* ... 34 A4
Ebersberg *D* ... 40 C2
Eberschwang *A* ... 41 E2
Eberstein *A* ... 48 C2
Eberswalde *D* ... 20 A1
Ebreichsdorf *A* ... 43 E1
Ečka *YU* ... 59 D2
Ecsegfalva *H* ... 52 C3
Edelény *H* ... 46 A2
Eferding *A* ... 41 F2
Eger *H* ... 45 F1
Egerlövő *H* ... 52 C4
Egervár *H* ... 50 B2
Eggenburg *A* ... 43 D2
Eggenfelden *D* ... 41 D2
Eggesin *D* ... 20 A3
Egiertowo *PL* ... 19 D2
Egyek *H* ... 52 C4
Eibenstock *D* ... 32 C3
Eibiswald *A* ... 49 D2
Eichendorf *D* ... 41 D3
Eichstätt *D* ... 40 B3
Eisenberg *D* ... 32 B4
Eisenerz *A* ... 49 D4
Eisenhüttenstadt *D* ... 26 B3
Eisenkappel *A* ... 48 C1
Eisenstadt *A* ... 50 A4
Eisfeld *D* ... 32 A3
Eišiškės *LT* ... 17 D1
Ekenäs/Tammisaari *FIN* ... 2 C3
Elbląg *PL* ... 22 C4
Eleja *LV* ... 11 E2
Elek *H* ... 53 D2
Ełk *PL* ... 24 B3
Ellingen *D* ... 40 A4
Előszállás *H* ... 51 E2
Elsterberg *D* ... 32 C3
Elva *EST* ... 8 B3
Emőd *H* ... 46 A1
Encs *H* ... 46 B2
Endorf *D* ... 40 C1
Endrőd *H* ... 52 C2
Enese *H* ... 50 C4
Engelhartszell *A* ... 41 F2
Engure *LV* ... 11 D4
Enns *A* ... 42 B2
Enying *H* ... 51 D2
Epoo/Ebbo *FIN* ... 3 F4
Eraclea *I* ... 54 A3
Eraclea-Mare *I* ... 54 B3
Erbendorf *D* ... 32 C2
Ercsi *H* ... 51 E3
Érd *H* ... 51 E3
Erding *D* ... 40 C2
Erfurt *D* ... 32 A4
Ērgli *LV* ... 12 B3
Ergoldsbach *D* ... 40 C3
Erlangen *D* ... 32 A1
Ernstbrunn *A* ... 43 E2
Eržvilkas *LT* ... 15 E3
Esbo/Espoo *FIN* ... 3 D3
Eschenbach *D* ... 32 B2
Eschenlohe *D* ... 40 A1
Espoo/Esbo *FIN* ... 3 D3
Essenbach *D* ... 40 C3
Esztergom *H* ... 51 E4
Euratsfeld *A* ... 42 B1
Ezeriş *RO* ... 59 F3
Ezernieki *LV* ... 13 E2

F

Faak *A* ... 48 B2
Fábiánháza *H* ... 47 D1
Falkenstein *D* ... 32 C3
Fărcaşa *RO* ... 47 E1
Farkasgyepü *H* ... 50 C3
Farkaždin *YU* ... 59 D2
Fegyvernek *H* ... 52 B3
Fehérgyarmat *H* ... 47 D1
Fehring *A* ... 49 F2
Feketic *YU* ... 58 C3
Feld *A* ... 48 B2
Feldafing *D* ... 40 B1
Feldbach *A* ... 49 E2
Feldkirchen *A* ... 48 B2
Feldkirchen *D* ... 40 C1
Felnac *RO* ... 59 E4
Felsőszentiván *H* ... 58 B4
Felsőtárkány *H* ... 45 F1
Fenékpuszta *H* ... 50 B2
Ferdinandshof *D* ... 20 A3
Feričanci *HR* ... 57 E3
Fertőszentmiklós *H* ... 50 B4
Feucht *D* ... 32 A1
Fibiş *RO* ... 59 F4
Fil'akovo *SK* ... 45 E2
Finby/Särkisalo *FIN* ... 2 B3
Finsterwalde *D* ... 26 A2
Firiza *RO* ... 47 F1
Firlej *PL* ... 30 C2
Fîrliug *RO* ... 59 F3
Fischamend *A* ... 43 E1
Flöha *D* ... 33 D4
Fohnsdorf *A* ... 48 C3
Földeák *H* ... 52 B1
Földes *H* ... 53 D3
Folmava *CZ* ... 41 D4
Fonyód *H* ... 50 C2
Forchheim *D* ... 32 A2
Forráskút *H* ... 52 B1
Forsby/Koskenkylä *FIN* ... 3 F4
Forst *D* ... 26 B2
Forth *D* ... 32 A1
Frampol *PL* ... 38 C4
Frankenberg *D* ... 33 D4
Frankenburg *A* ... 41 E1
Frankenmarkt *A* ... 41 E1
Frankfurt (Oder) *D* ... 26 B3
Františkovy Lázně *CZ* ... 32 C2
Frasdorf *D* ... 40 C1
Frauenau *D* ... 41 E3
Frauenstein *D* ... 33 E4
Freiberg *D* ... 33 E4
Freihung *D* ... 32 B1
Freilassing *D* ... 41 D1
Freising *D* ... 40 B2
Freistadt *A* ... 42 B2
Freital *D* ... 33 E4
Freystadt *D* ... 40 B4
Freyung *D* ... 41 E3
Friedberg *A* ... 49 F3
Friedberg *D* ... 40 A2
Friedersdorf *D* ... 26 A3
Friedland *D* ... 26 B3
Friesach *A* ... 48 C2
Frohburg *D* ... 32 C4
Frohnleiten *A* ... 49 D3
Frombork *PL* ... 14 A1
Frontenhausen *D* ... 41 D2
Frýdek-Místek *CZ* ... 36 B1
Frýdlant *CZ* ... 34 B4
Frygnowo *PL* ... 23 D2
Frymburk *CZ* ... 42 A3
Frysztak *PL* ... 38 B2
Fulnek *CZ* ... 36 A1
Fülöpszállás *H* ... 51 F2
Fürstenfeld *A* ... 49 F3
Fürstenfeldbruck *D* ... 40 B2
Fürstenwalde *D* ... 26 A4
Fürstenzell *D* ... 41 E2
Furta *H* ... 53 D3
Fürth *D* ... 32 A1
Furth im Wald *D* ... 41 D4
Füssen *D* ... 40 A1
Futog *YU* ... 58 C2
Füzesabony *H* ... 52 B4
Füzesgyarmat *H* ... 53 D3

G

Gabčíkovo *SK* ... 44 A1
Gąbin *PL* ... 29 D4
Gadna *H* ... 46 A2
Gaj *YU* ... 59 E1
Gajary *SK* ... 43 E2
Galanta *SK* ... 44 A2
Galgaguta *H* ... 45 D1
Galgamácsa *H* ... 51 F4
Gallneukirchen *A* ... 42 A2
Gaming *A* ... 42 C1
Ganacker *D* ... 41 D3
Gangkofen *D* ... 41 D2
Gänserndorf *A* ... 43 E2
Garbów *PL* ... 30 C2
Garching *D* ... 41 D2
Gardeja *PL* ... 22 C3
Gárdony *H* ... 51 E3
Garešnica *HR* ... 56 C3
Gargždai *LT* ... 14 C4
Garkalne *LV* ... 11 F3
Gars am Kamp *A* ... 42 C2
Gartz *D* ... 20 B2
Garwolin *PL* ... 30 B3
Gasztony *H* ... 50 A2
Gat *UA* ... 47 D2
Gătaia *RO* ... 59 F3
Gatčina *RUS* ... 5 F3
Gátér *H* ... 52 B2
Gávavencsellő *H* ... 46 B2
Gavry *RUS* ... 13 E4
Gdańsk *PL* ... 19 E2
Gdov *RUS* ... 8 C4
Gdów *PL* ... 37 E2
Gdynia *PL* ... 19 E3
Gefell *D* ... 32 B3
Gefrees *D* ... 32 B2
Gehren *D* ... 32 A4

Geiselhöring D 41 D3
Geisenfeld D 40 B3
Geisenhausen D 40 C2
Geithain D 33 D4
Gemerská Poloma SK 45 F3
Gemona del Friuli I 48 A1
Generalski Stol HR 55 F2
Gera D 32 C4
Geras A 42 C3
Geretsried D 40 B1
Gerovo HR 55 E3
Gersthofen D 40 A2
Gföhl A 42 C2
Giarmata RO 59 E4
Gic H 50 C3
Gidle PL 36 C4
Giedraičiai LT 17 D3
Gielniów PL 29 F2
Gietrzwałd PL 23 E3
Giraltovce SK 46 B4
Giulești RO 47 F1
Giżycko PL 24 B4
Glashütte D 33 E4
Glauchau D 32 C4
Glavičice BIH 58 B1
Gleisdorf A 49 E3
Glina HR 56 B2
Glinka PL 36 C1
Glinojeck PL 23 E1
Gliwice PL 36 B3
Głodowa PL 18 B2
Gloggnitz A 49 F4
Głogów PL 27 D2
Głogów Malopolski PL 38 B2
Głogówek PL 36 A3
Główczyce PL 18 C3
Glowno PL 29 D3
Gložan YU 58 B2
Głubczyce PL 36 A2
Głuchołazy PL 35 F3
Glušci YU 58 B1
Głuszyca PL 35 D3
Gmünd A 48 A2
Gmünd A 42 B3
Gmund D 40 B1
Gmunden A 41 F1
Gniechowice PL 35 E4
Gniew PL 22 C3
Gniewkowo PL 22 B1
Gniezno PL 28 A4
Göd H 51 E4
Godętowo PL 19 D3
Godkowo PL 23 D4
Gödöllő H 51 F4
Godovič SLO 55 D4
Godowa PL 38 B2
Gödre H 51 D1
Göhren D 20 A4
Gol'sany SU 17 E1
Gołańcz PL 21 F1
Golčův-Jeníkov CZ 34 C2
Golczewo PL 20 B3
Goldap PL 15 E1
Goleniów PL 20 B3
Goleniowy PL 37 D3
Golina PL 28 B3
Goliševa LV 13 E3
Golling A 48 A4
Golovno UA 31 F2
Golssen D 26 A3
Golub Dobrzyń PL 22 C2
Golubac YU 59 F1
Gołymin-Ośrodek PL 23 F1
Gönc H 46 B2
Göpfritz A 42 C3
Góra PL 27 E2
Góra PL 29 E4
Góra Kalwaria PL 30 A3
Góra Puławska PL 30 B2
Gorenja Vas SLO 55 D4
Goričan HR 50 A1
Göritz D 20 A2
Gorízia I 54 C4
Gorlice PL 38 A1
Görlitz D 26 C1
Gornja Radgona SLO 49 F2
Gornja Tuzla BIH 58 A1
Gornji Lapac HR 56 B1
Gornji Podgradci BIH 56 C2
Górno PL 37 F4
Gorochov UA 39 F3
Gorod'ki SU 17 F1
Gorodec RUS 9 F4
Gorodišče RUS 9 F3
Gorodok UA 39 E2
Górowo PL 23 E4
Gorzkowice PL 29 D1
Górzna PL 21 E2
Górzno PL 23 D2
Gorzów Śląski PL 36 B4
Gorzów Wielkopolski PL 20 C1
Górzyca PL 26 B4
Gorzyń PL 27 D4
Gosau A 48 B4
Gościno PL 18 A2
Gospić HR 55 F1
Gössl A 48 B4
Gössweinstein D 32 A2
Gostkow PL 28 C3
Göstling A 49 D4
Gostomia PL 21 D2
Gostycyn PL 22 A2
Gostyń PL 27 F2
Gostynin PL 29 D4
Goszczanówko PL 27 D4
Gotha D 32 A4
Gózd PL 37 E4
Gozdnica PL 26 C2
Grabów PL 28 C3
Grabów n Prosną PL 28 B2
Grabówka PL 25 D2
Grabownica Starzeńska PL 38 B1
Gračanica BIH 57 F1
Gradačac BIH 57 F1
Grădinari RO 59 F2
Gradisca I 54 C4
Grado I 54 C3
Grafenau D 41 E3
Gräfenberg D 32 A1
Grafenwöhr D 32 B2
Grafing D 40 C1
Grafrath D 40 A2
Grajewo PL 24 C3
Grametten A 42 C3
Gramzow D 20 A2
Grankulla/Kauniainen FIN 3 D3
Grassau D 41 D1
Gratkorn A 49 E3
Graz A 49 E3
Greding D 40 B4
Greifenburg A 48 A2
Greiffenberg D 20 A2
Grein A 42 B2
Greiz D 32 C3
Gresten A 42 B1
Griesbach D 41 E2
Grieskirchen A 41 F2
Griffen A 48 C2
Grižkabūdis LT 15 F2
Grobina LV 10 B2
Gröbming A 48 B3
Grocka YU 59 D1
Gródek PL 25 E1
Grodków PL 35 F3
Grodno SU 25 E3
Grodzeń PL 22 C1
Grodzisk Mazowieki PL 29 F3
Grodzisk Wielkoposki PL 27 E3
Grójec PL 29 F3
Gromnik PL 37 F2
Gross Räschen D 26 A2
Gross-Gerungs A 42 B2
Gross-Siegharts A 42 C3
Grossarl A 48 A3
Grossbreitenbach D 32 A3
Grossenzersdorf A 43 E2
Grosshabersdorf D 40 A4
Grosspetersdorf A 50 A3
Grossraming A 42 B1
Grosuplje SLO 55 E4
Grubišno Polje HR 57 D3
Grudusk PL 23 E2
Grudziądz PL 22 C2
Grünau A 41 F1
Grünburg A 42 A1
Grundlsee A 48 B4
Grünheide D 26 A4
Grybów PL 37 F1
Gryfice PL 20 C3
Gryfino PL 20 B2
Gryfów Śląski PL 34 C4
Grzmiąca PL 21 D3
Grzybno PL 22 C2
Gstadt D 40 C1
Guben D 26 B3
Gubin PL 26 B3
Gudavac BIH 56 B1
Gulbene LV 13 D4
Gumpoldskirchen A 43 D1
Gunzenhausen D 40 A4
Gurahonț RO 53 F1
Gurk A 48 C2
Gusev RUS 15 E2
Güssing A 49 F3
Gutenstein A 43 D1
Gvardejsk RUS 14 C2
Gyoma H 52 C2
Gyömrő H 51 F3
Gyöngyös H 52 A4
Gyöngyöspata H 52 A4
Győr H 50 C4
Győrtelek H 47 D1
Gyula H 53 D2

Häädemeeste EST 7 E2
Haag A 42 B1
Haag D 40 C2
Haag am Hausruck A 41 E2
Häälmagiu RO 53 F1
Haapsalu EST 6 C4
Haar D 40 B2
Habartice CZ 34 B4
Hahnbach D 32 B1
Hahót H 50 B2
Hainburg A 43 F1
Hainfeld A 43 D1
Hainichen D 33 D4
Hajdúböszörmény H 53 D4
Hajdúdorog H 46 B1
Hajdúhadház H 53 D4
Hajdúnánás H 46 B1
Hajdúsámson H 53 D4
Hajdúszoboszló H 53 D4
Hajdúszovát H 53 D3
Hajnówka PL 25 D1
Hajós H 51 E1
Halámky CZ 42 B3
Halikko FIN 2 B4
Haljala EST 4 A2
Hallein A 48 A4
Hallstatt A 48 B4
Halmeu RO 47 E1
Hamina FIN 4 B4
Handlová SK 44 C3
Hangö/Hanko FIN 2 B2
Hanko/Hangö FIN 2 B2
Hanušovce SK 46 B3
Hanušovice CZ 35 E2
Hara EST 2 C1
Harburg D 40 A3
Hardegg A 43 D3

Hargla *EST* 8 B1
Harkány *H* 57 E3
Harrachov *CZ* 34 C4
Harta *H* 51 E2
Hartberg *A* 49 F3
Hartha *D* 33 D4
Haslach *A* 42 A2
Hasslach *D* 32 A3
Hatě *CZ* 43 D3
Hatvan *H* 52 A4
Haugsdorf *A* 43 D3
Haunersdorf *D* 41 D3
Hausham *D* 40 C1
Havířov *CZ* 36 B1
Havlíčkův Brod *CZ* 33 D1
Havlíčkův Brod *CZ* 34 C1
Hazlov *CZ* 32 C2
Hegyeshalom *H* 43 F1
Hegyhátsál *H* 50 A2
Heidenau *D* 33 E4
Heidenreichstein *A* 42 C3
Heiligenkreuz *A* 49 F2
Heilsbronn *D* 40 A4
Hel *PL* 19 E3
Hellermaa *EST* 6 C4
Helsingfors/Helsinki *FIN* 3 E3
Helsinki/Helsingfors *FIN* 3 E3
Hemau *D* 40 C4
Hengersberg *D* 41 E3
Herby *PL* 36 C3
Hercegovac *HR* 56 C3
Hercegszántó *H* 58 A4
Herend *H* 50 C3
Heringsdorf *D* 20 A3
Hermagor *A* 48 A2
Heřmanův Městec *CZ* 34 C2
Heroldsberg *D* 32 A1
Herrnhut *D* 34 B4
Herrsching *D* 40 B1
Hersbruck *D* 32 B1
Herzfelde *D* 26 A4
Herzogenaurach *D* 32 A1
Herzogenburg *A* 43 D2
Heves *H* 52 B4
Hévíz *H* 50 B2
Hevlín *CZ* 43 E3
Hidasnémeti *H* 46 B2
Hieflau *A* 49 D4
Hiitinen/Hitis *FIN* 2 B2
Hildburghausen *D* 32 A3
Hilpoltstein *D* 40 B4
Hintersee *D* 20 A3
Hinterstoder *A* 48 C4
Hinterthal *A* 48 A3
Hirschaid *D* 32 A2
Hirschau *D* 32 B1
Hirschberg *D* 32 B3
Hitiaş *RO* 59 F3
Hitis/Hiitinen *FIN* 2 B2
Hlinsko *CZ* 34 C1
Hlohovec *SK* 44 B2
Hluboká nad Vltavou *CZ* 42 B3
Hlučín *CZ* 36 A2
Hluk *CZ* 44 A3
Hniezdne *SK* 45 F4
Hnilec *SK* 45 F3
Hnúšt'a-Likier *SK* 45 E2
Hochburg *A* 41 D2
Höchstädt *D* 40 A3
Höchstadt *D* 32 A2
Hodkovice nad Mohelkou *CZ* 34 B3
Hódmezővásárhely *H* 52 B1
Hodonín *CZ* 43 F3
Hodoš *SLO* 49 F2
Hodošan *HR* 50 A1
Hof *D* 32 B3
Hőgyész *H* 51 D1
Hohenau *A* 43 E2
Hohenberg *A* 42 C1
Hohenbrunn *D* 40 B1
Höhenkirchen *D* 40 B1
Hohenlinden *D* 40 C2
Hohenpeissenberg *D* 40 A1
Hohenschwangau *D* 40 A1
Hohentauern *A* 48 C3
Holešov *CZ* 44 A4
Holíč *SK* 43 F3
Holice *CZ* 34 C2
Hollabrunn *A* 43 D2
Hollád *H* 50 B2
Hollfeld *D* 32 A2
Holmec *SLO* 49 D2
Holod *RO* 53 E2
Holzkirchen *D* 40 B1
Hontianske-Nemce *SK* 45 D2
Hora-Sv-Šebestiána *CZ* 33 E3
Horažd'ovice *CZ* 41 F4
Horgoš *YU* 58 C4
Horia *RO* 53 D1
Hořice *CZ* 34 C3
Horitschon *A* 50 A4
Horn *A* 42 C3
Horná Štubňa *SK* 44 C3
Horní Cerekev *CZ* 42 C4
Horní Lideč *CZ* 44 B4
Horní Planá *CZ* 42 A3
Horní Vltavice *CZ* 41 F3
Hořovice *CZ* 33 E2
Horšovský Týn *CZ* 33 D1
Hort *H* 52 A4
Hortobágy *H* 52 C4
Hostinné *CZ* 34 C3
Hostomice *CZ* 33 F2
Hoyerswerda *D* 26 A2
Hradec Králové *CZ* 34 C2
Hradec nad Moravicí *CZ* 36 A2
Hrádek *CZ* 43 D3
Hrádek nad Nisou *CZ* 34 B4
Hranice *CZ* 36 A1
Hrebenne *PL* 39 E3
Hřensko *CZ* 33 F4
Hriňová *SK* 45 D2
Hrob *CZ* 33 E3
Hrochův Týnec *CZ* 34 C2
Hronov *CZ* 35 D3
Hrotovice *CZ* 43 D3
Hrtkovci *YU* 58 C1
Hrubieszów *PL* 39 E4
Hrušovany *CZ* 43 E3
Hulín *CZ* 44 A4
Humenné *SK* 46 C3
Humpolec *CZ* 34 B1
Hurbanovo *SK* 44 B1
Husinec *CZ* 41 F3
Hustopeče *CZ* 43 E3
Huta Zawadzka *PL* 29 E3
Hüttschlag *A* 48 A3
Hyvinkää *FIN* 3 D4

I

Ibrány *H* 46 C2
Idjoš *YU* 59 D3
Idrija *SLO* 55 D4
Iecava *LV* 11 F3
Igal *H* 51 D1
Ignalina *LT* 17 E4
Igołomia *PL* 37 E2
Iharosberény *H* 50 B1
Iława *PL* 23 D3
Ilbla/Illby *FIN* 3 E4
Ilirska Bistrica *SLO* 55 D3
Illby/Ilbla *FIN* 3 E4
Illmitz *A* 50 B4
Ilmenau *D* 32 A4
Ilok *HR* 58 B2
Iłowa *PL* 26 C2
Iłowiec *PL* 21 D2
Ilūkste *LV* 13 D1
Iłża *PL* 30 A1
Indjija *YU* 58 C2
Indura *SU* 25 E3
Ineu *RO* 53 E1
Ingå/Inkoo *FIN* 2 D3
Ingolstadt *D* 40 B3
Inkoo/Ingå *FIN* 2 D3
Inning *D* 40 A2
Inowłódz *PL* 29 E2
Inowrocław *PL* 22 B1
Insko *PL* 20 C2
Inzell *D* 41 D1
Irdning *A* 48 C4
Iregszemcse *H* 51 D2
Irig *YU* 58 C2
Iršava *UA* 47 E2
Ismaning *D* 40 B2
Isnäs *FIN* 3 F4
Issa *RUS* 13 F4
Istarske Toplice *HR* 54 C3
Iteu *RO* 53 F1
Ivančice *CZ* 43 E3
Ivangorod *RUS* 5 D2
Ivanič Grad *HR* 56 B3
Ivanjska *BIH* 56 C1
Ivankovo *HR* 58 A2
Ivano-Frankovo *UA* 39 E2
Ivanska *HR* 56 C3
Ivenec *SU* 17 F1
Ivje *SU* 17 E1
Izbica Kujawski *PL* 28 C4
Izbicko *PL* 36 A3
Izborsk *RUS* 9 D2
Izola *SLO* 54 C3
Izsák *H* 51 F2

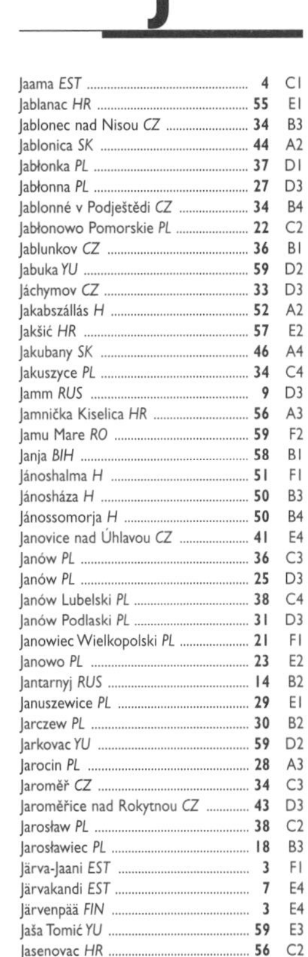

J

Jaama *EST* 4 C1
Jablanac *HR* 55 E1
Jablonec nad Nisou *CZ* 34 B3
Jablonica *SK* 44 A2
Jabłonka *PL* 37 D1
Jabłonna *PL* 27 D3
Jablonné v Podještědí *CZ* 34 B4
Jabłonowo Pomorskie *PL* 22 C2
Jablunkov *CZ* 36 B1
Jabuka *YU* 59 D2
Jáchymov *CZ* 33 D3
Jakabszállás *H* 52 A2
Jakšić *HR* 57 E2
Jakubany *SK* 46 A4
Jakuszyce *PL* 34 C4
Jamm *RUS* 9 D3
Jamnička Kiselica *HR* 56 A3
Jamu Mare *RO* 59 F2
Janja *BIH* 58 B1
Jánoshalma *H* 51 F1
Jánosháza *H* 50 B3
Jánossomorja *H* 50 B4
Janovice nad Úhlavou *CZ* 41 E4
Janów *PL* 36 C3
Janów *PL* 25 D3
Janów Lubelski *PL* 38 C4
Janów Podlaski *PL* 31 D3
Janowiec Wielkopolski *PL* 21 F1
Janowo *PL* 23 E2
Jantarnyj *RUS* 14 B2
Januszewice *PL* 29 E1
Jarczew *PL* 30 B2
Jarkovac *YU* 59 D2
Jarocin *PL* 28 A3
Jaroměř *CZ* 34 C3
Jaroměřice nad Rokytnou *CZ* 43 D3
Jarosław *PL* 38 C2
Jarosławiec *PL* 18 B3
Järva-Jaani *EST* 3 F1
Järvakandi *EST* 7 E4
Järvenpää *FIN* 3 E4
Jaša Tomić *YU* 59 E3
Jasenovac *HR* 56 C2

Jasień PL 26 C2
Jasienica PL 36 C2
Jasienica Rosielna PL 38 B2
Jasionówka PL 24 C2
Jašiūnai LT 17 D2
Jasło PL 38 A2
Jastrebarsko HR 56 A3
Jastrowie PL 21 E2
Jászapáti H 52 B4
Jászárokszállás H 52 B4
Jászberény H 52 A4
Jászfelsószentgyörgy H 52 B3
Jászfényszaru H 52 A4
Jászkisér H 52 B3
Jászladány H 52 B3
Jaunjelgava LV 12 B3
Javořičko CZ 35 E1
Javorov UA 39 D2
Jawor PL 35 D4
Jaworzno PL 36 C2
Jebel RO 59 E3
Jedlina-Zdrój PL 35 D3
Jedovnice CZ 43 E4
Jędrzejów PL 37 E3
Jedwabne PL 24 B2
Jedwabno PL 23 E3
Jēkabpils LV 12 C3
Jelah BIH 57 E1
Jelenia Góra PL 34 C4
Jelgava LV 11 E3
Jełowa PL 36 A4
Jemnice CZ 42 C3
Jena D 32 B4
Jeneč CZ 33 F2
Jennersdorf A 49 F2
Jerzwałd PL 23 D3
Jesenice A 48 B1
Jesenice CZ 33 E2
Jeseník CZ 35 E2
Jésolo I 54 A3
Jevíčko CZ 35 E1
Jevišovice CZ 43 D3
Jezersko SLO 48 C1
Jeżewo PL 23 D1
Jeżewo PL 24 C2
Jeziorany PL 23 E4
Jeżów PL 29 E2
Jičín CZ 34 B3
Jieznas LT 16 B2
Jihlava CZ 42 C4
Jilemnice CZ 34 C3
Jílové u Prahy CZ 34 A2
Jimbolia RO 59 D3
Jimramov CZ 35 D1
Jince CZ 33 F2
Jindřichův Hradec CZ 42 B4
Jirkov CZ 33 E3
Joachimsthal D 20 A1
Jobbágyi H 45 E1
Jõgeva EST 8 B4
Johanngeorgenstadt D 33 D3
Jõhvi EST 4 C2
Jonava LT 16 B3
Joniškis LT 11 E2
Jordanów PL 37 D1
Jordanów Śląski PL 35 E4
Josipdol HR 55 F2
Josipovac HR 57 F3
Jósvafő H 45 F2
Journaankylä FIN 3 E4
Józefów PL 30 A3
Józefów PL 39 D3
Józsa H 53 D4
Judenburg A 48 C3
Juratiški SU 17 E1
Jurbarkas LT 15 E3
Jurjevo HR 55 E2
Jurków PL 37 E2
Jurmala LV 11 E3
Jurmo FIN 2 A2
Jurowce PL 25 D2
Jutrosin PL 27 F2

K

Kaba H 53 D3
Kabböle FIN 3 F4
Kać YU 58 C2
Kačanovo RUS 9 D1
Kácov CZ 34 B1
Kaczorów PL 34 C4
Kadaň CZ 33 E3
Kadarkút H 50 C1
Kadzidło PL 24 A2
Kahla D 32 B4
Käina EST 6 B4
Kaindorf A 49 E3
Kaisheim D 40 A3
Kaišiadoris LT 16 C2
Kál H 52 B4
Kalce SLO 55 D4
Kalesija BIH 58 A1
Kaliningrad RUS 14 B2
Kalisz PL 28 B2
Kalisz Pomorski PL 21 D2
Kallaste EST 8 C4
Kallbäck FIN 3 E4
Kallmünz D 40 C4
Kállósemjén H 46 C1
Kalná nad Hronom SK 44 C2
Kalocsa H 51 E1
Kalsdorf A 49 E2
Kaltanenai LT 17 E3
Kaltinėnai LT 15 E4
Kałuszyn PL 30 B3
Kalvarija LT 16 A1
Kalwang A 49 D3
Kalwaria Zebrzydowska PL 37 D2
Kám H 50 B3
Kámen CZ 42 C4
Kamen'uki SU 25 E1
Kamenec SU 31 E4
Kamenice nad Lipou CZ 42 C4
Kamenka RUS 5 D4
Kamenka-Bugskaja UA 39 F3
Kamenz D 26 A1
Kamień PL 38 B3
Kamień Krajenskie PL 21 F2
Kamień Pomorski PL 20 B3
Kamienica PL 37 E1
Kamieniec Ząbkowicki PL 35 E3
Kamienna Góra PL 35 D4
Kamieńsk PL 29 D1
Kamnik SLO 48 C1
Kandava LV 11 D3
Kanfanar HR 54 C2
Kanjiža YU 58 C4
Kapčiamiestis LT 25 D4
Kapfenberg A 49 D3
Kaplice CZ 42 B3
Kápolna H 52 B4
Kaposvár H 50 C1
Kapušany SK 46 B3
Kapuvar H 50 B4
Karamyševo RUS 9 E2
Karancslapujtő H 45 E2
Karcag H 52 C3
Kardašova-Řečice CZ 42 B4
Kärdla EST 6 B4
Kardoskút H 52 C1
Kargowa PL 27 D3
Karhula FIN 4 B4
Karis/Karjaa FIN 2 C3
Karjaa/Karis FIN 2 C3
Karjala FIN 2 A4
Karkkila FIN 3 D4
Karksi-Nuia EST 7 F2
Karlino PL 18 A2
Karlobag HR 55 E1
Karlovac HR 56 A3
Karlovy Vary CZ 33 D3
Karlštejn CZ 33 F2
Karlstift A 42 B2
Karpacz PL 34 C4
Kärsava LV 13 E3
Kartuzy PL 19 D2
Karvina CZ 36 B2
Kasejovice CZ 33 E1
Käsmu EST 3 F2
Kašperské Hory CZ 41 E4
Kastl D 32 B1
Kaszaper H 52 C1
Katovice CZ 41 F4
Katowice PL 36 C3
Katy Wrocławskie PL 35 E4
Kaufbeuren D 40 A1
Kaufering D 40 A2
Kaukalampi FIN 3 E4
Kaunas LT 16 B2
Kauniainen/Grankulla FIN 3 D3
Kazimierz Dolny PL 30 C1
Kazimierza Wielka PL 37 E3
Kazincbarcika H 46 A2
Kazlu-Rūda LT 16 A2
Kaznějov CZ 33 E2
Kcynia PL 21 F1
Kdyně CZ 41 E4
Kecel H 51 F1
Kecskemét H 52 A2
Kėdainiai LT 16 B3
Kędzierzyn-Koźle PL 36 A3
Kefermarkt A 42 B2
Kehra EST 3 E2
Keila EST 3 D1
Keipene LV 12 B3
Kekava LV 11 F3
Kelebia H 52 A1
Kelebija YU 58 B4
Kelheim D 40 C3
Kelmė LT 15 F4
Kemenný Újezd CZ 42 B3
Kemiö/Kimito FIN 2 B3
Kemnath D 32 B2
Kenderes H 52 C3
Kendice SK 46 B3
Kengyel H 52 B3
Kępice PL 18 C2
Kepno PL 28 B1
Kerava FIN 3 E4
Kerecsend H 45 F1
Kergu EST 7 E4
Kernovo RUS 5 D3
Keszthely H 50 B2
Kétegyháza H 53 D2
Kętrzyn PL 24 A4
Kęty PL 36 C2
Kežmarok SK 45 F4
Kidałowice PL 38 C2
Kiefersfelden D 40 C1
Kielce PL 37 E4
Kiernozia PL 29 E3
Kietrz PL 36 A2
Kihelkonna EST 6 A3
Kije PL 37 E3
Kikala FIN 2 C4
Kikerino RUS 5 E3
Kikinda YU 59 D3
Kikół PL 22 C1
Kilingi-Nõmme EST 7 E2
Kimito/Kemiö FIN 2 B3
Kindberg A 49 E4
Kingisepp RUS 5 D2
Kingissepp EST 6 B2
Kipen' RUS 5 F3
Kirchbach A 49 E2
Kirchberg an der Pielach A 42 C1
Kirchdorf an der Krems A 42 A1
Kirchenlamitz D 32 B2
Kirchenthumbach D 32 B2
Kirchschlag A 49 F3
Kirkkonummi/Kyrkslätt FIN 3 D3
Kisbér H 51 D4
Kisielice PL 22 C3
Kisielnica PL 24 B2

Kisko *FIN* 2 C3
Kisköre *H* 52 B4
Kiskőrös *H* 51 F2
Kiskundorozsma *H* 52 B1
Kiskunfélegyháza *H* 52 A2
Kiskunhalas *H* 51 F1
Kiskunlacháza *H* 51 E3
Kiskunmajsa *H* 52 A1
Kistelek *H* 52 B1
Kisterenye *H* 45 E1
Kisújszállás *H* 52 C3
Kisvárda *H* 46 C2
Kiszkowo *PL* 27 F4
Kiszombor *H* 52 B1
Kittsee *A* 43 F1
Kitula *FIN* 2 C4
Kiviõli *EST* 4 B2
Kl'ucevoje *RUS* 5 D4
Kladno *CZ* 33 F2
Klagenfurt *A* 48 C2
Klaipėda *LT* 14 C4
Klamila *FIN* 4 B4
Klašnice *BIH* 57 D1
Klášterec nad Ohří *CZ* 33 D3
Kláštor *SK* 44 C3
Klatovy *CZ* 41 E4
Klaukkala *FIN* 3 D4
Klaus an der Pyhrnbahn *A* 42 A1
Kłecko *PL* 28 A4
Kleczew *PL* 28 B3
Kleinhaugsdorf *A* 43 D3
Klenči *CZ* 33 D1
Kleśno *PL* 21 D1
Kliczków *PL* 26 C1
Klimontów *PL* 37 E2
Klinča Selo *HR* 56 A3
Klingenbach *A* 50 A4
Klingenthal *D* 32 C3
Klisino *PL* 36 A3
Kljajićevo *YU* 58 B3
Kljuc *BIH* 56 C1
Kłobuck *PL* 36 C4
Kłobuczyn *PL* 27 D2
Kłodawa *PL* 20 C1
Kłodawa *PL* 28 C3
Kłodzko *PL* 35 D3
Kloštar *HR* 57 D4
Klosterneuburg *A* 43 E2
Kluczbork *PL* 36 B4
Kluki *PL* 18 C3
Kluki *PL* 29 D1
Klukowa Huta *PL* 19 D2
Klupe *BIH* 57 E1
Knezevi Vinogradi *HR* 58 A3
Kneževo *HR* 58 A3
Knežica *BIH* 56 C2
Knittelfeld *A* 49 D3
Knyszyn *PL* 24 C2
Kobarid *SLO* 48 B1
Kobrin *SU* 31 F4
Kobułty *PL* 23 F3
Kobyl'nik *SU* 17 F3
Kobylany *PL* 31 E3
Kobylin *PL* 27 F2
Kobyłka *PL* 30 A4
Koceljevo *YU* 58 C1
Kočevje *SLO* 55 E3
Kochel *D* 40 B1
Kock *PL* 30 C2
Kodeń *PL* 31 E3
Köflach *A* 49 D3
Kohila *EST* 3 E1
Kohtla-Järve *EST* 4 B2
Kojetin *CZ* 43 F4
Kokava nad Rimavicou *SK* 45 E2
Koknese *LV* 12 B3
Kołacze *PL* 31 E2
Kolari *YU* 59 E1
Kolárovo *SK* 44 B1
Koláry *SK* 45 D1
Kołbaskowo *PL* 20 B2
Kolbermoor *D* 40 C1
Kołbiel *PL* 30 B3
Kolbuszowa *PL* 38 B3
Kölcse *H* 47 D2
Kołczewo *PL* 20 B3
Kołczygłowy *PL* 18 C2
Koleczkowo *PL* 19 E3
Kolín *CZ* 34 B2
Kolka *LV* 6 B1
Kolno *PL* 24 B2
Koło *PL* 28 C3
Kołobrzeg *PL* 18 A2
Kolonia Korytnica *PL* 30 B2
Kolonowskie *PL* 36 B3
Koloveč *CZ* 33 D1
Kolpino *RUS* 5 F3
Koluszki *PL* 29 E2
Komádi *H* 53 D3
Komańcza *PL* 46 C4
Komárno *SK* 51 D4
Komarno *UA* 39 E2
Komárom *H* 51 D4
Komjáti *H* 46 A2
Komló *H* 57 E4
Kömpöc *H* 52 A1
Konak *YU* 59 E2
Končanica *HR* 57 D3
Kondoros *H* 52 C2
Kondrić *HR* 57 F2
Konice *CZ* 35 E1
Koniecpol *PL* 37 D4
Königs-Wusterhausen *D* 26 A3
Königsbrück *D* 26 A1
Königsbrunn *D* 40 A2
Königsee *D* 32 A4
Königssee *D* 48 A4
Königstein *D* 33 F4
Königswiesen *A* 42 B2
Konin *PL* 28 B3
Konopište *CZ* 34 A2
Konotop *PL* 21 D2
Konotop *PL* 27 D3
Końskie *PL* 29 E1
Konstancin-Jeziorna *PL* 30 A3
Konstantynów *PL* 31 D3
Konstantynów Łodzki *PL* 29 D2
Koosa *EST* 8 B4
Koper *SLO* 54 C3
Kópháza *H* 50 A4
Kopidlno *CZ* 34 B3
Koporje *RUS* 5 D3
Koprivnica *HR* 56 C4
Korbielów *PL* 36 C1
Korczyców *PL* 26 C3
Korczyna *PL* 38 B2
Korfantów *PL* 35 F3
Körmend *H* 50 A2
Korneuburg *A* 43 E2
Kórnik *PL* 27 F3
Koromacno *HR* 55 D2
Koronowo *PL* 22 A2
Körösladány *H* 52 C3
Köröstarcsa *H* 52 C2
Korpavár *H* 50 B1
Korsze *PL* 23 F4
Koryčany *CZ* 43 F3
Korycin *PL* 25 D3
Kościan *PL* 27 E3
Kościerzyna *PL* 19 D2
Kose *EST* 3 E1
Koserow *D* 20 A4
Košetice *CZ* 34 B1
Košice *SK* 46 B3
Koška *HR* 57 F3
Koskenkylä/Forsby *FIN* 3 F4
Koski *FIN* 2 B4
Koskolovo *RUS* 5 D3
Koškovce *SK* 46 C4
Kosów Lacki *PL* 30 C4
Kössen *A* 40 C1
Kostajnica *HR* 56 C2
Kostelec nad Černými *CZ* 34 B2
Kostelec nad Labem *CZ* 34 A2
Kostelec nad Orlicí *CZ* 35 D2
Kostolac *YU* 59 E1
Kostomłoty *PL* 35 D4
Kostrzyn *PL* 26 B4
Kostrzyn *PL* 27 F3
Koszalin *PL* 18 B2
Kőszeg *H* 50 A3
Kosztowo *PL* 21 F2
Koszyce *PL* 37 E2
Kotel'Skij *RUS* 5 D3
Kotka *FIN* 4 B4
Kotlarnia *PL* 36 B2
Kotor Varoš *BIH* 57 D1
Kotorsko *BIH* 57 E1
Kotowice *PL* 36 C3
Kötschach-Mauthen *A* 48 A2
Kötzting *D* 41 D4
Kovačica *YU* 59 D2
Kovarskas *LT* 16 C4
Kovin *YU* 59 E1
Kowal *PL* 29 D4
Kowale Oleckie *PL* 24 B4
Kowalewo Pom *PL* 22 C2
Kowary *PL* 34 C4
Koz'any *SU* 17 F4
Kozarac *BIH* 56 C2
Koziegłowy *PL* 36 C3
Kozienice *PL* 30 B2
Kozina *SLO* 54 C3
Kozłowo *PL* 23 E2
Kozluk *BIH* 58 B1
Koźmin *PL* 28 A2
Kozolupy *CZ* 33 D2
Kożuchów *PL* 27 D2
Krajenka *PL* 21 E2
Krajnik Dolny *PL* 20 A1
Krakovec *UA* 39 D2
Kraków *PL* 37 D2
Králíky *CZ* 35 E2
Kraljevica *HR* 55 E2
Kralovany *SK* 45 D4
Královec *CZ* 34 C3
Kralovice *CZ* 33 E2
Kralupy nad Vltavou *CZ* 33 F2
Kranichfeld *D* 32 A4
Kranj *SLO* 48 C1
Kranjska Gora *SLO* 48 B1
Krapina *HR* 56 A4
Krapkowice *PL* 36 A3
Krasiczyn *PL* 38 C2
Krāslava *LV* 13 E1
Kraslice *CZ* 32 C3
Krásná Lípa *CZ* 34 A4
Krasne Folwarczne *PL* 25 D2
Kraśnik *PL* 38 B4
Krásno nad Kysucou *SK* 44 C4
Krasnogorodskoje *RUS* 13 F4
Krasnoje *SU* 17 F1
Krasnoje *UA* 39 F2
Krasnoje Selo *RUS* 5 F3
Krasnosielec *PL* 23 F2
Krasnoznamensk *RUS* 15 E2
Krasnystaw *PL* 31 D1
Krasznokvajda *H* 46 A2
Kravarsko *HR* 56 B3
Kremnica *SK* 44 C3
Krems *A* 42 C2
Kremsmünster *A* 42 A1
Kretinga *LT* 14 C4
Kreuth *D* 40 B1
Krevo *SU* 17 E1
Kriakėnava *LT* 16 B4
Krieglach *A* 49 E4
Kriváň *SK* 45 D2
Křivoklát *CZ* 33 E2
Křižanov *CZ* 43 D4
Križevci *HR* 56 C4
Krk *HR* 55 E2
Krnjaca *YU* 59 D1
Krnjeuša *BIH* 56 B1
Krnov *CZ* 35 F2
Krobia *PL* 27 F2

Kroczyce *PL* 37 D3
Krokowa *PL* 19 D3
Królowy Most *PL* 25 D2
Kroměříž *CZ* 44 A4
Krompachy *SK* 46 A3
Kronach *D* 32 B3
Kronštadt *RUS* 5 E4
Krośniewice *PL* 29 D3
Krosno *PL* 23 D4
Krosno *PL* 38 B1
Krosno Odrzanskie *PL* 26 C3
Krotoszyn *PL* 28 A2
Krouna *CZ* 34 C1
Krško *SLO* 55 F4
Krumpendorf *A* 48 C2
Krupá *CZ* 33 E2
Krupa na Vrbasu *BIH* 57 D1
Krupina *SK* 45 D2
Kruszwica *PL* 28 B4
Krylovo *RUS* 15 D1
Krymno *UA* 31 F2
Krynica *PL* 37 F1
Krynki *PL* 25 E2
Kryspinów *PL* 37 D2
Kręcin *PL* 20 C2
Krzeczów *PL* 28 C1
Krzepice *PL* 36 B4
Krzesźow *PL* 38 C3
Krzeszowice *PL* 37 D2
Krzeszyce *PL* 26 C4
Krzynowłoga Mała *PL* 23 F2
Krzywiń *PL* 27 E3
Krzyż *PL* 21 D1
Książ Wielki *PL* 37 E3
Kucevo *YU* 59 F1
Kuchl *A* 48 A4
Kudirkos Naumiestis *LT* 15 F2
Kudowa-Zdrój *PL* 35 D3
Kuklin *PL* 23 E2
Kukujevci *YU* 58 B2
Kula *YU* 58 B3
Kuldīga *LV* 10 C3
Kuliai *LT* 15 D4
Kulikov *UA* 39 E2
Kulmbach *D* 32 B2
Kumane *YU* 59 D3
Kumrovec *HR* 56 A4
Kunda *EST* 4 B2
Kunhegyes *H* 52 C3
Kunmadaras *H* 52 C3
Kunovice *CZ* 44 A3
Kunowo *PL* 27 F3
Kunpeszér *H* 51 F3
Kunštát *CZ* 35 D1
Kunszentmárton *H* 52 B2
Kunszentmiklós *H* 51 E3
Kunžak *CZ* 42 C3
Kupferberg *D* 32 B2
Kupiškis *LT* 12 B1
Kuprava *LV* 8 C1
Kurd *H* 51 D1
Kurgolovo *RUS* 4 C3
Kuřim *CZ* 43 E4
Kurów *PL* 30 C2
Kurowice *PL* 29 D2
Kuršėnai *LT* 11 D1
Kušnica *UA* 47 E2
Kutina *HR* 56 C3
Kutná Hora *CZ* 34 B2
Kutno *PL* 29 D3
Kúty *SK* 43 F3
Kuusalu *EST* 3 E2
Kuzmin *YU* 58 B2
Kuzmina *PL* 38 C1
Kuźnica *PL* 25 D3
Kvėdarna *LT* 15 D4
Kwidzyn *PL* 22 C3
Kwilcz *PL* 27 D4
Kybartai *LT* 15 F2
Kyjov *CZ* 43 F3
Kyrkslätt/Kirkkonummi *FIN* 3 D3
Kyrö *FIN* 2 B4
Kyšice *CZ* 33 F2
Kysucké Nové Mesto *SK* 44 C4

L

L'ady *RUS* 9 E4
L'uboml' *UA* 31 F1
L'vov *UA* 39 E2
Laa an der Thaya *A* 43 E3
Łabędzie *PL* 21 D3
Labin *HR* 55 D2
Łabiszyn *PL* 22 A1
Lábod *H* 50 C1
Laćarak *YU* 58 C2
Lądek-Zdrój *PL* 35 E3
Łagiewniki *PL* 35 E4
Łagów *PL* 26 C3
Łagów *PL* 37 F4
Laimbach *A* 42 C2
Lajosmizse *H* 52 A3
Lakitelek *H* 52 B2
Laktasi *BIH* 57 D1
Lam *D* 41 E4
Lambach *A* 41 F1
Lamprechtshausen *A* 41 D1
Lamsfeld *D* 26 A3
Łańcut *PL* 38 C2
Landau *D* 41 D3
Landsberg *D* 40 A2
Landshut *D* 40 C2
Langenisarhofen *D* 41 D3
Langenlois *A* 42 C2
Langenwang *A* 49 E4
Langquaid *D* 40 C3
Langweid *D* 40 A3
Lanškroun *CZ* 35 D2
Lanžhot *CZ* 43 F3
Lapinjärvi/Lappträsk *FIN* 3 F4
Lappohja/Lappvik *FIN* 2 C3
Lappträsk/Lapinjärvi *FIN* 3 F4
Lappvik/Lappohja *FIN* 2 C3
Łapy *PL* 24 C2
Łask *PL* 29 D2
Łaskarzew *PL* 30 B2
Łasko *PL* 21 D1
Laško *SLO* 55 F4
Laskowice *PL* 35 F3
Lassan *D* 20 A3
Łaszczów *PL* 39 E3
Latisana *I* 54 B3
Lauchhammer *D* 26 A2
Laudona *LV* 12 C3
Lauenstein *D* 33 E4
Lauf *D* 32 A1
Laufen *D* 41 D1
Laukuva *LT* 15 E4
Lauterhofen *D* 32 B1
Lavamünd *A* 49 D2
Lavry *RUS* 8 C2
Läyliäinen *FIN* 3 D4
Lazarovo *YU* 59 D3
Lazdijai *LT* 16 A1
Łaziska Górne *PL* 36 C2
Lázne Kynžvart *CZ* 32 C2
Łazy *PL* 18 B2
Łeba *PL* 19 D3
Leberec *CZ* 34 B4
Łebno *PL* 19 D3
Lębork *PL* 19 D3
Lebus *D* 26 B4
Lechovice *CZ* 43 D3
Leci *LV* 10 B4
Łęczna *UA* 31 D2
Łęczyca *PL* 20 C2
Łęczyca *PL* 29 D3
Ledeč nad Sázavou *CZ* 34 B1
Lednogora *PL* 27 F4
Lędyczek *PL* 21 E2
Leesi *EST* 3 E2
Legbąd *PL* 22 A3
Legionowo *PL* 30 A4
Legnica *PL* 27 D1
Lehnice *SK* 44 A1
Lehrberg *D* 40 A4
Leibnitz *A* 49 E2
Lekenik *HR* 56 B3
Leknica *PL* 26 B2
Lelice *PL* 23 D1
Lelkowo *PL* 14 B1
Lelów *PL* 37 D3
Lenart *SLO* 49 E2
Lend *A* 48 A3
Lendava *SLO* 50 A2
Lenggries *D* 40 B1
Lengyeltóti *H* 50 C2
Lenora *CZ* 41 F3
Lenti *H* 50 A2
Lenting *D* 40 B3
Lentvaris *LT* 16 C2
Leoben *A* 49 D3
Leopoldsdorf *A* 43 E2
Lepoglava *HR* 56 B4
Lepsény *H* 51 D2
Les *RO* 53 E3
Lesko *PL* 38 C1
Lésna *PL* 34 B4
Leśnica *PL* 36 B3
Lešnica *YU* 58 B1
Lésniów Wielki *PL* 26 C3
Leszczyny *PL* 36 B2
Leszno *PL* 27 E2
Leszno *PL* 29 F3
Letenye *H* 50 B1
Letkés *H* 44 C1
Letovice *CZ* 35 D1
Letschin *D* 26 B4
Leutenberg *D* 32 B3
Leutschach *A* 49 E2
Levice *SK* 44 C2
Levoča *SK* 45 F3
Lewin Brzeski *PL* 35 F3
Leżajsk *PL* 38 C3
Libáň *CZ* 34 B3
Libiąż *PL* 36 C2
Libochovice *CZ* 33 F3
Lichtenberg *D* 32 B3
Lichtenfels *D* 32 A3
Lichtenstein *D* 33 D4
Lički Osik *HR* 55 F1
Licko Lešće *HR* 55 F1
Lido di Jésolo *I* 54 A3
Lido di Venézia *I* 54 A3
Lidzbark *PL* 23 D2
Lidzbark Warminski *PL* 23 E4
Lieberose *D* 26 B3
Liepāja *LV* 10 B2
Lieto *FIN* 2 B4
Liezen *A* 48 C4
Lignano Pineta *I* 54 B3
Lignano Sabbiadoro *I* 54 B3
Lihula *EST* 7 D3
Liiva *EST* 6 C3
Lilienfeld *A* 42 C1
Liljendal *FIN* 3 F4
Lillafüred *H* 46 A1
Limanowa *PL* 37 E1
Limbaži *LV* 7 E1
Linderhof *D* 40 A1
Linovo *RUS* 9 D1
Linovo *SU* 31 F4
Lintula *RUS* 5 E4
Linz *A* 42 A2
Lipany *SK* 46 A4
Lipar *YU* 58 B3
Lipiany *PL* 20 B1
Lipica *SLO* 54 C3
Lipik *HR* 57 D3
Lipinki Łużyckie *PL* 26 C2
Lipka *PL* 21 F2
Liþnica *PL* 18 C2
Lipnik *PL* 38 A4

Lipník nad Bečvou *CZ* 35 F1
Lipniški *SU* 17 D1
Lipno *CZ* 42 A3
Lipno *PL* 22 C1
Lipova *RO* 59 F4
Lipowo *PL* 23 D3
Lipsk *PL* 25 D3
Lipsko *PL* 30 B1
Liptovská Osada *SK* 45 D3
Liptovská Teplička *SK* 45 E3
Liptovský-Mikuláš *SK* 45 D3
Lisia Góra *PL* 37 F2
Lišnja *BIH* 57 D1
Lišov *CZ* 42 B3
Litija *SLO* 55 E4
Litke *H* 45 E2
Litoměřice *CZ* 33 F3
Litomyšl *CZ* 35 D2
Litvínov *CZ* 33 E3
Livada *RO* 47 E1
Livade *HR* 54 C3
Līvāni *LV* 12 C2
Liw *PL* 30 B4
Ljubelj *SLO* 48 C1
Ljubljana *SLO* 55 D4
Ljubno *SLO* 49 D1
Ljutomer *SLO* 49 F1
Lnáře *CZ* 33 E1
Löbau *D* 26 B1
Lobenstein *D* 32 B3
Łobez *PL* 20 C3
Łobżżenica *PL* 21 F2
Łochocin *PL* 22 C1
Łochów *PL* 30 B4
Lockenhaus *A* 50 A3
Löcknitz *D* 20 A2
Lody *SU* 17 F4
Łódź *PL* 29 D2
Logatec *SLO* 55 D4
Lohberg *D* 41 E4
Lohja *FIN* 2 C3
Lokači *UA* 39 F4
Lokča *SK* 45 D4
Lököshäza *H* 53 D1
Lokve *HR* 55 E2
Lokve *YU* 59 E2
Lomnice nad Lužnicí *CZ* 42 B3
Lomonosov *RUS* 5 E3
Łomża *PL* 24 B2
Loncari *BIH* 58 A2
Lončarica *HR* 57 D3
Łoniów *PL* 38 A3
Loosdorf *A* 42 C2
Lopar *HR* 55 E1
Lopare *BIH* 58 A1
Lopatovo *RUS* 9 E2
Loppi *FIN* 3 D4
Łopuszno *PL* 37 E4
Lőrinci *H* 52 A4
Losenstein *A* 42 B1
Łosice *PL* 31 D3
Łososina Dolna *PL* 37 E1
Louny *CZ* 33 E3
Lovasberény *H* 51 D3
Loviisa/Lovisa *FIN* 3 F4
Lovisa/Loviisa *FIN* 3 F4
Lövő *H* 50 B3
Lovosice *CZ* 33 F3
Lovran *HR* 55 D2
Lovrin *RO* 59 D4
Łowicz *PL* 29 E3
Lož *SLO* 55 D3
Loznica *YU* 58 B1
Lubaczów *PL* 39 D3
Lubań *PL* 26 C1
Lubartów *PL* 30 C2
Lubasz *PL* 21 E1
Lubawa *PL* 23 D2
Lubawka *PL* 34 C3
Lübben *D* 26 A3
Lübbenau *D* 26 A2
Lubenec *CZ* 33 E2
Lubichowo *PL* 22 B3
Lubień *PL* 37 D1
Lubień Kujawski *PL* 29 D4
Lubin *PL* 27 D1
Lublin *PL* 30 C1
Lubliniec *PL* 36 B3
Lubniewice *PL* 26 C4
Lubomino *PL* 23 E4
Luboń *PL* 27 E3
Luboniek *PL* 28 C3
Luboradz *PL* 35 D4
Lubowidz *PL* 23 D2
Łubowo *PL* 28 A4
Lubraniec *PL* 28 C4
Lubsko *PL* 26 C2
Lučenec *SK* 45 E2
Luckau *D* 26 A2
Ludbreg *HR* 50 A1
Ludwigsstadt *D* 32 B3
Ludza *LV* 13 E3
Luga *RUS* 5 F1
Lugoj *RO* 59 F3
Lukavac *BIH* 57 F1
Lukovica *SLO* 55 E4
Lukovo Šugarje *HR* 55 F1
Łuków *PL* 30 C3
Lukta *PL* 23 D3
Lun *HR* 55 E1
Lunno *SU* 25 E3
Lunz *A* 42 B1
Lupac *RO* 59 F2
Lupoglav *HR* 56 B3
Lušci Palanka *BIH* 56 B1
Lutcza *PL* 38 B2
Lutol Suchy *PL* 27 D3
Lutomiersk *PL* 29 D2
Lutry *PL* 23 F4
Lututów *PL* 28 C1
Lutzmannsburg *A* 50 A3
Lužani *HR* 57 E2
Lwówek *PL* 27 D4
Lwówek Śląski *PL* 26 C1
Lysá nad Labem *CZ* 34 B2

M'adel' *SU* 17 F3
Machliny *PL* 21 D2
Machnovka *RUS* 9 F2
Maciejowice *PL* 30 B2
Mád *H* 46 B2
Madona *LV* 12 C3
Magerov *UA* 39 E3
Magierowa Wola *PL* 30 A3
Maglaj *BIH* 57 E1
Măierişte *RO* 53 F3
Mainburg *D* 40 C3
Maisach *D* 40 B2
Maišiogala *LT* 16 C2
Maissau *A* 43 D2
Maja *HR* 56 B2
Majdanpek *YU* 59 F1
Makó *H* 52 B1
Makov *SK* 44 C4
Maków *PL* 37 D3
Maków Mazowiecki *PL* 23 F1
Mąkowarsko *PL* 22 A2
Mala Bosna *YU* 58 B4
Mala Krsna *YU* 59 E1
Malacky *SK* 43 F2
Malbork *PL* 19 F2
Malechowo *PL* 18 B2
Mali Idjos *YU* 58 C3
Mali Losinj *HR* 55 D1
Malinska *HR* 55 D2
Małkinia Górna *PL* 24 B1
Mallersdorf *D* 40 C3
Mallnitz *A* 48 A3
Malorita *SU* 31 F3
Malšice *CZ* 42 B4
Malta *LV* 13 E2
Maluszyn *PL* 37 D4
Mały Płock *PL* 24 B2
Mamonovo *RUS* 14 B1
Manching *D* 40 B3
Mándok *H* 46 C2
Manětín *CZ* 33 D2
Mánfa *H* 57 E4
Maniago *I* 54 A4
Mank *A* 42 C1
Mańki *PL* 23 E3
Manschnow *D* 26 B4
Mäntsälä *FIN* 3 E4
Marano Lagunare *I* 54 B3
Marcali *H* 50 C2
Marčana *HR* 54 C2
Marchegg *A* 43 E2
Marcinowice *PL* 35 D4
Marghita *RO* 53 E3
Margonin *PL* 21 E1
Marhaň *SK* 46 B4
Maria Taferl *A* 42 C2
Maria Wörth *A* 48 C2
Mariánské Lázně *CZ* 33 D2
Mariazell *A* 49 E4
Maribor *SLO* 49 E2
Marienberg *D* 33 D3
Marijampolė *LT* 16 A2
Märjamaa *EST* 7 D4
Marjinsko *RUS* 5 D1
Marki *PL* 30 A3
Märkisch Buchholz *D* 26 A3
Markleugast *D* 32 B3
Markneukirchen *D* 32 C3
Markt St Florian *A* 42 A2
Markt St Martin *A* 50 A4
Markt-Indersdorf *D* 40 B2
Marktl *D* 41 D2
Marktoberdorf *D* 40 A1
Marktredwitz *D* 32 C2
Marktzeuln *D* 32 A3
Marquartstein *D* 41 D1
Maršavicy *RUS* 9 E1
Martfű *H* 52 B3
Martin *SK* 44 C3
Martonvásár *H* 51 E3
Marttila *FIN* 2 B4
Marwałd *PL* 23 D2
Marxwalde *D* 26 B4
Marynin *PL* 31 D1
Masku *FIN* 2 A4
Maslovare *BIH* 57 D1
Maszecwo *PL* 26 C3
Maszewo *PL* 20 C2
Mátészalka *H* 47 D1
Matīši *LV* 7 F2
Mátrafüred *H* 45 E1
Mátraháza *H* 45 E1
Mattersburg *A* 50 A4
Mattighofen *A* 41 E1
Mattsee *A* 41 E1
Matulji *HR* 55 D3
Mauerkirchen *A* 41 E2
Mautern *A* 49 D3
Mauterndorf *A* 48 B3
Mauth *D* 41 E3
Mauthausen *A* 42 B2
Mažeikiai *LT* 10 C2
Mazirbe *LV* 6 B1
Mazurki *PL* 30 B2
Mdzewo *PL* 23 E1
Medak *HR* 55 F1
Medenica *UA* 39 E1
Medgyesegyháza *H* 52 C2
Medininkai *LT* 17 D2
Medjumajdan *HR* 56 B2
Medulin *HR* 54 C1
Medved'ov *SK* 50 C4
Medvode *SLO* 55 D4
Medzilaborce *SK* 46 C4
Meerane *D* 32 C4

Megyaszó *H* 46 B2
Mehikoorma *EST* 8 C3
Meissen *D* 33 E4
Meitingen *D* 40 A3
Męka *PL* 28 C2
Melenci *YU* 59 D3
Melk *A* 42 C2
Mellillä *FIN* 2 B4
Melnica *YU* 59 F1
Mělník *CZ* 34 A3
Mélykút *H* 51 F1
Ménfőcsanak *H* 50 C4
Mengeš *SLO* 55 E4
Merimasku *FIN* 2 A4
Měřín *CZ* 43 D4
Mering *D* 40 A2
Merkendorf *D* 40 A4
Merkine *LT* 16 B1
Mernye *H* 50 C1
Mērsrags *LV* 11 D4
Město Albrechtice *CZ* 35 F2
Město Libavá *CZ* 35 F1
Mestre *I* 54 A3
Metlika *SLO* 55 F3
Metnitz *A* 48 C2
Metten *D* 41 D3
Meuselwitz *D* 32 C4
Mężenin *PL* 24 C2
Mežgorje *UA* 47 E3
Meziad *RO* 53 F2
Mezőberény *H* 52 C2
Mezőcsát *H* 46 A1
Mezőhegyes *H* 52 C1
Mezőkeresztes *H* 46 A1
Mezőkovácsháza *H* 52 C1
Mezőkövesd *H* 45 F1
Mezőnyárád *H* 46 A1
Mezőörs *H* 50 C4
Mezőszilas *H* 51 D2
Mezőtúr *H* 52 C3
Miączyn *PL* 39 D4
Mianowice *PL* 18 C3
Miastko *PL* 18 C2
Michalove *SK* 46 C3
Michałów *PL* 37 F4
Micheldorf *A* 42 A1
Michów *PL* 30 C2
Miechów *PL* 37 D3
Międzdroje *PL* 20 B3
Międzybórz *PL* 28 A1
Międzychod *PL* 27 D4
Międzygórze *PL* 35 E2
Międzylesie *PL* 35 D2
Międzyrzec Podlaski *PL* 31 D3
Międzyrzecz *PL* 27 D4
Miedzywodzie *PL* 20 B3
Miejsce Piastowe *PL* 38 B1
Miejska Górka *PL* 27 F2
Mielec *PL* 38 A3
Mielno *PL* 18 A2
Mieroszów *PL* 35 D3
Miersig *RO* 53 E2
Mierzyno *PL* 19 D3
Miesbach *D* 40 C1
Mieścisko *PL* 21 F1
Mieszkowice *PL* 20 B1
Mietoinen *FIN* 2 A4
Mikołajki Pomorskie *PL* 22 C3
Mikołów *PL* 36 C2
Mikulov *CZ* 43 E3
Mikulovice *CZ* 35 E2
Mil'utino *RUS* 9 F4
Milanówek *PL* 29 F3
Milejczyce *PL* 31 D4
Milejewo *PL* 23 D4
Mileševo *YU* 58 C3
Milevsko *CZ* 42 B4
Milicz *PL* 27 F2
Milín *CZ* 33 F1
Millstatt *A* 48 B2
Miłocin *PL* 30 C1
Miłosław *PL* 28 A3
Milówka *PL* 36 C1
Miltach *D* 41 D4
Mimoň *CZ* 34 A3
Mindszent *H* 52 B2
Mińsk Mazowiecki *PL* 30 B3
Miokovićevo *HR* 57 D3
Miory *SU* 13 F1
Mirosławiec *PL* 21 D2
Mirošov *CZ* 33 E1
Mirovice *CZ* 33 F1
Mirsk *PL* 34 B4
Miskolc *H* 46 A1
Mistelbach *A* 43 E2
Miszewo *PL* 19 E3
Mitterteich *D* 32 C2
Mittweida *D* 33 D4
Mitwitz *D* 32 A3
Mladá Boleslav *CZ* 34 B3
Mladá Vožice *CZ* 34 B1
Mladé Buky *CZ* 34 C3
Mladenovac *YU* 59 D1
Mława *PL* 23 E2
Młynary *PL* 23 D4
Młynarze *PL* 24 A1
Mnich *CZ* 42 B4
Mnichovo Hradiště *CZ* 34 B3
Mniów *PL* 37 E4
Mníšek pod Brdy *CZ* 33 F2
Mniszek *PL* 30 A1
Moča *SK* 51 D4
Mochowo *PL* 23 D1
Mochy *PL* 27 D3
Modliborzyce *PL* 38 C4
Mödling *A* 43 D1
Modliszewko *PL* 28 A4
Modra *SK* 44 A2
Modrica *BIH* 57 F2
Moftinu Mic *RO* 53 F4
Mogielnica *PL* 29 F2
Mogilno *PL* 28 B4
Mohács *H* 58 A4
Mohelnice *CZ* 35 E1
Mohora *H* 45 D1
Mõisaküla *EST* 7 E2
Mokobody *PL* 30 C3
Mol *YU* 58 C3
Moldova Nouă *RO* 59 F1
Moldova Veche *RO* 59 F1
Molėtai *LT* 17 D3
Möllbrücke *A* 48 A2
Molodečno *SU* 17 F1
Moloskovicy *RUS* 5 E2
Mönchdorf *A* 42 B2
Mönchhof *A* 43 F1
Mondsee *A* 41 E1
Moneasa *RO* 53 E2
Monfalcone *I* 54 C3
Monheim *D* 40 A3
Mönichkirchen *A* 49 F4
Mönki *PL* 24 C2
Monninkylä *FIN* 3 E4
Monor *H* 51 F3
Moosburg *D* 40 C2
Moosinning *D* 40 C2
Mór *H* 51 D3
Morąg *PL* 23 D3
Mórahalom *H* 52 B1
Moravița *RO* 59 E2
Moravská Třebová *CZ* 35 D1
Moravské Budějovice *CZ* 43 D3
Moravské Lieskové *SK* 44 B3
Moravský Beroun *CZ* 35 F1
Moravský Krumlov *CZ* 43 E3
Morawica *PL* 37 E4
Mörbisch *A* 50 A4
Mordy *PL* 30 C3
Moritzburg *D* 26 A1
Morovic *YU* 58 B2
Mörskom/Myrskylä *FIN* 3 F4
Moryń *PL* 20 B1
Morzycyn *PL* 20 B2
Moscénice *HR* 55 D2
Mošćenička Draga *HR* 55 D2
Moschendorf *A* 50 A3
Mosina *PL* 27 E3
Moslavina *HR* 57 E3
Mosonmagyaróvár *H* 43 F1
Most *CZ* 33 E3
Mostiska *UA* 39 D2
Mostki *PL* 38 A3
Mostowo *PL* 18 B2
Mosty *PL* 31 D2
Mosty *SU* 25 F3
Moszczanka *PL* 30 C2
Motovun *HR* 54 C2
Motta di Livenza *I* 54 A3
Motyli *SU* 25 F4
Mragowo *PL* 24 A3
Mrocza *PL* 22 A2
Mroczen *PL* 28 B1
Mrzeżyno *PL* 20 C4
Mšeno *CZ* 34 A3
Mšinskaja *RUS* 5 F2
Mszana Dolna *PL* 37 D1
Mszczonów *PL* 29 F3
Muchówka *PL* 37 E2
Muggendorf *D* 32 A2
Múggia *I* 54 C3
Mühlbach *A* 48 A3
Mühldorf *D* 41 D2
Mukačevo *UA* 47 D2
Müllrose *D* 26 B3
Münchberg *D* 32 B3
Müncheberg *D* 26 A4
München *D* 40 B2
Münchhausen *D* 26 A2
Münzkirchen *A* 41 E2
Muráň *SK* 45 E3
Murano *I* 54 A3
Murau *A* 48 C3
Murchin *D* 20 A3
Mureck *A* 49 E2
Murnau *D* 40 A1
Murowana Goslina *PL* 27 F4
Murska Sobota *SLO* 49 F2
Mursko Središće *HR* 50 A1
Mürzsteg *A* 49 E4
Mürzzuschlag *A* 49 E4
Mussalo *FIN* 4 B4
Mustla *EST* 8 A3
Mustvee *EST* 8 B4
Muszaki *PL* 23 E2
Muszyna *PL* 46 A4
Muszynka *PL* 46 A4
Muurla *FIN* 2 C3
Mužla *SK* 51 E4
Myjava *SK* 44 A3
Mynämäki *FIN* 2 A4
Myrskylä/Mörskom *FIN* 3 F4
Myślenice *PL* 37 D2
Myślibórz *PL* 20 B1
Mysłowice *PL* 36 C2
Myszków *PL* 36 C3
Myszyniec *PL* 24 A2
Mýto *CZ* 33 E2
Myto *SU* 25 F4
Mzurki *PL* 29 D2

N

Naantali *FIN* 2 A4
Nabburg *D* 32 C1
Náchod *CZ* 35 D3
Nădab *RO* 53 D1
Nădlac *RO* 52 C1
Nádudvar *H* 52 C3
Nagłowice *PL* 37 D3
Nagu/Nauvo *FIN* 2 A3
Nagyatád *H* 50 C1
Nagybajom *H* 50 C1
Nagybaracska *H* 58 A4

Nagycenk *H* 50 B4
Nagycserkesz *H* 46 B1
Nagydorog *H* 51 E2
Nagyecsed *H* 47 D1
Nagygyimót *H* 50 C3
Nagyhalász *H* 46 C2
Nagyigmánd *H* 51 D4
Nagykálló *H* 46 C1
Nagykanizsa *H* 50 B1
Nagykáta *H* 52 A3
Nagykónyi *H* 51 D2
Nagykőrös *H* 52 A3
Nagylak *H* 52 C1
Nagylóc *H* 45 E1
Nagymágocs *H* 52 B2
Nagymaros *H* 51 E4
Nagyoroszi *H* 45 D1
Nagyszénás *H* 52 C2
Nagyvázsony *H* 50 C2
Naidăş *RO* 59 F2
Naila *D* 32 B3
Nakło n Notecią *PL* 22 A2
Nakovo *YU* 59 D4
Nałęczów *PL* 30 C1
Nálepkovo *SK* 45 F3
Náměšt nad Oslavou *CZ* 43 D4
Námestovo *SK* 45 D4
Namysłów *PL* 35 F4
Naroč' *SU* 17 F2
Narol *PL* 39 D3
Narta *HR* 56 C3
Narva *EST* 5 D2
Narva-Jõesuu *EST* 4 C2
Našice *HR* 57 E3
Nasielsk *PL* 29 F4
Nauvo/Nagu *FIN* 2 A3
Nedelišće *HR* 50 A1
Nędza *PL* 36 B2
Negreni *RO* 53 F3
Negreşti Oaş *RO* 47 E1
Nejdek *CZ* 33 D3
Neman *RUS* 15 D2
Nemenčinė *LT* 17 D2
Németkér *H* 51 E2
Nemirov *UA* 39 D2
Nemšová *SK* 44 B3
Nepomuk *CZ* 33 E1
Neratovice *CZ* 34 A2
Nereta *LV* 12 B2
Nesterov *RUS* 15 E2
Nesterov *UA* 39 E2
Netolice *CZ* 42 A3
Netretic *HR* 55 F3
Netta *PL* 24 C3
Neuburg *D* 40 B3
Neufahrn *D* 40 C3
Neufelden *A* 41 F2
Neugersdorf *D* 34 A4
Neuhaus *D* 32 A3
Neuhaus *D* 32 B1
Neuhaus *D* 41 E2
Neuhofen an der Krems *A* 42 A1
Neukirch *D* 26 B1
Neulengbach *A* 43 D2
Neumarkt *A* 41 E1
Neumarkt *A* 48 C3
Neumarkt *D* 40 B4
Neumarkt-St Veit *D* 41 D2
Neunagelberg *A* 42 B3
Neunburg *D* 41 D4
Neunkirchen *A* 49 F4
Neuötting *D* 41 D2
Neupölla *A* 42 C2
Neusiedl am See *A* 43 E1
Neustadt *D* 32 A3
Neustadt *D* 40 C3
Neustadt *D* 32 B4
Neustadt *D* 33 F4
Neustadt an der Waldnaab *D* 32 C2
Nickelsdorf *A* 43 F1
Nidzica *PL* 23 E2
Niechorze *PL* 20 C4
Niedalino *PL* 18 B2
Niederalteich *D* 41 E3
Niederwinkling *D* 41 D3
Niedrzwica Duża *PL* 30 C1
Niemcza *PL* 35 E3
Niesky *D* 26 B1
Nieszawa *PL* 22 C1
Nikolajev *UA* 39 E1
Nikolajevo *RUS* 9 F3
Nisko *PL* 38 B3
Nītaure *LV* 12 B4
Nitra *SK* 44 B2
Nitrianske Pravno *SK* 44 C3
Nitrianske Rudno *SK* 44 C3
Nittenau *D* 40 C4
Nittendorf *D* 40 C4
Nižná *SK* 45 D4
Nižnà Boca *SK* 45 E3
Njegoševo *YU* 58 C3
Nordhalben *D* 32 B3
Nördlingen *D* 40 A3
Nossen *D* 33 E4
Nötö *FIN* 2 A3
Nova *H* 50 A2
Nová Baňa *SK* 44 C2
Nová Bystřice *CZ* 42 C3
Nova Crnja *YU* 59 D3
Nova Gorica *SLO* 54 C4
Nova Gradiska *HR* 57 D2
Nová Paka *CZ* 34 C3
Nova Pazova *YU* 59 D2
Nova Topola *BIH* 57 D2
Novajidrány *H* 46 B2
Nováky *SK* 44 C3
Nové Hrady *CZ* 42 B3
Nové Město na Moravě *CZ* 35 D1
Nové Mesto nad Váhom *SK* 44 B3
Nové Sady *SK* 44 B2
Nové Strašecí *CZ* 33 E2
Nové Zámky *SK* 44 B1
Novgorodka *RUS* 13 F4
Novi Bečej *YU* 58 C3
Novi Kneževac *YU* 58 C4
Novi Marof *HR* 56 B4
Novi Sad *YU* 58 C2
Novi Vinodolski *HR* 55 E2
Novigrad *HR* 54 C2
Novigrad Podravski *HR* 56 C4
Novo Mesto *SLO* 55 F3
Novo Miloševo *YU* 59 D3
Novoržev *RUS* 9 F1
Novoselje *RUS* 9 E3
Novoukrainka *UA* 39 E3
Novovolynsk *UA* 39 E4
Novska *HR* 56 C2
Nový Bohumín *CZ* 36 B2
Nový Bor *CZ* 34 A4
Nový Bydžov *CZ* 34 C2
Nový Jičín *CZ* 36 A1
Nový Knín *CZ* 33 F2
Novyj Pogost *SU* 13 E1
Nowa Brzeźnica *PL* 36 C4
Nowa Cerekwia *PL* 36 A2
Nowa Dęba *PL* 38 B3
Nowa Karczma *PL* 19 D2
Nowa Karczma *PL* 14 A1
Nowa Ruda *PL* 35 D3
Nowa Sarzyna *PL* 38 C3
Nowa Słupia *PL* 37 F4
Nowa Sól *PL* 27 D2
Nowe *PL* 22 B3
Nowe Brzesko *PL* 37 E2
Nowe Miasteczko *PL* 27 D2
Nowe Miasto *PL* 28 A3
Nowe Miasto Lubawskie *PL* 23 D2
Nowe Miasto nad Pilicą *PL* 29 F2
Nowe Skalmierzyce *PL* 28 B2
Nowe Warpno *PL* 20 A3
Nowogard *PL* 20 C3
Nowogród *PL* 24 B2
Nowogród Bobrzański *PL* 26 C2
Nowogrodziec *PL* 26 C1
Nowosielec *PL* 38 B3
Nowowola *PL* 25 D3
Nowy Duninów *PL* 29 D4
Nowy Dwór *PL* 25 D3
Nowy Dwór Gdański *PL* 19 F2
Nowy Dwór Mazowiecki *PL* 29 F4
Nowy Korczyn *PL* 37 F3
Nowy Majdan *PL* 38 C3
Nowy Sącz *PL* 37 E1
Nowy Targ *PL* 37 D1
Nowy Tomyśl *PL* 27 D3
Nowy Zmigród *PL* 38 B1
Nucet *RO* 53 F2
Nummela *FIN* 3 D4
Nummi *FIN* 2 C4
Nur *PL* 24 C1
Nurmijärvi *FIN* 3 D4
Nürnberg *D* 32 A1
Nuşfalău *RO* 53 F3
Nuštar *HR* 58 A2
Nyékládháza *H* 46 A1
Nyírábrány *H* 53 E4
Nyíracsád *H* 53 E4
Nyíradony *H* 53 E4
Nyírbátor *H* 46 C1
Nyírbéltek *H* 53 E4
Nyírbogát *H* 46 C1
Nyíregyháza *H* 46 C1
Nyírtelek *H* 46 C1
Nyírtura *H* 46 C1
Nymburk *CZ* 34 B2
Nýrsko *CZ* 41 E4
Nysa *PL* 35 E3

Oandu *EST* 4 B2
Obeliai *LT* 12 C1
Oberammergau *D* 40 A1
Oberaudorf *D* 40 C1
Oberdrauburg *A* 48 A2
Obergrafendorf *A* 42 C1
Oberhof *D* 32 A4
Obernberg *A* 41 E2
Oberndorf *A* 41 D1
Obernzell *D* 41 E2
Oberpullendorf *A* 50 A3
Obertauern *A* 48 B3
Obertraubling *D* 40 C3
Obertraun *A* 48 B4
Obervellach *A* 48 A2
Oberviechtach *D* 32 C1
Oberwart *A* 49 F3
Oberwiesenthal *D* 33 D3
Oberwölz *A* 48 C3
Oberzeiring *A* 48 C3
Obing *D* 40 C1
Objazda *PL* 18 C3
Öblarn *A* 48 B3
Oblięcin *PL* 38 B4
Oborniki *PL* 27 E4
Oborniki Śląskie *PL* 27 E1
Obrenovac *YU* 59 D1
Ochojec *PL* 36 B2
Ocna Şugatag *RO* 47 F1
Ócsa *H* 51 F3
Öcsöd *H* 52 B2
Odelzhausen *D* 40 B2
Oderberg *D* 20 A1
Oderzo *I* 54 A3
Odolanów *PL* 28 A2
Odry *CZ* 36 A1
Odrzywół *PL* 29 F2
Odžaci *YU* 58 B3
Oederan *D* 33 D4
Oelsnitz *D* 32 C3
Oettingen *D* 40 A3
Ófehértó *H* 46 C1
Ogre *LV* 12 A3

Ogrodzieniec *PL* 37 D3
Ogulin *HR* 55 F2
Ohrdruf *D* 32 A4
Okalewo *PL* 23 D2
Okonek *PL* 21 E2
Okonin *PL* 22 C2
Okopy Nowe *PL* 31 E1
Okučani *HR* 57 D2
Okuninka *PL* 31 E2
Oława *PL* 35 E4
Olbernhau *D* 33 E3
Olecko *PL* 24 C4
Oleśnica *PL* 28 A1
Olesno *PL* 36 B4
Oleszyce *PL* 39 D3
Olkusz *PL* 37 D3
Olomouc *CZ* 35 E1
Olsztyn *PL* 23 E3
Olsztynek *PL* 23 E3
Olszyna *PL* 26 B2
Olszyna *PL* 34 B4
Omišalj *HR* 55 D2
Opalenica *PL* 27 E3
Opařany *CZ* 42 B4
Opatija *HR* 55 D2
Opatów *PL* 28 B1
Opatów *PL* 38 A4
Opatówek *PL* 28 B2
Opatowiec *PL* 37 E3
Opava *CZ* 36 A2
Opicina *I* 54 C3
Opoczno *PL* 29 E1
Opole *PL* 36 A3
Opole Lubelskie *PL* 30 C1
Opovo *YU* 59 D2
Oppach *D* 34 A4
Opsa *SU* 17 F4
Őr *H* 46 C1
Oradea *RO* 53 E3
Orašje *BIH* 58 A2
Orașu Nou *RO* 47 E1
Oravița *RO* 59 F2
Oravská Polhora *SK* 37 D1
Oravský Podzámok *SK* 45 D4
Öregcsertő *H* 51 E1
Orgovány *H* 51 F2
Orissaare *EST* 6 C3
Őriszentpéter *H* 50 A2
Örkény *H* 51 F3
Orlik nad Vltavou *CZ* 33 F1
Ormož *SLO* 49 F1
Orneta *PL* 23 D4
Orosháza *H* 52 C2
Oroszló *H* 51 D1
Ort *A* 41 E2
Ortenburg *D* 41 E2
Orth *A* 43 E1
Ortișoara *RO* 59 E4
Ortrand *D* 26 A1
Orzesze *PL* 36 B2
Orzysz *PL* 24 B3
Os'mino *RUS* 5 E1
Osie *PL* 22 B3
Osieczna *PL* 27 E2
Osiek *PL* 22 B3
Osijek *HR* 58 A3
Osipaonica *YU* 59 E1
Oskowo *PL* 19 D3
Osl'any *SK* 44 C2
Ošm'any *SU* 17 E2
Osmoloda *UA* 47 F3
Ośno *PL* 26 B4
Osor *HR* 55 D1
Oșorheiu *RO* 53 E3
Osowo Leśne *PL* 22 B3
Ossiach *A* 48 B2
Osterhofen *D* 41 E3
Östersundom *FIN* 3 E3
Ostrava *CZ* 36 B2
Oštrelj *BIH* 56 B1
Ostritz *D* 34 B4
Ostróda *PL* 23 D3
Ostrołęka *PL* 24 A2
Ostroróg *PL* 27 E4
Ostrov *CZ* 33 D3
Ostrov *RUS* 9 E1
Ostrów Mazowieka *PL* 24 B1
Ostrów Wielkopolski *PL* 28 B2
Ostrowice *PL* 21 D3
Ostrowiec *PL* 18 B2
Ostrowiec Świętokrzyski *PL* 38 A4
Ostrowite *PL* 22 B2
Ostrožac *BIH* 56 B2
Ostryna *SU* 25 F3
Ostrzeszów *PL* 28 B1
Osveja *SU* 13 F2
Oświecim *PL* 36 C2
Osztopán *H* 50 C1
Otalampi *FIN* 3 D4
Otepää *EST* 8 B2
Otmuchów *PL* 35 E3
Otocac *HR* 55 F1
Otočec *SLO* 55 F3
Otoka *BIH* 56 B2
Otorowo *PL* 27 E4
Otrokovice *CZ* 44 A4
Ottenschlag *A* 42 C2
Ottensheim *A* 42 A2
Öttevény *H* 50 C4
Otwock *PL* 30 A3
Oz'orsk *RUS* 15 E1
Oz'ory *SU* 25 E3
Ozalj *HR* 55 F3
Ozarów *PL* 38 B4
Ożarów Mazowieki *PL* 29 F3
Ožbalt *SLO* 49 E2
Ózd *H* 45 F2
Ožd'any *SK* 45 E2
Ozerki *RUS* 5 D4
Ozimek *PL* 36 B3
Ozorkow *PL* 29 D3

P

Paatinen *FIN* 2 A4
Pabianice *PL* 29 D2
Pabradė *LT* 17 D3
Pacov *CZ* 34 B1
Pacsa *H* 50 B2
Pacyna *PL* 29 D3
Paczków *PL* 35 E3
Padej *YU* 58 C3
Padina *YU* 59 D2
Pag *HR* 55 E1
Păgaia *RO* 53 F4
Pagėgiai *LT* 15 D3
Páhi *H* 51 F2
Paide *EST* 7 F4
Paimio *FIN* 2 B4
Pajęczno *PL* 28 C1
Pakość *PL* 22 B1
Pakosze *PL* 23 D4
Pakrac *HR* 57 D3
Pakruojis *LT* 11 F1
Paks *H* 51 E2
Palanga *LT* 14 C4
Paldiski *EST* 3 D2
Pāle *LV* 7 E1
Palić *YU* 58 C4
Palkino *RUS* 9 D2
Palmanova *I* 54 B4
Palota *SK* 46 C4
Paluzza *I* 48 A2
Pamhagen *A* 50 B4
Pamiątkowo *PL* 27 E4
Pančevo *YU* 59 D2
Pandėlys *LT* 12 B1
Panevėžys *LT* 16 B4
Panki *PL* 36 B4
Pápa *H* 50 C3
Papile *LT* 11 D1
Papilys *LT* 12 B2
Pappenheim *D* 40 A3
Parád *H* 45 E1
Paradyż *PL* 29 E1
Parainen/Pargas *FIN* 2 A3
Parassapuszta *H* 45 D1
Parczew *PL* 31 D2
Pardubice *CZ* 34 C2
Pargas/Parainen *FIN* 2 A3
Pargolovo *RUS* 5 F4
Parłówko *PL* 20 B3
Pärnu *EST* 7 E3
Pärnu-Jaagupi *EST* 7 D3
Parsberg *D* 40 C4
Partizánske *SK* 44 C2
Pasewalk *D* 20 A2
Pasiecznik *PL* 34 C4
Pasiene *LV* 13 F2
Pasłęk *PL* 23 D4
Passau *D* 41 E2
Pasvalys *LT* 12 A1
Pásztó *H* 45 E1
Patergassen *A* 48 B2
Paternion *A* 48 B2
Patersdorf *D* 41 E3
Păuliș *RO* 53 D1
Pavilosta *LV* 10 B3
Pavlovka *UA* 39 F4
Pavlovsk *RUS* 5 F3
Pavy *RUS* 9 F3
Pazin *HR* 54 C2
Pec pod Sněžkou *CZ* 34 C3
Pecica *RO* 53 D1
Pečory *RUS* 8 C2
Pécs *H* 57 E4
Pécsvárad *H* 57 F4
Peenemünde *D* 20 A4
Peggau *A* 49 E3
Pegnitz *D* 32 B2
Peiss *D* 40 B1
Peissenberg *D* 40 A1
Peiting *D* 40 A1
Peitz *D* 26 B2
Pełczyce *PL* 20 C1
Pelhřimov *CZ* 42 C4
Pellinge/Pellinki *FIN* 3 F3
Pellinki/Pellinge *FIN* 3 F3
Penkum *D* 20 A2
Penyige *H* 47 D1
Penzberg *D* 40 B1
Perchtoldsdorf *A* 43 D1
Perečin *UA* 47 D3
Peremyšl'any *UA* 39 F2
Perg *A* 42 B2
Periam *RO* 59 D4
Perkáta *H* 51 E3
Perlez *YU* 59 D2
Perly *PL* 15 D1
Pernå *FIN* 3 F4
Perniö *FIN* 2 B3
Pernitz *A* 43 D1
Persaj *SU* 17 F1
Persenbeug *A* 42 C2
Pertteli *FIN* 2 B4
Perušić *HR* 55 F1
Pervomajskoje *RUS* 5 E4
Petea *RO* 47 D1
Pétervására *H* 45 E1
Petlovača *YU* 58 B1
Petrești *RO* 53 E4
Petrinja *HR* 56 B3
Petrodvorec *RUS* 5 E3
Petrovac *YU* 59 F1
Petrovaradin *YU* 58 C2
Petrovice *CZ* 33 F1
Petřvald *CZ* 36 A1
Pettenbach *A* 41 F1
Peuerbach *A* 41 F2
Pezinok *SK* 43 F2
Pfaffendorf *D* 32 A3
Pfaffenhofen *D* 40 B3
Pfarrkirchen *D* 41 D2

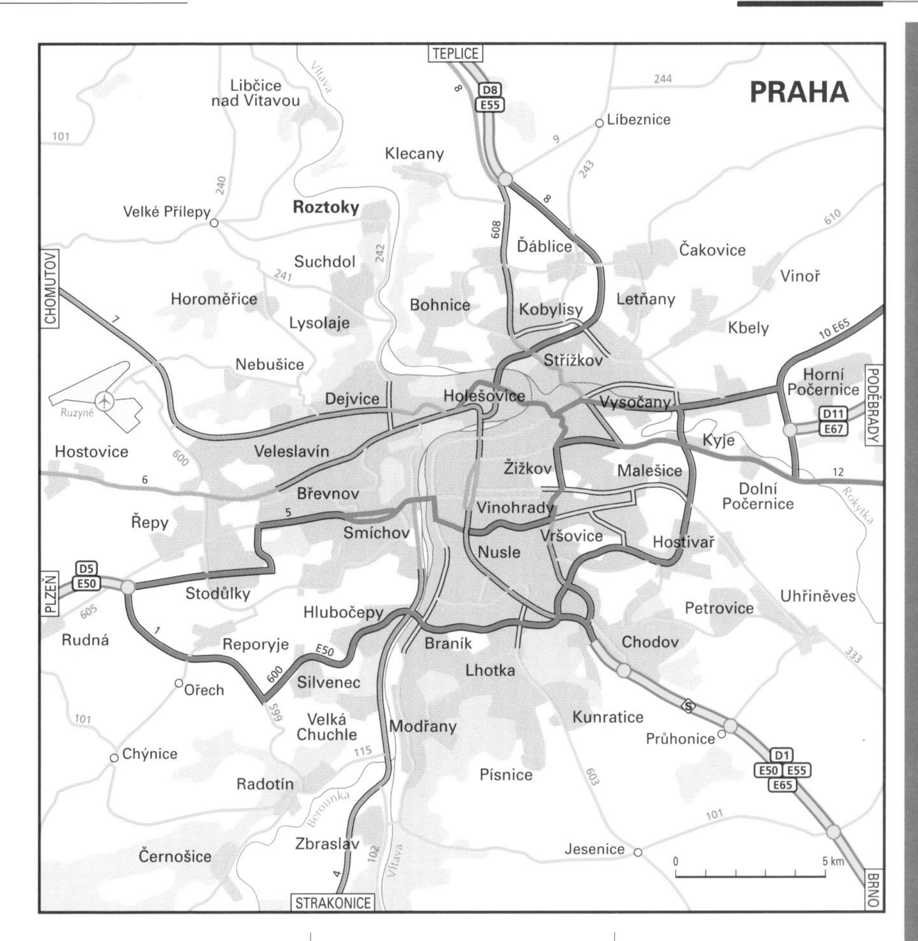
PRAHA
TEPLICE
D8
E55
Libčice nad Vitavou
Klecany
Líbeznice
Velké Přílepy
Roztoky
Ďáblice
Čakovice
Vinoř
Suchdol
Horoměřice
Lysolaje
Bohnice
Kobylisy
Letňany
Kbely
CHOMUTOV
Nebušice
Střížkov
Horní Počernice
PODĚBRADY
Dejvice
Holešovice
Vysočany
D11
E67
Ruzyně
Hostovice
Veleslavín
Kyje
Žižkov
Malešice
Dolní Počernice
Břevnov
Vinohrady
Řepy
Smíchov
Vršovice
Hostivař
Nusle
D5
E50
PLZEŇ
Stodůlky
Hlubočepy
Petrovice
Uhříněves
Rudná
Reporyje
Braník
Chodov
Lhotka
Ořech
Silvenec
Velká Chuchle
Modřany
Kunratice
Průhonice
Chýnice
D1
E50
E55
E65
Radotín
Písnice
Zbraslav
Černošice
Jesenice
0
5 km
BRNO
STRAKONICE
Vltava
Berounka
Rokytka

Pfatter *D* **41** D3
Pfeffenhausen *D* **40** C3
Pfreimd *D* **32** C1
Philippsreut *D* **41** F3
Piaseczno *PL* **30** A3
Piaski *PL* **27** F2
Piaski *PL* **31** D1
Piastów *PL* **29** F3
Piaszczyna *PL* **18** C2
Piątek *PL* **29** D3
Pićan *HR* **55** D2
Piechowice *PL* **34** C4
Piecki *PL* **24** A3
Piekary Śląskie *PL* **36** C3
Pieniężno *PL* **23** D4
Pieski *PL* **26** C4
Piešt'any *SK* **44** B2
Pieszyce *PL* **35** D3
Pietrowice *PL* **35** F2
Pietrzwałd *PL* **23** D3
Piikkiö *FIN* **2** B4
Piła *PL* **21** E2
Pilica *PL* **37** D3
Pilis *H* **51** F3
Pilisvörösvár *H* **51** E4
Pilviškiai *LT* **16** A2
Pilzno *PL* **38** A2
Pincehely *H* **51** D2
Pińczów *PL* **37** E3
Pinkafeld *A* **49** F3
Pionerskij *RUS* **14** B2
Pionki *PL* **30** B2
Piotrków Trybunalski *PL* **29** D1
Piotrkowice *PL* **37** E3
Piotrów *PL* **31** D1
Piotrowice *PL* **30** A3
Piran *SLO* **54** C3
Pirna *D* **33** F4
Pišča *UA* **31** E2
Pişchia *RO* **59** E4
Pişcolt *RO* **53** E4
Písek *CZ* **42** A4
Pisz *PL* **24** B3
Pitkäjärvi *FIN* **2** B4
Pitomača *HR* **57** D4
Pitvaros *H* **52** C1
Pivka *SLO* **55** D3
Pivnica *HR* **57** D3
Piwniczna *PL* **37** F1
Pl'ussa *RUS* **9** E4
Planá *CZ* **33** D2
Planá nad Lužnicí *CZ* **42** B4
Plandište *YU* **59** E2
Plánice *CZ* **41** E4
Planina *SLO* **55** D3
Plaški *HR* **55** F2
Plasy *CZ* **33** E2
Platerów *PL* **31** D4
Plattling *D* **41** D3
Plauen *D* **32** C3
Plavinas *LV* **12** C3
Plech *D* **32** B1
Pleinfeld *D* **40** A4
Plešany *SK* **46** C2
Plešivec *SK* **45** F2
Pleszew *PL* **28** B2
Pleternica *HR* **57** E2
Plitvice *HR* **56** A1
Plitvički Ljeskovac *HR* **56** A1
Płock *PL* **29** D4
Plomin *HR* **55** D2
Płońsk *PL* **29** E4
Płoskinia *PL* **23** D4
Płoty *PL* **20** C3
Plungė *LT* **10** C1
Pluty *PL* **23** E4
Płużnica *PL* **22** C2
Plzeň *CZ* **33** E1
Pniewo *PL* **30** A4
Pniewy *PL* **27** E4
Pobedino *RUS* **15** E2
Pobiedziska *PL* **27** F4
Pobierowo *PL* **20** B4
Pobikry *PL* **24** C1
Počátky *CZ* **42** C4
Pöchlarn *A* **42** C2
Pocking *D* **41** E2
Podbořany *CZ* **33** E3
Podborovje *RUS* **9** E2
Poddębice *PL* **28** C2

Poděbrady CZ 34 B2
Podersdorf am See A 43 E1
Podgaje PL 21 E2
Podgarić HR 56 C3
Podgrad SLO 55 D3
Podhalański PL 37 D1
Podivín CZ 43 E3
Podkoren SLO 48 B1
Podkriváň SK 45 D2
Podnovlje BIH 57 E2
Podorosk SU 25 F2
Podravska Slatina HR 57 E3
Pogi RUS 5 F3
Pogórze PL 35 F3
Pograničnyj SU 25 E2
Pogrodzie PL 23 D4
Pohja/Pojo FIN 2 C3
Pohořelice CZ 43 E3
Pojejena RO 59 F1
Pojo/Pohja FIN 2 C3
Pokój PL 36 A4
Pokupsko HR 56 B3
Połajewo PL 21 E1
Polanica-Zdrój PL 35 D3
Połaniec PL 38 A3
Polanów PL 18 B2
Połczno PL 19 D2
Połczyn-Zdrój PL 21 D3
Polessk RUS 14 C2
Polgár H 46 B1
Polgárdi H 51 D3
Police PL 20 B3
Police nad Metují CZ 35 D3
Polička CZ 35 D1
Poljana YU 59 E1
Poljany RUS 5 E4
Polkowice PL 27 D2
Polomka SK 45 E3
Põltsamaa EST 8 A4
Põlva EST 8 C3
Pomellen D 20 B2
Pomezí nad Ohří CZ 32 C2
Pomi RO 47 E1
Pommersfelden D 32 A2
Pomysk Mały PL 19 D2
Poniky SK 45 D3
Ponte di Piave I 54 A3
Ponte nelle Alpi I 54 A4
Pontebba I 48 A2
Pontonnyi RUS 5 F3
Popesti RO 53 F3
Popovaca HR 56 C3
Poprad SK 45 F3
Porchov RUS 9 F2
Porcsalma H 47 D1
Porczyny PL 28 C2
Pordenone I 54 A4
Poręba PL 36 C3
Poreč HR 54 C2
Porečje RUS 5 D2
Porečje SU 25 E4
Pörnbach D 40 B3
Poroszló H 52 C4
Porozina HR 55 D2
Porozovo SU 25 E2
Porto Tolle I 54 A2
Portorož SLO 54 C3
Pörtschach A 48 B2
Porvoo/Borgå FIN 3 E4
Porządzie PL 24 A1
Pössneck D 32 B4
Postavy SU 17 F3
Postojna SLO 55 D3
Postoloprty CZ 33 E3
Postomino PL 18 B3
Potok HR 56 C3
Potok PL 38 B2
Potrogruaro I 54 B3
Pottenstein A 43 D1
Pottenstein D 32 B2
Pöttmes D 40 A3
Považská Bystrica SK 44 C3
Powidz PL 28 B4
Powodow PL 28 C3
Poysdorf A 43 E2
Pöytyä FIN 2 B4
Požarevac YU 59 E1
Poznań PL 27 F4
Poźrzadło PL 26 C3
Prachatice CZ 41 F3
Pradła PL 37 D3
Praha CZ 34 A2
Prakovce SK 46 A3
Praszka PL 36 B4
Pravdinsk RUS 14 C1
Pravlov CZ 43 E3
Preddvor SLO 48 C1
Predel SLO 48 B1
Predlitz A 48 B3
Pregarten A 42 B2
Preili LV 13 D2
Přelouč CZ 34 C2
Prenzlau D 20 A2
Přerov CZ 44 A4
Prešov SK 46 B3
Pressath D 32 B2
Pressbaum A 43 D2
Přeštice CZ 33 D1
Pribeta SK 44 B1
Priboj BIH 58 A1
Příbor CZ 36 A1
Príbovce SK 44 C3
Příbram CZ 33 F1
Přibyslav CZ 34 C1
Prien D 40 C1
Prienai LT 16 B2
Prievidza SK 44 C3
Prijeboj HR 56 A1
Prijedor BIH 56 C2
Primda CZ 33 D1
Primorje RUS 14 B2
Primorsk RUS 14 B2
Primorsk RUS 5 D4
Privetnoje UA 39 F4
Prizna HR 55 E1
Prnjavor BIH 57 E1
Prnjavor YU 58 B1
Probstzella D 32 B3
Prochowice PL 27 E1
Promna PL 30 A2
Prostějov CZ 35 E1
Prószków PL 36 A3
Proszowice PL 37 E2
Protivín CZ 42 A4
Prötzel D 26 A4
Prudnik PL 35 F3
Prunn D 40 C3
Pruszcz PL 22 B2
Pruszcz Gdański PL 19 E2
Pruszków PL 29 F3
Pružany SU 25 F1
Przasnysz PL 23 F2
Przechlewo PL 21 F3
Przedbórz PL 29 E1
Przedecz PL 28 C3
Przemków PL 27 D2
Przemyśl PL 38 C2
Przewale PL 39 E4
Przeworsk PL 38 C2
Przybiernów PL 20 B3
Przybychowo PL 21 E1
Przylesie PL 35 F4
Przysucha PL 29 F1
Przyszowa PL 37 E1
Przytoczna PL 27 D4
Przytoczno PL 30 C2
Przytyk PL 30 A2
Pskov RUS 9 D2
Pszczew PL 27 D4
Pszczyna PL 36 C2
Ptuj SLO 49 E1
Puchberg A 49 E4
Púchov SK 44 B3
Puck PL 19 E3
Pula HR 54 C1
Puławy PL 30 C2
Pulkau A 43 D3
Pulkovo RUS 5 F3
Pulsnitz D 26 A1
Pułtusk PL 23 F1
Pumpėnai LT 12 A1
Punta Marina I 54 A1
Purbach A 43 E1
Purgstall A 42 C1
Purkersdorf A 43 D2
Puškin RUS 5 F3
Puškinskije Gory RUS 9 E1
Püspökladány H 52 C3
Pustków PL 38 A2
Pusula FIN 2 C4
Puszczykowo PL 27 E3
Pusztamonostor H 52 A4
Pusztaszemes H 51 D2
Putim CZ 42 A4
Putinci YU 58 C2
Putnok H 45 F2
Pyhtää/Pyttis FIN 4 A4
Pyrzyce PL 20 B2
Pyšely CZ 34 A2
Pyskowice PL 36 B3
Pytalovo RUS 13 E4
Pyttis/Pyhtää FIN 4 A4
Pyzdry PL 28 A3

R

Raab A 41 E2
Raabs an der Thaya A 42 C3
Rab HR 55 E1
Rabac HR 55 D2
Rábafüzes H 49 F2
Răbăgani RO 53 E2
Rabí CZ 41 F4
Rabka PL 37 D1
Rabrovo YU 59 F1
Rača SK 43 F2
Răcăşdia RO 59 F2
Raciąż PL 23 E1
Racibórz PL 36 B2
Rączki PL 23 E2
Raczki PL 24 C4
Radawnica PL 21 E2
Radeberg D 26 A1
Radebeul D 26 A1
Radeburg D 26 A1
Radeče SLO 55 F4
Radechov UA 39 F3
Radęcin PL 21 D1
Radenci SLO 49 F2
Radenthein A 48 B2
Radkersburg A 49 F2
Radków PL 35 D3
Radlje ob Dràvi SLO 49 D2
Radmirje SLO 49 D1
Radna RO 59 F4
Radnica PL 26 C3
Radnice CZ 33 E2
Radom PL 30 A2
Radomin PL 22 C2
Radomsko PL 36 C4
Radomyśsl Wielki PL 38 A2
Radošina SK 44 B2
Radošovce SK 43 F3
Radostowo PL 23 E4
Radotín CZ 33 F2
Radovljica SLO 48 C1
Radstadt A 48 A3
Radun SU 25 F4
Radviliškis LT 16 A4
Radymno PL 38 C2
Radzanów PL 23 E1
Radziądz PL 27 F2
Radziejów PL 28 C4

Radziwie PL 29 D4
Radzymin PL 30 A4
Radzyń Podlaski PL 30 C2
Ragana LV 12 A4
Ragaška Slatina SLO 49 E1
Raguva LT 16 C4
Rain D 40 A3
Raisio FIN 2 A4
Rajamäki FIN 3 D4
Rajec SK 44 C3
Rajecké Teplice SK 44 C3
Rajgród PL 24 C3
Rajka H 43 F1
Rakamaz H 46 B2
Rákóczifalva H 52 B3
Rakoniewice PL 27 E3
Rákos H 52 C1
Rakoszyce PL 35 D4
Rakovica HR 56 A2
Rakovník CZ 33 E2
Raków PL 37 F3
Rakvere EST 4 A2
Ralja YU 59 D1
Ramsau A 48 B3
Ramygala LT 16 B4
Räpina EST 8 C3
Rapla EST 3 E1
Raša HR 55 D2
Raseiniai LT 15 F3
Rastenfeld A 42 C2
Ratece SLO 48 B2
Ratno UA 31 F2
Ratten A 49 E3
Rattersdorf A 50 A3
Raubling D 40 C1
Rauris A 48 A3
Rautila FIN 2 A4
Rava-Russkaja UA 39 E3
Rawa Mazowiecka PL 29 E2
Rawicz PL 27 E2
Razdrto SLO 55 D3
Recaş RO 59 F4
Rechnitz A 50 A3
Recsk H 45 E1
Recz PL 20 C2
Ręczno PL 29 E1
Reda PL 19 E3
Rédics H 50 A2
Regen D 41 E3
Regensburg D 40 C3
Regenstauf D 40 C4
Rehau D 32 C3
Reichenau an der Rax A 49 E4
Reichenbach D 32 C3
Reichenbach D 26 B1
Reichertshausen D 40 B2
Reichertshofen D 40 B3
Reisbach D 41 D3
Reischach D 41 D2
Reischenhart D 40 C1
Reit im Winkl D 41 D1
Reitzehain D 33 D3
Rejštejn CZ 41 E4
Remetea Mare RO 59 E3
Renceni LV 7 F2
Renda LV 10 C3
Rennweg A 48 B3
Répáshuta H 45 F1
Répcelak H 50 B3
Repino RUS 5 E4
Rešety RUS 9 E1
Reşiţa RO 59 F3
Resko PL 20 C3
Reszel PL 23 F4
Rétság H 45 D1
Retz A 43 D3
Revfülöp H 50 C2
Řevničov CZ 33 E2
Rewal PL 20 B4
Rēzekne LV 13 E3
Ribnica SLO 55 E3
Říčany CZ 34 A2
Ried im Innkreis A 41 E2
Riedenburg D 40 B3
Riegersburg A 49 F2
Rietavas LT 15 D4
Rīga LV 11 F3
Riihimäki FIN 3 D4
Riihivalkama FIN 2 C4
Rijeka HR 55 D2
Rimavska Sobota SK 45 E2
Rimske Toplice SLO 55 F4
Ripač BIH 56 B1
Risnovce SK 44 B2
Risti EST 7 D4
Ristna EST 6 A4
Rochlitz D 33 D4
Rodach D 32 A3
Rodewisch D 32 C3
Roding D 41 D4
Rogalin PL 27 E3
Rogatec SLO 49 E1
Rogatin UA 39 F1
Rogowo PL 28 A4
Rogoźno PL 21 E1
Rohrbach A 41 F2
Rohuneeme EST 3 E2
Roja LV 6 C1
Rokietnica PL 38 C2
Rokiškis LT 12 C1
Rokycany CZ 33 E1
Ronchi I 54 C3
Rõngu EST 8 B3
Ronneburg D 32 C4
Ropaži LV 12 A3
Ropczyce PL 38 B2
Ropša RUS 4 C3
Ropša RUS 5 E3
Rosala FIN 2 B2
Rościszewo PL 23 D1
Rosegg A 48 B2
Rosenheim D 40 C1
Roşia RO 53 F2
Rosice CZ 43 E4
Roşiori RO 53 E3
Rosko PL 21 D1
Rosolina Mare I 54 A2
Ross' SU 25 E2
Rosshaupten D 40 A1
Rossosz PL 31 D3
Röszke H 52 B1
Roszki-Wodźki PL 24 C2
Roth D 40 B4
Rothenburg D 26 C1
Rott D 40 A1
Rott D 40 C1
Rottach D 40 B1
Rottenbach D 32 A3
Rottenburg D 40 C3
Rottenmann A 48 C4
Rotthalmünster D 41 E2
Rötz D 41 D4
Roudnice n Labem CZ 33 F3
Rovinj HR 54 C2
Rovisće HR 56 C4
Rów PL 20 B1
Rowy PL 18 C3
Różan PL 24 A1
Różanki PL 20 C1
Rožmitál pod Třemšínen CZ 33 E1
Rožňava SK 45 F3
Rožnov pod Radhoštěm CZ 44 B4
Rozogi PL 24 A3
Rozprza PL 29 D1
Rozvadov CZ 32 C1
Rucava LV 10 B1
Ruciane-Nida PL 24 A3
Ruda Maleniecka PL 29 E1
Rudawica PL 26 C2
Rūdiškės LT 16 C2
Rudka PL 24 C1
Rudna PL 27 D2
Rudna PL 21 F2
Rudnik PL 38 B3
Rudniki PL 36 B4
Rudno PL 22 C3
Rudolphstein D 32 B3
Rudolstadt D 32 B4
Rudzāti LV 13 D2
Rugāji LV 13 D4
Ruhland D 26 A2
Ruhmannsfelden D 41 E3
Ruhpolding D 41 D1
Rūjiena LV 7 F2
Rum H 50 B3
Ruma YU 58 C2
Rumburk CZ 34 A4
Rumia PL 19 E3
Rupa HR 55 D3
Ruševo HR 57 E2
Rusiec PL 28 C1
Rusinowo PL 21 D2
Ruski Krstur YU 58 B3
Rusnė LT 15 D3
Rust A 50 A4
Ružany SU 25 F2
Ružomberok SK 45 D3
Rybnik PL 36 B2
Rychnov nad Kněžnou CZ 35 D2
Rychnowo PL 23 D3
Rychwał PL 28 B3
Rydzyna PL 27 E2
Ryki PL 30 B2
Rymań PL 18 A2
Rymanów PL 38 B1
Rýmařov CZ 35 E2
Rymättylä FIN 2 A3
Ryn PL 24 A3
Rynarzewo PL 22 A1
Rypin PL 23 D2
Rytel PL 22 A3
Rzeczenica PL 21 E3
Rzepin PL 26 B3
Rzeszów PL 38 B2
Rzgów PL 29 D2

S

Saal D 40 C3
Saalfeld D 32 B4
Šabac YU 58 C1
Sabile LV 11 D3
Sabinov SK 46 B4
Săcălaz RO 59 E3
Sacile I 54 A4
Šack UA 31 E2
Săcueni RO 53 E3
Sadki PL 21 F2
Sądów PL 26 B3
Sadská CZ 34 B2
Ságvár H 51 D2
Šahy SK 45 D1
St Aegyd A 42 C1
St Andrä A 49 D2
St Englmar D 41 D3
St Gallen A 48 C4
St Georgen A 41 E1
St Georgen A 48 C3
St Gilgen A 48 A4
St Jakob im Rosental A 48 B2
St Johann am Tauern A 48 C3
St Johann im Pongau A 48 A3
St Lambrecht A 48 C3
St Leonhard A 42 C1
St Michael A 48 B3
St Michael A 49 D3
St Michael A 49 F3
St Nikolai A 48 B3
St Oswald A 42 B2
St Paul A 49 D2
St Pötten A 42 C2
St Valentin A 42 B2
St Veit A 48 C2
St-Vestec CZ 34 B2

St Wolfgang A 48 A4
Šajkaš YU 58 C2
Sajószentpéter H 46 A2
Šakiai LT 15 F2
Šal'a SK 44 B1
SalacgrĪva LV 7 D2
Salakovac YU 59 E1
Sălard RO 53 E3
Salaspils LV 12 A3
Šalčininkai LT 17 D1
Saldus LV 11 D2
Salgótarján H 45 E1
Sälinkää FIN 3 E4
Salo FIN 2 B4
Salonta RO 53 D2
Salzburg A 41 E1
Salzweg D 41 E3
Sambor UA 39 D1
Samobor HR 56 A3
Šamorín SK 43 F1
Samoš YU 59 E2
San Daniele del Friuli I 48 A1
San Giórgio di Nogaro I 54 B4
San Stino di Livenza I 54 A3
San Vito al Tagliamento I 54 B4
Sandl A 42 B2
Sandomierz PL 38 B4
Sándorfalva H 52 B1
Sankt-Peterburg RUS 5 F4
Sanniki PL 29 E3
Sanok PL 38 C1
Sanski Most BIH 56 C1
Santa Dona' di Piave I 54 A3
Santok PL 20 C1
SăpînȚa RO 47 F1
Sáránd H 53 D3
Sarasău RO 47 F1
Sarbinowo PL 26 B4
Sarbinowo PL 18 A2
Sárbogárd H 51 E2
Šarengrad HR 58 B2
Sári H 51 F3
Sarkad H 53 D2
Sarkadkeresztúr H 53 D2
Sárkeresztúr H 51 D2
Särkisalo/Finby FIN 2 B3
Sărmăşag RO 53 F3
Sarnaki PL 31 D4
Sarnowa PL 27 E2
Sarnówek PL 38 A4
Sárospatak H 46 B2
Šarovce SK 44 C1
Sárrétudvari H 53 D3
Sárvár H 50 B3
Sasca Montană RO 59 F2
Sásd H 51 D1
Šaštin- Stráže SK 43 F2
Sátoraljaújhely H 46 C2
Satu Mare RO 47 E1
Satulung RO 47 F1
Sauerlach D 40 B1
Saukkola FIN 2 C4
Saulkrasti LV 11 F4
Sauvo FIN 2 B3
Săvîrşin RO 53 E1
Savudrija HR 54 C3
Scardovari I 54 A2
Scărişoara RO 53 F2
Schachendorf A 50 A3
Schäftlam D 40 B1
Schärding A 41 E2
Scharnstein A 41 F1
Scheibbs A 42 C1
Scheifling A 48 C3
Schesslitz D 32 A2
Scheyern D 40 B2
Schierling D 40 C3
Schirnding D 32 C2
Schladming A 48 B3
Schleching D 40 C1
Schleiz D 32 B3
Schleusingen D 32 A3
Schliersee D 40 C1
Schmidmühlen D 40 C4
Schmilka D 33 F4
Schmöllin D 32 C4
Schmölln D 20 A2
Schnaittenbach D 32 B1
Schneeberg D 33 D3
Schöder A 48 B3
Schönberg D 32 C2
Schönberg D 41 E3
Schongau D 40 A1
Schönthal D 41 D4
Schrems A 42 C3
Schrobenhausen D 40 B3
Schwabach D 32 A1
Schwabhausen D 40 B2
Schwabmünchen D 40 A2
Schwandorf D 40 C4
Schwanenstadt A 41 F1
Schwarzach A 48 A3
Schwarzenbach D 32 B3
Schwarzenberg D 33 D3
Schwarzenfeld D 32 C1
Schwechat A 43 E1
Schwedt D 20 A2
Ścinawa PL 27 E1
Ščučin SU 25 F3
Seăaşeni RO 59 F2
Sebež RUS 13 F2
Sebiş RO 53 E1
Sebnitz D 33 F4
Seč CZ 33 E1
Seč CZ 34 C2
Sećanj YU 59 D3
Secemin PL 37 D4
Seckau A 49 D3
Sečovce SK 46 B3
Sedlčany CZ 34 A1
Sedlice CZ 41 F4
Šeduva LT 16 A4
Sędziszów PL 38 B2
Seeboden A 48 B2
Seebruck D 41 D1
Seelow D 26 B4
Seeon D 41 D1
Seeshaupt D 40 B1
Seewalchen A 41 E1
Seewiesen A 49 D4
Segesd H 50 C1
Seifhannersdorf D 34 A4
Seini RO 47 E1
Seitenstetten A 42 B1
Sejny PL 25 D4
Selb D 32 C2
Selce HR 55 E2
Seleuş RO 53 E1
Sellin D 20 A4
Sellye H 57 E3
Semily CZ 34 B3
Semmering A 49 E4
Seňa SK 46 B2
Senec SK 44 A2
Senftenberg D 26 A2
Senica SK 44 A3
Senj HR 55 E2
Senohrad SK 45 D2
Senožeče SLO 55 D3
Senta YU 58 C4
Sentilj SLO 49 E2
Sepólno Krajenskie PL 21 F2
Ser'odka RUS 9 D3
Sered' SK 44 B2
Seregélyes H 51 E3
Serock PL 30 A4
Šeštokai LT 16 A1
Sestroreck RUS 5 E4
Sesvete HR 56 B3
Šeta LT 16 B3
Ševětin CZ 42 B3
Sevnica SLO 55 F4
Sežana SLO 54 C3
Sezimovo Ústí CZ 42 B4
Sianów PL 18 B2
Šiauliai LT 11 E1
Sibbo/Sippo FIN 3 E4
Šid YU 58 B2
Sidzina PL 35 F3
Siedlce PL 30 C3
Siegenburg D 40 C3
Sieggraben A 50 A4
Siegsdorf D 41 D1
Siekierki PL 20 A1
Siemiany PL 23 D3
Siemiatycze PL 31 D4
Sieniawa PL 38 C3
Sieniawka PL 34 B4
Sienno PL 30 B1
Sieradz PL 28 C2
Sieraków PL 27 D4
Sieraków PL 36 B4
Sierakowice PL 19 D2
Sierning A 42 A1
Sierpc PL 23 D1
Siewierz PL 36 C3
Sighetu Marmaţiei RO 47 F1
Sigulda LV 12 A4
Siklós H 57 F3
Šilale LT 15 E3
Silbaš YU 58 B3
Sillamäe EST 4 C2
Silno PL 22 A3
Šilo HR 55 E2
Šilutė LT 15 D3
Şimand RO 53 D1
Simaság H 50 B3
Simbach D 41 D2
Simbach D 41 E2
Šimkaičiai LT 15 F3
Şimleu Silvaniei RO 53 F3
Simontornya H 51 E2
Simuna EST 4 A1
Sindi EST 7 E3
Sînmartin RO 53 E3
Sînnicolau Mare RO 59 D4
Siófok H 51 D2
Sippo/Sibbo FIN 3 E4
Şiria RO 53 D1
Sirig YU 58 C3
Sirok H 45 F1
Široké SK 46 A3
Širvintos LT 16 C3
Sisak HR 56 B3
Şiştarovăţ RO 59 F4
Sistiana I 54 C3
Sivac YU 58 B3
Siverskij RUS 5 F2
Skaistkalne LV 12 A2
Skała PL 37 D2
Skalbmierz PL 37 E3
Skalica SK 43 F3
Skąpe PL 26 C3
Skarszewy PL 19 E2
Skaryszew PL 30 A1
Skarżysko-Kamienna PL 30 A1
Skaudvilė LT 15 E3
Skawina PL 37 D2
Skela YU 58 C1
Skępe PL 22 C1
Skibniew-Podawce PL 30 C4
Skidel' SU 25 E3
Skierniewice PL 29 E3
Skoczów PL 36 B1
Škofja Loka SLO 55 D4
Skofljica SLO 55 E4
Skoki PL 27 F4
Skole UA 47 E4
Skórcz PL 22 B3
Skoroszów PL 27 F1
Skórzec PL 30 C3
Skrad HR 55 E3
Skrīveri LV 12 B3
Skrunda LV 10 C2
Skulsk PL 28 B4
Skulte LV 11 F4

Skuodas *LT* 10 B2
Skuteč *CZ* 34 C2
Skwierzyna *PL* 26 C4
Sládkovičovo *SK* 44 A2
Śladów *PL* 29 E4
Slancy *RUS* 5 D1
Slaný *CZ* 33 F2
Slatina *HR* 56 A4
Slatina de Mureș *RO* 53 E1
Slatiňany *CZ* 34 C2
Slavkoviči *RUS* 9 E2
Slavonice *CZ* 42 C3
Slavonska Požega *HR* 57 E2
Slavonski Brod *HR* 57 E2
Sława *PL* 27 D2
Sławatycze *PL* 31 E3
Sławno *PL* 18 B3
Sławoborze *PL* 20 C3
Ślesin *PL* 22 A2
Ślesin *PL* 28 B3
Śliwice *PL* 22 B3
Słomniki *PL* 37 D2
Słońsk *PL* 26 B4
Slovenj Gradec *SLO* 49 D1
Slovenska Bistrica *SLO* 49 E1
Slovenská L'upča *SK* 45 D3
Slovenske Konjice *SLO* 49 E1
Slovenské Nové Mesto *SK* 46 C2
Słubice *PL* 26 B3
Slunj *HR* 56 A2
Słupca *PL* 28 B3
Słupia *PL* 37 F3
Słupiec *PL* 35 D3
Słupno *PL* 29 E4
Słupsk *PL* 18 C3
Smalininkai *LT* 15 E3
Smědeč *CZ* 42 A3
Smederevo *YU* 59 E1
Smidary *CZ* 34 C3
Śmigiel *PL* 27 E3
Smiltene *LV* 8 A1
Smojlovo *RUS* 9 E2
Smołdzino *PL* 18 C3
Smorgon' *SU* 17 E2
Snina *SK* 46 C3
Soběslav *CZ* 42 B4
Sobotište *SK* 44 A3
Sobotka *CZ* 34 B3
Sobótka *PL* 35 E4
Sochaczew *PL* 29 E3
Sochocin *PL* 23 E1
Socodor *RO* 53 D2
Sodražica *SLO* 55 E3
Sokal' *UA* 39 F3
Sokółka *PL* 25 D3
Sokolniki *PL* 28 B1
Sokolov *CZ* 32 C2
Sokołów Malopolski *PL* 38 B3
Sokołów Podlaski *PL* 30 C4
Sollenau *A* 43 D1
Sološnica *SK* 43 F2
Solt *H* 51 E2
Soltvadkert *H* 51 F2
Sombor *YU* 58 B3
Somerniemi *FIN* 2 C4
Somero *FIN* 2 C4
Somogyszob *H* 50 B1
Sompolno *PL* 28 C3
Sonneberg *D* 32 A3
Sonta *YU* 58 B3
Sopockin *SU* 25 D3
Sopot *PL* 19 E3
Sopot *YU* 59 D1
Sopron *H* 50 A4
Söréd *H* 51 D3
Sorokino *RUS* 9 F1
Sõrve *EST* 6 A2
Sośnica *PL* 36 C3
Sośnicowice *PL* 36 B2
Sosnovyj Bor *RUS* 5 E3
Sosnowica *PL* 31 D2
Sosnowiec *PL* 36 C3
Sotin *HR* 58 B2
Sottomarina *I* 54 A2
Sovetsk *RUS* 15 D2
Spálené Poříčí *CZ* 33 E1
Spalt *D* 40 A4
Spiegelau *D* 41 E3
Spielfeld *A* 49 E2
Spilimbergo *I* 54 B4
Špindlerův-Mlýn *CZ* 34 C3
Spionica Donja *BIH* 57 F1
Špišić Bukovica *HR* 57 D3
Spišská Belá *SK* 45 F4
Spišská Nová Ves *SK* 45 F3
Spišské Podhradie *SK* 46 A3
Spišský Štvrtok *SK* 45 F3
Spital am Pyhrn *A* 48 C4
Spittal an der Drau *A* 48 A2
Spitz *A* 42 C2
Spjutsund *FIN* 3 E4
Špogi *LV* 13 D2
Spręcowo *PL* 23 E3
Spremberg *D* 26 B2
Spresiano *I* 54 A3
Srbobran *YU* 58 C3
Śrem *PL* 27 F3
Sremska Kamenica *YU* 58 C2
Sremski Karlovci *YU* 58 C2
Środa Śląska *PL* 27 E1
Środa Wielkopolska *PL* 27 F3
Srokowo *PL* 24 A4
Srpska Crnja *YU* 59 D3
Srpski Miletić *YU* 58 B3
Stachy *CZ* 41 F4
Stadtilm *D* 32 A4
Stadtroda *D* 32 B4
Stadtsteinach *D* 32 B3
Staffelstein *D* 32 A2
Staicele *LV* 7 E2
Stainach *A* 48 C4
Stainz *A* 49 D2
Stalowa Wola *PL* 38 B3
Stanisławów *PL* 30 B3
Staňkov *CZ* 33 D1
Stany *PL* 38 B3
Stapar *YU* 58 B3
Stąporków *PL* 29 F1
Stará L'ubovňa *SK* 46 A4
Stara Novalja *HR* 55 E1
Stara Pazova *YU* 58 C2
Stara Wrona *PL* 29 F4
Starachowice *PL* 30 A1
Stare Czarnowo *PL* 20 B2
Staré Město *CZ* 35 E2
Staré Město *CZ* 44 A3
Stargard-Szczeciński *PL* 20 B2
Stari Gradac *HR* 57 D4
Stari Mikanovci *HR* 57 F2
Starigrad *HR* 55 E1
Starnberg *D* 40 B1
Starogard *PL* 20 C3
Starogard Gdański *PL* 19 E2
Staromieście *PL* 37 D3
Staropolje *RUS* 5 D1
Starożreby *PL* 29 E4
Stary Dzierzgoń *PL* 22 C3
Stary Gózd *PL* 30 A2
Starý Hrozenkov *CZ* 44 B3
Stary Sącz *PL* 37 E1
Starý Smokovec *SK* 45 E4
Staryi Sambor *UA* 39 D1
Staszów *PL* 37 F3
Stawiguda *PL* 23 E3
Stawiski *PL* 24 B2
Stawiszyn *PL* 28 B3
Štěchovice *CZ* 34 A2
Stegersbach *A* 49 F3
Steinfeld *A* 48 A2
Steingaden *D* 40 A1
Stende *LV* 11 D3
Stepojevac *YU* 59 D1
Šternberk *CZ* 35 E1
Stęszew *PL* 27 E3
Štětí *CZ* 34 A3
Steyr *A* 42 A1
Steyrermühl *A* 41 F1
Stîna de Vale *RO* 53 F2
Štítary *CZ* 43 D3
Štíty *CZ* 35 E2
Stockerau *A* 43 D2
Stockheim *D* 32 A3
Stoczek Łukowski *PL* 30 B3
Stod *CZ* 33 D1
Štoky *CZ* 34 C1
Stollberg *D* 33 D3
Stonařov *CZ* 42 C4
Stopnica *PL* 37 F3
Storkow *D* 26 A3
Stotternheim *D* 32 A4
Straduny *PL* 24 B3
Strakonice *CZ* 41 F4
Strání *CZ* 44 A3
Stranice *SLO* 49 D1
Strasburg *D* 20 A2
Strassburg *A* 48 C2
Strasswalchen *A* 41 E1
Straubing *D* 41 D3
Straupitz *D* 26 A3
Strausberg *D* 26 A4
Straža *YU* 59 E2
Strážnice *CZ* 43 F3
Strážný *CZ* 41 F3
Strážske *SK* 46 C3
Štrba *SK* 45 E3
Štrbské Pleso *SK* 45 E4
Streitberg *D* 32 A2
Strelki *SU* 13 F2
Stremska Mitrovica *YU* 58 C2
Stremska Rača *YU* 58 B2
Strengberg *A* 42 B1
Stříbro *CZ* 33 D2
Strmilov *CZ* 42 C4
Strobl *A* 48 B4
Stronie Śląskie *PL* 35 E3
Strugi-Krasnyje *RUS* 9 E3
Strumień *PL* 36 B2
Stryj *UA* 47 F4
Stryków *PL* 29 D3
Strzegocin *PL* 23 F1
Strzegom *PL* 35 D4
Strzelce *PL* 29 D3
Strzelce Krajeńskie *PL* 20 C1
Strzelce Małe *PL* 29 E1
Strzelce Opolskie *PL* 36 B3
Strzelin *PL* 35 E4
Strzelno *PL* 28 B4
Strzyżów *PL* 38 B2
Stubline *YU* 59 D1
Studánky *CZ* 42 A2
Studená *CZ* 42 C4
Stupava *SK* 43 F2
Stupnik *HR* 56 A3
Štúrovo *SK* 51 E4
Subačius *LT* 12 B1
Subate *LV* 12 C1
Subotica *YU* 58 C4
Sucha Beskidzka *PL* 37 D1
Suchań *PL* 20 C2
Suchdol nad Lužnicí *CZ* 42 B3
Suchedniów *PL* 30 A1
Suchorze *PL* 18 C2
Suchowola *PL* 25 D3
Suchożebry *PL* 30 C3
Sudovaja Višn'a *UA* 39 D2
Suhl *D* 32 A4
Suho Polje *BIH* 58 B1
Sukoły *PL* 24 C2
Sükösd *H* 51 E1
Sulechow *PL* 27 D3
Sulęczyno *PL* 19 D2
Sulęin *PL* 26 C4
Sulejów *PL* 29 E1
Sulejówek *PL* 30 A3
Sulmierzyce *PL* 28 A2
Sulmierzyce *PL* 29 D1

Sulów PL 27 F2
Sülysáp H 51 F3
Sulzbach-Rosenberg D 32 B1
Sümeg H 50 B2
Summa FIN 4 B4
Šumperk CZ 35 E2
Šumvald CZ 35 E2
Sunja HR 56 C2
Suntaži LV 12 A3
Suomusjärvi FIN 2 C4
Suplacu de Barcău RO 53 F3
Supuru de Jos RO 53 F4
Supuru de Sus RO 53 F4
Šurany SK 44 B1
Surčin YU 59 D1
Susek YU 58 B2
Sušice CZ 41 E4
Susz PL 22 C3
Sutjeska YU 59 D3
Suure-Jaani EST 7 F3
Suuremõisa EST 6 B4
Suwałki PL 24 C4
Sval'ava UA 47 E3
Sväty Jur SK 43 F2
Svedasai LT 17 D4
Švėkšna LT 15 D3
Švenčionėliaj LT 17 E3
Švenčionys LT 17 E3
Švermov CZ 33 F2
Světlá nad Sázavou CZ 34 B1
Svetozar Miletic YU 58 B4
Svidnik SK 46 B4
Švihov CZ 33 D1
Svir' SU 17 E3
Svisloč' SU 25 E2
Svitavy CZ 35 D1
Svrčinovec SK 36 C1
Swarożyn PL 19 E2
Swarzędz PL 27 F4
Swarzewo PL 19 E3
Świdnica PL 26 C2
Świdnica PL 35 D4
Swidnik PL 31 D1
Świdwin PL 21 D3
Świebodzice PL 35 D4
Świebodzin PL 26 C3
Świecie PL 22 B2
Świecko PL 26 B3
Świeradów-Zdrój PL 34 B4
Świerczów PL 35 F4
Świerzawa PL 34 C4
Świerzno PL 20 B3
Święta Anna PL 37 D4
Świętno PL 27 D3
Świnoujście PL 20 A3
Syców PL 28 A1
Szabadszállás H 51 F2
Szabolcsbáka H 46 C2
Szadek PL 28 C2
Szakály H 51 D1
Szalkszentmárton H 51 E2
Szalonna H 46 A2
Szamocin PL 21 E1
Szamotuły PL 27 E4
Szany H 50 B3
Szarvas H 52 C2
Szarvaskő H 45 F1
Szczebrzeszyn PL 39 D4
Szczecin PL 20 B2
Szczecinek PL 21 E3
Szczekociny PL 37 D3
Szczerców PL 29 D1
Szczucin PL 37 F3
Szczuczyn PL 24 B3
Szczytna PL 35 D3
Szczytno PL 23 F3
Szécsény H 45 D1
Szederkény H 57 F4
Szeged H 52 B1
Szeghalom H 53 D3
Szegvár H 52 B2
Székely H 46 C1
Székesfehérvár H 51 D3
Székkutas H 52 C2
Szekszárd H 51 E1
Szendrő H 46 A2
Szentendre H 51 E4
Szentes H 52 B2
Szentlászló H 57 E4
Szentlőrinc H 57 E4
Szerencs H 46 B2
Szestno PL 24 A3
Szetlew PL 28 B3
Szigetvár H 57 E4
Szikszó H 46 A2
Szil H 50 B4
Szilvásvárad H 45 F1
Szklarska Poreba PL 34 C4
Szklary PL 38 C2
Szlichtyngowa PL 27 D2
Szob H 51 E4
Szolnok H 52 B3
Szombathely H 50 A3
Szonowice PL 36 A2
Szőny H 51 D4
Szprotawa PL 26 C2
Sztum PL 22 C3
Szubin PL 22 A1
Szumirad PL 36 B4
Szydłów PL 29 D2
Szydłów PL 37 F3
Szydłowiec PL 30 A1

T

T'ačev UA 47 F2
Taalintehdas/Dalsbruk FIN 2 B3
Tábor CZ 42 B4
Tachov CZ 32 C2
Takácsi H 50 C3
Tallinn EST 3 E2
Talsi LV 11 D4
Tamási H 51 D2
Tammisaari/Ekenäs FIN 2 C3
Tamsweg A 48 B3
Tanvald CZ 34 B3
Tapa EST 4 A1
Tápiószecső H 51 F3
Tápiószele H 52 A3
Tapolca H 50 C2
Tapolcafő H 50 C3
Tarcea RO 53 E4
Tarcento I 48 A1
Tarhos H 53 D2
Tarnaméra H 52 B4
Tarnawałka PL 39 D3
Tarnobrzeg PL 38 B3
Tarnogród PL 38 C3
Tarnów PL 37 F2
Tarnów PL 30 B2
Tarnowo Podgórne PL 27 E4
Tarnowskie Góry PL 36 C3
Tarpa H 47 D2
Tartu EST 8 B3
Tarvasjoki FIN 2 B4
Tarvisio I 48 B2
Tăşnad RO 53 F4
Tata H 51 D4
Tatabánya H 51 D4
Tataháza H 58 B4
Tatárszentgyörgy H 51 F3
Tatranská Kotlina SK 45 F4
Taufkirchen A 41 E2
Taufkirchen D 40 C2
Taujėnai LT 16 C3
Tauplitz A 48 B4
Taurage LT 15 E3
Taxenbach A 48 A3
Tázlár H 52 A2
Tczew PL 19 E2
Techendorf A 48 A2
Tegernsee D 40 B1
Teichel D 32 B4
Teisendorf D 41 D1
Tekeriš YU 58 B1
Telč CZ 42 C4
Telšiai LT 10 C1
Temerin YU 58 C3
Tenala/Tenhola FIN 2 C3
Tenhola/Tenala FIN 2 C3
Teplá CZ 33 D2
Teplice CZ 33 E3
Teratyn PL 39 E4
Terebiń PL 39 E4
Terespol PL 31 E3
Terezín CZ 33 F3
Terezino Polje HR 57 D4
Ternitz A 49 F4
Terz A 49 E4
Teslić BIH 57 E1
Tét H 50 C4
Teupitz D 26 A3
Tevli SU 31 F4
Thalmässing D 40 B4
Tharandt D 33 E4
Thiendorf D 26 A1
Thiersee A 40 C1
Thiessow D 20 A4
Thum D 33 D3
Thurnau D 32 B2
Tibava SK 46 C3
Tiefensee D 26 A4
Tihany H 50 C2
Timişoara RO 59 E3
Tinca RO 53 E2
Tirmo FIN 3 F4
Tirschenreuth D 32 C2
Tišnov CZ 43 E4
Tiszaalpár H 52 B2
Tiszabábolna H 52 C4
Tiszacsege H 52 C4
Tiszaföldvár H 52 B2
Tiszafüred H 52 C4
Tiszakécske H 52 B2
Tiszalök H 46 B1
Tiszaörs H 52 C4
Tiszaszőlős H 52 C4
Tiszaújváros H 46 B1
Tiszavasvári H 46 B1
Titel YU 59 D2
Titova Korenica HR 56 A1
Titovo Velenje SLO 49 D1
Tittling D 41 E3
Tittmoning D 41 D1
Tleń PL 22 B3
Tłuchowo PL 23 D1
Tłustoręby PL 35 F3
Tłuszcz PL 30 B4
Tohvri EST 7 F3
Tojšići BIH 58 A1
Tokaj H 46 B2
Tokarnia PL 37 E4
Toksovo RUS 5 F4
Tolkis/Tolkkinen FIN 3 E4
Tolkkinen/Tolkis FIN 3 E4
Tolkmicko PL 23 D4
Tolmačovo RUS 5 F1
Tolmezzo I 48 A1
Tolmin SLO 48 B1
Tolna H 51 E1
Tomaszów Lubelski PL 39 D3
Tomaszów Mazowiecki PL 29 E2
Tompa H 52 A1
Topa de Criş RO 53 F3
Topol'čany SK 44 B2
Topolovăţu RO 59 F3
Topolovnik YU 59 F1
Toporov UA 39 F3
Torgelow D 20 A3
Tornal'a SK 45 F2
Tornjoš YU 58 C4
Törökszentmiklós H 52 B3
Torony H 50 A3

Tortinmäki FIN 2 A4
Toruń PL 22 B1
Tõrva EST 8 A2
Torzym PL 26 C3
Tószeg H 52 B3
Toszek PL 36 B3
Tótkomlós H 52 C1
Toužim CZ 33 D2
Tovarnik HR 58 B2
Traisen A 42 C1
Traiskirchen A 43 D1
Traismauer A 43 D2
Trakai LT 16 C2
Trakošćan HR 49 E1
Traun A 42 A2
Traunkirchen A 41 F1
Traunreut D 41 D1
Traunstein D 41 D1
Trebatsch D 26 A3
Třebechovice pod Orebem CZ 34 C2
Třebenice CZ 33 F3
Třebíč CZ 43 D4
Trebišov SK 46 C3
Trebnje SLO 55 E4
Třeboň CZ 42 B3
Třebovice CZ 35 D2
Třemošná CZ 33 E2
Trenčianska Turná SK 44 B3
Trenčín SK 44 B3
Třešť CZ 42 C4
Treuchtlingen D 40 A3
Treviso I 54 A3
Trhové Sviny CZ 42 B3
Tricesimo I 54 B4
Trieben A 48 C4
Trieste I 54 C3
Třinec CZ 36 B1
Trnava SK 44 A2
Trocnov CZ 42 B3
Trofaiach A 49 D3
Trojane SLO 55 E4
Troškūnai LT 16 C4
Tröstau D 32 B2
Trostberg D 41 D1
Trstená SK 45 D4
Trstín SK 44 A2
Truskavec UA 47 E4
Trutnov CZ 34 C3
Tryńcza PL 38 C2
Tryszczyn PL 22 A2
Trzcianka PL 21 E1
Trzciel PL 27 D3
Trzcinno PL 20 B1
Trzcińsko Zdrój PL 20 B1
Trzebiatów PL 20 C4
Trzebiel PL 26 B2
Trzebież PL 20 B3
Trzebinia PL 37 D2
Trzebnica PL 27 F1
Trzemeszno PL 28 B4
Trzepowo PL 19 E2
Tržič SLO 48 C1
Tschernitz D 26 B2
Tuchola PL 22 A3
Tuchomie PL 18 C2
Tuchów PL 37 F2
Tuczno PL 21 D2
Tukums LV 11 D3
Tuławki PL 23 E3
Tulca RO 53 E2
Tulln A 43 D2
Tupadły PL 22 B1
Tura H 52 A4
Turany SK 45 D4
Turek PL 28 C3
Türi EST 7 F4
Turija YU 59 F1
Turijsk UA 31 F1
Turka UA 47 E4
Túrkeve H 52 C3
Türkheim D 40 A2
Turku/Åbo FIN 2 A4
Turmantas LT 13 D1
Turna nad Bodvou SK 46 A3
Türnitz A 42 C1
Turnov CZ 34 B3
Turobin PL 38 C4
Túrony H 57 E4
Turów PL 31 D3
Turrach A 48 B2
Turulung RO 47 E1
Turzovka PL 44 C4
Tušilovic HR 56 A2
Tuszyn PL 29 D2
Tutzing D 40 B1
Tuusula FIN 3 E4
Tuzla BIH 58 A1
Tverai LT 15 E4
Tvorožkovo RUS 9 D3
Tvrdošovce SK 44 B1
Twardogóra PL 28 A1
Twimberg A 49 D2
Tworóg PL 36 B3
Tychowo PL 21 D3
Tychy PL 36 C2
Tyczyn PL 38 B2
Tykocin PL 24 C2
Tylawa PL 38 B1
Týn nad Vltavou CZ 42 B4
Týniště nad Orlicí CZ 35 D2
Tyszki-Nadbory PL 24 B2
Tytuvėnai LT 15 F4

Ub YU 58 C1
Ubľa SK 47 D3
Udbina HR 56 A1
Udine I 54 B4
Udvar H 58 A4
Ueckermünde D 20 A3
Ugāle LV 10 C4
Uherse Mineralne PL 38 C1
Uherské Hradiště CZ 44 A3
Uherský Brod CZ 44 A3
Uhlířské Janovice CZ 34 B2
Uhříněves CZ 34 A2
Uileacu de Criș RO 53 E3
Uileacu Șimleului RO 53 F3
Ujazd PL 36 B3
Ujazd PL 29 E2
Újfehértó H 46 C1
Ujście PL 21 E1
Újszász H 52 B3
Ukmergė LT 16 C3
Uľanka SK 45 D3
Ulan Majorat PL 30 C3
Ulinia PL 19 D3
Uljma YU 59 E2
Üllés H 52 A1
Üllő H 51 F3
Umag HR 54 C3
Umčari YU 59 E1
Umka YU 59 D1
Úněšov CZ 33 D2
Unhošť CZ 33 F2
Unichowo PL 18 C2
Uničov CZ 35 E1
Uniejow PL 28 C3
Unter Pfaffenhofen D 40 B2
Unter-Schleissheim D 40 B2
Unterach A 41 E1
Unterweissenbach A 42 B2
Unterwössen D 41 D1
Úpice CZ 34 C3
Ursus PL 30 A3
Ušakovo RUS 14 B1
Usedom D 20 A3
Ust'-Čorna UA 47 F2
Ust'-Luga RUS 5 D3
Úštěk CZ 33 F3
Ústí nad Labem CZ 33 F3
Ústí nad Orlicí CZ 35 D2
Ustilug UA 39 E4
Ustka PL 18 C3
Ustroń PL 36 C1
Ustronie Morskie PL 18 A2
Ustrzyki Dolne PL 38 C1
Ustrzyki Górne PL 47 D4
Ususău RO 59 F4
Utena LT 17 D4
Uttendorf A 41 E2
Utting D 40 A2
Úvaly CZ 34 A2
Uzdowo PL 23 E2
Užgorod UA 47 D3
Užventis LT 15 E4

Vabalninkas LT 12 A1
Vác H 51 E4
Váchartyán H 51 F4
Vadu Izei RO 47 F1
Väike-Maarja EST 4 A1
Vajszló H 57 E3
Valašská Polanka CZ 44 B4
Valašské Meziříčí CZ 36 A1
Valea lui Mihai RO 53 E4
Valea Vinului RO 47 E1
Valga EST 8 A2
Vălișoara RO 53 F1
Valka LV 8 A2
Valkininkai LT 16 C1
Valko/Valkom FIN 3 F4
Valkom/Valko FIN 3 F4
Vállaj H 47 D1
Valmiera LV 7 F1
Valpovo HR 57 F3
Vamberk CZ 35 D2
Vámosmikola H 44 C1
Vámospércs H 53 E4
Vámosszabadi H 50 C4
Vanda/Vantaa FIN 3 D4
Vändra EST 7 E4
Vantaa/Vanda FIN 3 D4
Vanyarc H 45 D1
Varakļāni LV 13 D3
Varaždin HR 50 A1
Várdomb H 51 E1
Varduva LT 10 C1
Varėna LT 16 C1
Varna YU 58 C1
Varniai LT 15 E4
Varnja EST 8 C3
Varnsdorf CZ 34 A4
Városföld H 52 A2
Várpalota H 51 D3
Várpslőd H 50 C3
Vărșand RO 53 D2
Vásárosnamény H 47 D2
Vașcău RO 53 F2
Vasiliški SU 25 F3
Vaskio FIN 2 B4
Vasknarva EST 4 C1
Vasvár H 50 B3
Vát H 50 B3
Vatin YU 59 E2
Vecpiebalga LV 12 C4
Vecsés H 51 F3
Vecumnieki LV 12 A3
Vel Lašče SLO 55 E3
Veľké Leváre SK 43 F2
Veľke Ripňany SK 44 B2
Veľké Uherce SK 44 C2
Veľký Krtíš SK 45 D2
Veľký Meder SK 44 B1
Velagići BIH 56 C1
Velburg D 40 C4
Velden A 48 B2

Velden D 32 B1
Velden D 40 C2
Velēna LV 12 C4
Velešín CZ 42 B3
Veli Losinj HR 55 D1
Velico Orašje YU 59 E1
Velika Gorica HR 56 B3
Velika Kladuša HR 56 A2
Veliki Zdenci HR 57 D3
Velikij Ber'oznyi UA 47 D3
Velikije Mosty UA 39 E3
Veliko Gradište YU 59 F1
Veljun HR 56 A2
Velká Biteš CZ 43 D4
Velká Hleďsebe CZ 33 D2
Velká nad Veličkou CZ 44 A3
Velké Brezno CZ 33 F3
Velké Kapušany SK 46 C3
Velké Karlovice CZ 44 B4
Velké Meziříčí CZ 43 D4
Velké Němčice CZ 43 E3
Velkua FIN 2 A4
Velký Folkmar SK 46 A3
Velky Újezd CZ 35 F1
Veltrusy CZ 33 F3
Velvary CZ 33 F3
Venčane YU 59 D1
Venézia I 54 A3
Ventspils LV 10 B4
Venzone I 48 A1
Verchnedvinsk SU 13 F1
Vermeş RO 59 F3
Vése H 50 B1
Veselí nad Lužnicí CZ 42 B4
Veselí nad Moravou CZ 44 A3
Veszprém H 50 C3
Veszprémvarsány H 50 C3
Vésztő H 53 D2
Vetschau D 26 A2
Vić SLO 49 D2
Vidoml'a SU 31 E4
Vidzy SU 17 E4
Viechtach D 41 D4
Viekšniai LT 11 D2
Vierzehnheiligen D 32 A2
Viesīte LV 12 B2
Vievis LT 16 C2
Vihti FIN 3 D4
Vihtijärvi FIN 3 D4
Viinistu EST 3 F2
Viitna EST 3 F2
Vijküla EST 6 C3
Vijterna EST 6 B3
Vilaka LV 13 E4
Viläni LV 13 D3
Vilejka SU 17 F2
Vilémov CZ 34 C2
Viljandi EST 7 F3
Vilkaviškis LT 15 F2
Vilkija LT 16 A3
Villach A 48 B2
Villány H 57 F4
Vilnius LT 17 D2
Vilsbiburg D 40 C2
Vilseck D 32 B1
Vilshofen D 41 E3
Vimperk CZ 41 F3
Vinga RO 59 E4
Vinkovci HR 58 A2
Vinogradov UA 47 E2
Vireši LV 8 B1
Vîrfurile RO 53 F1
Vırkby/Virkkala FIN 2 C3
Virkkala/Vırkby FIN 2 C3
Virojoki FIN 4 C4
Virolahti FIN 4 C4
Virovitica HR 57 D3
Virtsu EST 6 C3
Vişagu RO 53 F2
Visegrád H 51 E4
Višnevo SU 17 E1
Vištytis LT 15 F1
Visz H 50 C2
Vitis A 42 C3
Vittório Véneto I 54 A4
Vižinada HR 54 C2
Vizovice CZ 44 B4
Vlachovo Březí CZ 41 F4
Vladimir-Volynskij UA 39 F4
Vladimirescu RO 53 D1
Vlašim CZ 34 B1
Vöcklabruck A 41 E1
Vodňany CZ 42 A4
Vodnjan HR 54 C2
Vohburg D 40 B3
Vohenstrauss D 32 C1
Vohma EST 6 B3
Võhma EST 7 F4
Voiteg RO 59 E3
Voitsberg A 49 D3
Vojčice SK 46 C3
Vojnić HR 56 A2
Vojnik SLO 49 D1
Vojtanov CZ 32 C2
Volary CZ 41 F3
Völkermarkt A 48 C2
Volkolata SU 17 F3
Volkovysk SU 25 F2
Volosovo RUS 5 E2
Volovec UA 47 E3
Voložin SU 17 F1
Volyně CZ 41 F4
Vorau A 49 E3
Vorchdorf A 41 F1
Vordernberg A 49 D3
Vorn'any SU 17 E2
Voronovo SU 17 D1
Võru EST 8 C2
Votice CZ 34 A1
Voz HR 55 E2
Vráble SK 44 B2
Vrana HR 55 D1
Vranja HR 55 D2
Vranov SK 46 C3
Vransko SLO 49 D1
Vratno HR 49 F1
Vrbas YU 58 C3
Vrbaška BIH 57 D2
Vrbnik HR 55 E2
Vrbno pod Pradědem CZ 35 F2
Vrbové SK 44 A2
Vrbovec HR 56 B3
Vrbovsko HR 55 E2
Vrchlabí CZ 34 C3
Vrčin YU 59 D1
Vrelo HR 56 A1
Vrginmost HR 56 A2
Vrhnika SLO 55 D4
Vrhpolje BIH 56 C1
Vroutek CZ 33 E2
Vrpolje HR 57 F2
Vršac YU 59 E2
Vršani BIH 58 B1
Vrsar HR 54 C2
Vrtoče BIH 56 B1
Vrútky SK 44 C3
Vsetín CZ 44 B4
Vukovar HR 58 B2
Vuolojarvi RUS 5 F4
Vybor RUS 9 F1
Vygoda UA 47 F3
Vyra RUS 5 F2
Vyrica RUS 5 F3
Vyšgorodok RUS 13 E4
Vyškov CZ 43 F4
Vyšná Revúca SK 45 D3
Vyšné Raslavice SK 46 B4
Vysoké Mýto CZ 35 D2
Vysokoje SU 31 D4
Vyšší Brod CZ 42 A2

W

Wąbrzeźno PL 22 C2
Wackersdorf D 40 C4
Wadlew PL 29 D2
Wadowice PL 37 D2
Waging D 41 D1
Wagrain A 48 A3
Wagrowiec PL 21 F1
Waidhaus D 32 C1

GDAŃSK
BIAŁYSTOK
Struga
Łomianki
Marki
Praga Północ
Truskaw
Laski
Żoliborz
Zielonka
Ząbki
Karolówka
WARSZAWA
Stare Babice
Ożarów Mazowiecki
Wola
SIEDLCE
POZNAŃ
Praga Południe
Piastów
Ursus
Mokotów
Wilanów
Zagóźdź
Ochota
PRUSZKÓW
Okęcie
Raszyn
Błota
Ursynów
0
8 km
Konstancin-Jeziorna
CZĘSTOCHOWA
KIELCE

Waidhofen an der Thaya *A* 42 C3
Waidhofen an der Ybbs *A* 42 B1
Waischenfeld *D* 32 A2
Wałbrzych *PL* 35 D4
Walchensee *D* 40 B1
Walchsee *A* 40 C1
Wałcz *PL* 21 E2
Waldenburg *D* 33 D4
Waldheim *D* 33 D4
Waldkirchen *D* 41 F3
Waldkraiburg *D* 40 C2
Waldmünchen *D* 41 D4
Waldowice *PL* 26 C4
Waldsassen *D* 32 C2
Wallenfels *D* 32 B3
Wallersdorf *D* 41 D3
Warka *PL* 30 A2
Warlubie *PL* 22 B3
Warmensteinach *D* 32 B2
Warszawa *PL* 30 A3
Warta *PL* 28 C2
Wasilków *PL* 25 D2
Wąsosz *PL* 27 E2
Wasserburg *D* 40 C1
Wassertrüdingen *D* 40 A4
Wda *PL* 22 B3
Węchadłów *PL* 37 E3
Węgliniec *PL* 26 C1
Węgorzewo *PL* 24 A4
Węgorzyno *PL* 20 C2
Węgrów *PL* 30 B4
Wegscheid *D* 41 F2
Weichshofen *D* 41 D3
Weida *D* 32 C4
Weiden *D* 32 C1
Weidenberg *D* 32 B2
Weigetschlag *A* 42 A2
Weilheim *D* 40 A1
Weimar *D* 32 B4
Weismain *D* 32 A2
Weissbriach *A* 48 A2
Weissenburg *D* 40 A4
Weissenkirchen *A* 42 C2
Weissenstadt *D* 32 B2
Weisskirchen *A* 49 D3
Weisswasser *D* 26 B2
Weitra *A* 42 B3
Weiz *A* 49 E3
Wejherowo *PL* 19 E3
Welden *D* 40 A2
Wełdkowo *PL* 18 B2
Wels *A* 41 F2
Weltenburg *D* 40 C3
Wemding *D* 40 A3
Weppersdorf *A* 50 A4
Werdau *D* 32 C4
Werfen *A* 48 A4
Wernberg *D* 32 C1
Werneuchen *D* 26 A4
Wertingen *D* 40 A3
Wessobrunn *D* 40 A1
Weyer-Markt *A* 42 B1
Weyregg *A* 41 E1
Wiartel *PL* 24 A3
Wicko *PL* 19 D3
Widawa *PL* 28 C2
Widoma *PL* 37 D2
Widuchowa *PL* 20 B2
Więcbork *PL* 21 F2
Większyce *PL* 36 A3
Wielbark *PL* 23 F2
Wieleń *PL* 21 D1
Wielichowo *PL* 27 E3
Wieliczka *PL* 37 D2
Wieliczki *PL* 24 C4
Wielogłowy *PL* 37 E1
Wielowieś *PL* 36 B3
Wieluń *PL* 28 C1
Wien *A* 43 E2
Wiener Neustadt *A* 49 F4
Wieruszów *PL* 28 B1
Wierzbica *PL* 30 A1
Wierzchowo *PL* 21 E3
Wierzchucino *PL* 19 D3
Wies *D* 40 A1
Wiesau *D* 32 C2
Wieselburg *A* 42 C1
Wiesmath *A* 49 F4
Wilczkowo *PL* 23 E4
Wilczyska *PL* 37 F1
Wildalpen *A* 49 D4
Wildon *A* 49 E2
Wilfersdorf *A* 43 E2
Wilga *PL* 30 B3
Wilhelmsburg *A* 42 C1
Wilhering *A* 42 A2
Wilków *PL* 29 F2
Windisch *D* 32 C2
Windischgarsten *A* 48 C4
Windsbach *D* 40 A4
Winnica *PL* 29 F4
Wińsko *PL* 27 E2
Wisełka *PL* 20 B3
Wiskitki *PL* 29 E3
Wisła *PL* 36 C1
Wiśniowa *PL* 38 B2
Wisznice *PL* 31 D3
Witkowice *PL* 36 C4
Witkowo *PL* 28 B4
Witnica *PL* 26 C4
Wittichenau *D* 26 A1
Wizna *PL* 24 C2
Władysławowo *PL* 19 E3
Wleń *PL* 34 C4
Włocławek *PL* 28 C4
Włodawa *PL* 31 E2
Włoszczowa *PL* 37 D4
Wodzisław *PL* 37 E3
Wodzisław Ślaski *PL* 36 B2
Wojeiesów *PL* 34 C4
Wojnicz *PL* 37 F2
Wola Idzikowska *PL* 31 D1
Wola Rakowa *PL* 29 D2
Wolbórz *PL* 29 E2
Wolbrom *PL* 37 D3
Wołczyn *PL* 36 A4
Wolframs-Eschenbach *D* 40 A4
Wolfratshausen *D* 40 B1
Wolfsberg *A* 49 D2
Wolgast *D* 20 A4
Wolin *PL* 20 B3
Wólka *PL* 37 D4
Wólka Dobryńska *PL* 31 E3
Wólka Łabuńska *PL* 39 D4
Wolkenstein *D* 33 D3
Wolkersdorf *A* 43 E2
Wöllersdorf *A* 43 D1
Wolnzach *D* 40 B3
Wołomin *PL* 30 A4
Wołów *PL* 27 E1
Wolsztyn *PL* 27 D3
Wörth *D* 41 D3
Woźniki *PL* 36 C3
Wriezen *D* 20 A1
Wróblew *PL* 28 C2
Wrocław *PL* 27 F1
Wronki *PL* 27 E4
Wrząca Wielka *PL* 28 C3
Września *PL* 28 A3
Wschowa *PL* 27 E2
Wullowitz *A* 42 B3
Wunsiedel *D* 32 C2
Wurzbach *D* 32 B3
Wydminy *PL* 24 B4
Wygoda *PL* 38 B1
Wyrzysk *PL* 21 F2
Wysokie Mazowieckie *PL* 24 C1
Wysowa *PL* 38 A1
Wyszków *PL* 30 B4
Wyszogród *PL* 29 E4

Y

Ybbs an der Donau *A* 42 C2
Ybbsitz *A* 42 B1

Z

Žabalj *YU* 58 C3
Zabar *H* 45 E1
Zabierzów *PL* 37 D2
Zabki *PL* 30 A3
Zabkowice Śląskie *PL* 35 E3
Zabłudów *PL* 25 D2
Žabno *HR* 56 C4
Żabno *PL* 37 F2
Zabok *HR* 56 B4
Zabolotje *UA* 31 F2
Zăbrani *RO* 59 F4
Zábřeh *CZ* 35 E2
Zabrze *PL* 36 B3
Zabrzeż *PL* 37 E1
Zadežje *SU* 13 F1
Zaga *SLO* 48 A1
Żagań *PL* 26 C2
Zagare *LT* 11 E2
Zagorje *SLO* 55 E4
Zagórów *PL* 28 B3
Zagórz *PL* 38 C1
Zagreb *HR* 56 B3
Zagyvapálfalva *H* 45 E1
Záhony *H* 46 C2
Zakliczyn *PL* 37 F2
Zaklików *PL* 38 B4
Zakopane *PL* 45 E4
Zakroczym *PL* 29 F4
Zakrzewo *PL* 22 B1
Zákupy *CZ* 34 A3
Zalaapáti *H* 50 B2
Zalabaksa *H* 50 A2
Zalabér *H* 50 B2
Zalaegerszeg *H* 50 B2
Zalakomár *H* 50 B1
Zalalövő *H* 50 A2
Zalaszentbalázs *H* 50 B2
Załuź *PL* 38 C1
Zalužnica *HR* 55 F1
Zamárdi *H* 51 D2
Zamarte *PL* 21 F3
Žamberk *CZ* 35 D2
Zambrów *PL* 24 B2
Zamość *PL* 24 B2
Zamošč *PL* 39 D4
Zamostne *PL* 19 D3
Zaniemyśl *PL* 27 F3
Zapałów *PL* 38 C2
Zapfendorf *D* 32 A2
Zaprešić *HR* 56 A3
Zaprudy *SU* 31 F4
Zărand *RO* 53 D1
Zarasa *LT* 13 D1
Zaręby-Warchoły *PL* 24 B1
Żarki *PL* 36 C3
Žarnovica *SK* 44 C2
Żarnów *PL* 29 E1
Żarnowiec *PL* 37 D3
Zarszyn *PL* 38 B1
Żary *PL* 26 C2
Zasieki *PL* 26 B2
Žatec *CZ* 33 E3
Zator *PL* 36 C2
Zăuan *RO* 53 F3
Zauczyn Poduchowny *PL* 30 C3
Zavidovići *BIH* 57 E1
Zavlaka *YU* 58 B1
Zawada *PL* 26 C3
Zawadzkie *PL* 36 B3

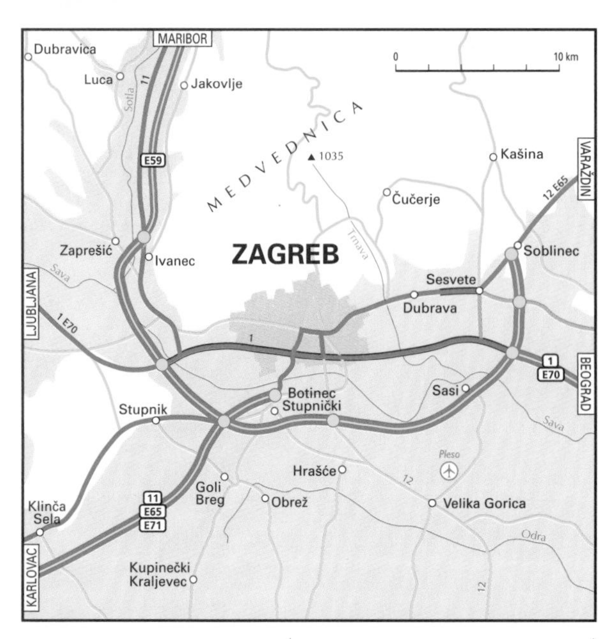

MARIBOR
Dubravica
Luca
Sotla
11
Jakovlje
0
10 km
E59
MEDVEDNICA
▲ 1035
Kašina
VARAŽDIN
12 E65
Čučerje
Zaprešić
Ivanec
ZAGREB
Trnava
Soblinec
LJUBLJANA
Sava
1 E70
Sesvete
Dubrava
1
1
E70
BEOGRAD
Botinec
Stupnički
Sasi
Stupnik
Sava
Pleso
Hrašće
12
Goli Breg
11
E65
E71
Obrež
Velika Gorica
Klinča Sela
Odra
KARLOVAC
Kupinečki Kraljevec
12

Zawichost *PL* 38 B4
Zawidów *PL* 34 B4
Zawiercie *PL* 36 C3
Žažina *HR* 56 B3
Zbąszyń *PL* 27 D3
Zblewo *PL* 22 B3
Zborov *SK* 46 B4
Zborowice *PL* 37 F2
Zbraslav *CZ* 34 A2
Zbraslavice *CZ* 34 B2
Zdar *CZ* 33 E2
Žďár nad Sázavou *CZ* 34 C1
Zdiby *CZ* 34 A2
Zdice *CZ* 33 F2
Ždírec nad Doubrava *CZ* 34 C1
Zdounky *CZ* 43 F4
Zduńska Wola *PL* 28 C2
Zduny *PL* 28 A2
Zdziechowice *PL* 38 B4
Zdzieszowice *PL* 36 A3
Zebrzydowa *PL* 26 C1
Žednik *YU* 58 C4
Zeitz *D* 32 C4
Zel'va *SU* 25 F2
Zelazno *PL* 19 D3
Zelechów *PL* 30 B2
Zelenogorsk *RUS* 5 E4
Zelenogradsk *RUS* 14 B2
Želetava *CZ* 43 D4
Železná Ruda *CZ* 41 E4
Zeleznik *YU* 59 D1
Železnodorožnyj *RUS* 15 D1
Železný Brod *CZ* 34 B3
Želiezovce *SK* 44 C1
Želin *SLO* 55 D4
Zelina *HR* 56 B4
Zeliv *CZ* 34 B1
Żelkowo *PL* 18 C3
Zell *A* 41 E2
Zella-Mehlis *D* 32 A4
Želnava *CZ* 41 F3
Zelów *PL* 29 D2
Zeltini *LV* 8 B1
Zeltweg *A* 49 D3
Želudok *SU* 25 F3
Želva *LT* 16 C3
Žemaičiu Naumiestis *LT* 15 D3
Žemberovce *SK* 44 C2
Zerind *RO* 53 D2
Zerniki *PL* 27 E1
Zeulenroda *D* 32 C3
Zgierz *PL* 29 D2
Zgórsko *PL* 38 A3
Zgorzelec *PL* 26 C1
Žiar nad Hronom *SK* 44 C2
Židačov *UA* 39 F1
Zidani Most *SLO* 55 F4
Židlochovice *CZ* 43 E3
Ziębice *PL* 35 E3
Ziegenrück *D* 32 B3
Zielona Chocina *PL* 21 F3
Zielona Góra *PL* 26 C3
Zielonka *PL* 30 A3
Zieluń-Osada *PL* 23 D2
Ziersdorf *A* 43 D2
Ziethen *D* 20 A3
Žiežmariai *LT* 16 C2
Žilina *SK* 44 C4
Zilupe *LV* 13 F3
Zimandu Nou *RO* 53 D1
Zinnowitz *D* 20 A4
Zinnwald-Georgenfeld *D* 33 E4
Zirc *H* 50 C3
Zirchow *D* 20 A3
Žiri *SLO* 55 D4
Žirovnice *CZ* 42 C4
Zistersdorf *A* 43 E2
Žitište *YU* 59 D3
Zittau *D* 34 B4
Živaja *HR* 56 C2
Živinice *BIH* 58 A1
Zlatá Koruna *CZ* 42 A3
Zlatar Bistrica *HR* 56 B4
Zlaté Moravce *SK* 44 C2
Žleby *CZ* 34 C2
Zliechov *SK* 44 C3
Zlín *CZ* 44 A4
Złocieniec *PL* 21 D2
Złoczew *PL* 28 C1
Zlonice *CZ* 33 F3
Złotoryja *PL* 27 D1
Złotów *PL* 21 E2
Złoty Stok *PL* 35 E3
Žlutice *CZ* 33 D2
Żmigród *PL* 27 E2
Žminj *HR* 54 C2
Znamensk *RUS* 14 C1
Żnin *PL* 22 A1
Znojmo *CZ* 43 D3
Zołkiewka *PL* 38 C4
Żółtki *PL* 24 C2
Zomba *H* 51 E1
Zorneding *D* 40 C2
Żory *PL* 36 B2
Zovka *RUS* 9 E4
Zrenjanin *YU* 59 D3
Zsadány *H* 53 D2
Zsana *H* 52 A1
Zschopau *D* 33 D4
Żukowo *PL* 19 E2
Županja *HR* 58 A2
Župrany *SU* 17 E2
Żurawica *PL* 38 C2
Żuromin *PL* 23 D2
Zusmarshausen *D* 40 A2
Žuta Lokva *HR* 55 E2
Žužemberk *SLO* 55 E4
Zvolen *SK* 45 D2
Zwettl *A* 42 C2
Zwettl an der Rodl *A* 42 A2
Zwickau *D* 32 C4
Zwierzyniec *PL* 39 D3
Zwiesel *D* 41 E3
Zwoleń *PL* 30 B2
Żychlin *PL* 29 D3
Żydowo *PL* 28 A4
Żyrardow *PL* 29 E3
Żywiec *PL* 36 C1
Żywocice *PL* 36 A3

contents

Map pages ii

Map symbols iii

Route planner iv

Distance chart 1

Road atlas 2-59

Index and city environs plans **60-84**

Bratislava	61	Warsawa	82
Budapest	62	Zagreb	84
Praha	75		

1st edition February 1996

Published by AA Publishing (a trading name of Automobile Association Developments Limited, whose registered office is Norfolk House, Priestley Road, Basingstoke, Hampshire, RG24 9NY. Registered number 1878835).

Mapping produced by the Cartographic Department of The Automobile Association. This atlas has been compiled and produced from the Automaps database utilising electronic and computer technology.

ISBN 0 7495 1190 7

A CIP catalogue for this book is available from the British Library.

Printed in Great Britain by BPC Waterlow Ltd, Dunstable.

map pages

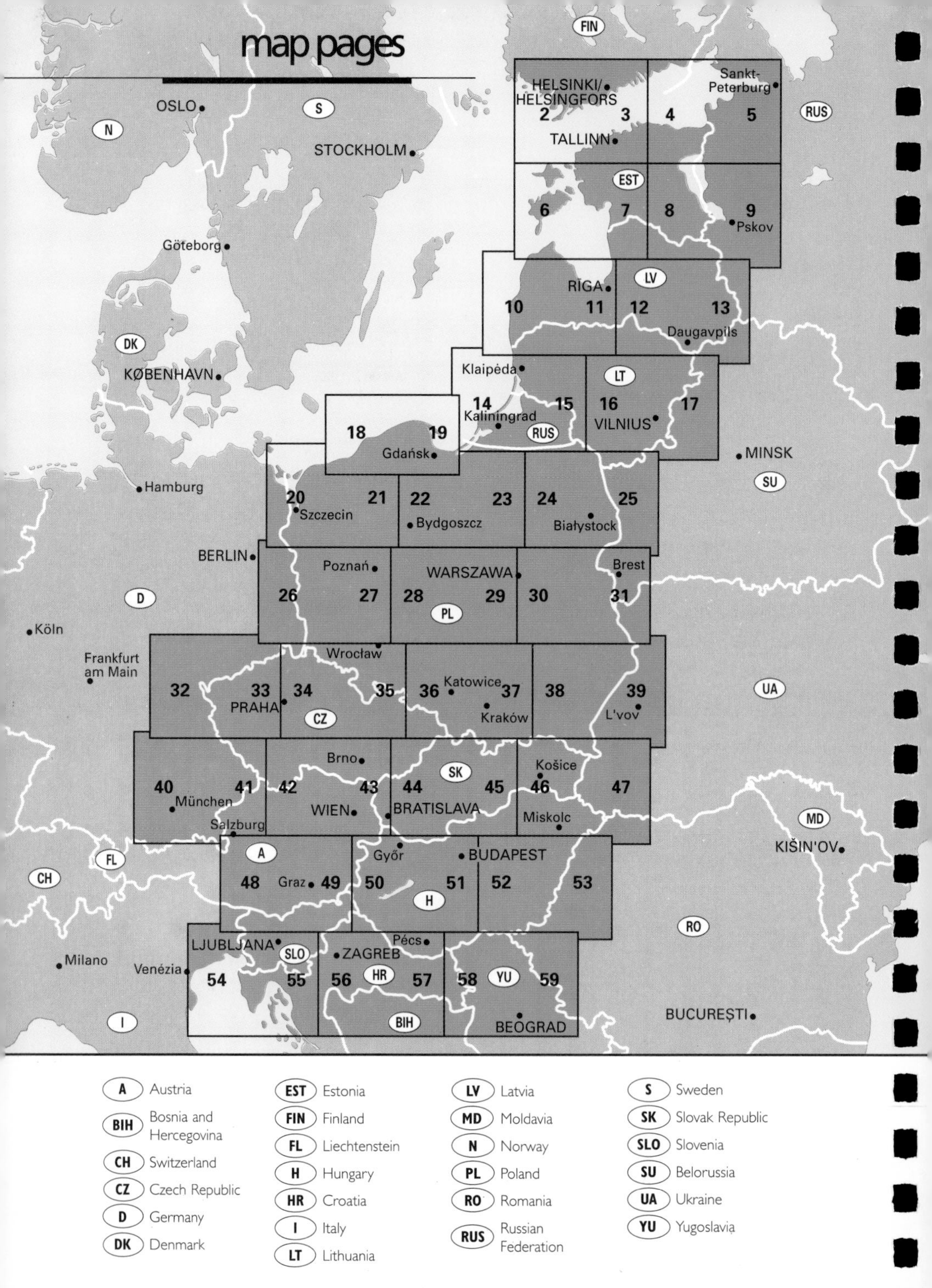

FIN
HELSINKI/
HELSINGFORS
Sankt-
Peterburg
2
3
4
5
RUS
TALLINN
N
OSLO
S
STOCKHOLM
EST
6
7
8
9
Pskov
Göteborg
RIGA
LV
10
11
12
13
Daugavpils
DK
Klaipėda
LT
KØBENHAVN
14
15
16
17
Kaliningrad
VILNIUS
RUS
18
19
Gdańsk
MINSK
SU
Hamburg
20
21
22
23
24
25
Szczecin
Bydgoszcz
Białystock
BERLIN
Poznań
WARSZAWA
Brest
D
26
27
28
29
30
31
PL
Köln
Wrocław
Frankfurt am Main
32
33
34
35
36
37
38
39
Katowice
PRAHA
CZ
Kraków
L'vov
UA
Brno
Košice
SK
40
41
42
43
44
45
46
47
München
WIEN
BRATISLAVA
Miskolc
Salzburg
MD
A
Győr
BUDAPEST
KIŠIN'OV
FL
CH
48
Graz
49
50
51
52
53
H
RO
Pécs
LJUBLJANA
SLO
ZAGREB
Milano
Venézia
54
55
56
HR
57
58
YU
59
I
BIH
BEOGRAD
BUCUREȘTI
A Austria
BIH Bosnia and Hercegovina
CH Switzerland
CZ Czech Republic
D Germany
DK Denmark
EST Estonia
FIN Finland
FL Liechtenstein
H Hungary
HR Croatia
I Italy
LT Lithuania
LV Latvia
MD Moldavia
N Norway
PL Poland
RO Romania
RUS Russian Federation
S Sweden
SK Slovak Republic
SLO Slovenia
SU Belorussia
UA Ukraine
YU Yugoslavia